JN070994

変容する日本経済

真に豊かな経済・社会への課題と展望

The transforming Japanese economy

小山大介・森本壮亮 編著

鉱脈社

目　　次

第3部　社会保障政策、地域政策を問い直す —— 125

第6章　劣化する労働環境と「働き方改革」———— 126

中野裕史（関西私大教連）

変容する日本経済

真に豊かな経済・社会への
課題と展望

序章 転換期であるコロナ禍の今、日本経済を考え直す

森本壮亮（立教大学）

1．崩壊した「一億総中流」

(1)「格差の拡大」の実態

　かつてこの国には「一億総中流」と言われた時代があった。しかし現在の日本は、もはや「一億総中流」ではない。

　確かに、電車の中では老若男女多くの人がこの数年に発売された型のスマホをいじり、みすぼらしい服装をした人はほとんど見かけない。街を歩く若者の服装も、オシャレ度の差はあれ、貧富の差を感じさせるほどの違いはない。むしろ1990年代〜2000年代の頃の方が、ブランド物を身につけている人もそれなりにいて、格差があったように感じる。現在は、「オシャレな大学」として有名な都心の大学内を、ユニクロなどのファストファッションを着た学生が歩いていても、見事に周囲に溶け込んでいる。しかし、このような風景に現代日本の特徴が表れている。

　「格差」という言葉が広く使われるようになって久しい。おそらくこの言葉が日本で広く使われるようになったのは、2001〜06年の小泉政権期であったように思われる。橘木俊詔氏が『日本の経済格差』（岩波新書）という本を書いたのは、1998年のことであった。しかし当時はまだ「格差」と言われてもピンとこない人が多く、その後数年は、本当に日本で格差が広がっているのかという論争が起こったほどである。ところがその後、非正規雇用（特に派遣）が拡大していったことで、小泉政権末期には多くの国民が「格差の拡大」を実感するようになった。

それから15年以上の月日が流れ、今や日本が「一億総中流」だと思っている人はほぼいなくなり、格差社会だという認識が一般的になった。だが、実のところは格差が広がったのではない。「皆が真ん中くらい」の中流だったのが、「皆で貧しくなった」のだ。「一億総中流」の状態からの格差拡大なのであれば、お金持ちになった人も増えたはずである。しかし、**第3章表1**（66ページ）に示されるように、賃金が高い人の割合はほとんど増えていない。賃金が低い人の割合が圧倒的に増えただけである。中間層が上層と下層とに両極分解したのではなく、皆で下に落ちてしまった、これが実情なのだ。自分も含めて、皆で貧しくなっている。だから貧困が見えないし、気づかない。

　これが、「オシャレな大学」にファストファッションが溶け込む理由である。ファストファッションのデザインクオリティーが上がったのは確かだが、それ以上にブランド物を身につける若者が減っている。嗜好の変化と言えばそれまでだが、少ない所得の中で嗜好品にかけるお金がないというのが実情だろう。

　同様のことはマイカーについても言える。今や都心の大学では車の免許すら持っていない学生が大半なのが実情で、就職してからもマイカーを持つ人は少ない。都心以外の地域ではこれほどではないものの、今や多くの人が所有する車は、軽自動車か、せいぜいコンパクトなミニバンになっている。確かに昔と比べて免許や車の保有率の男女差は小さくなっているし、カーシェアリングの利用も増えている。大学生になったらマイカーを買って彼女を助手席に乗せてデートに行くという昭和の価値観が変わったと言えばそれまでだが、学生と話していると、それなりに車に興味を持っているし、本音では車が欲しいと思っている。しかし、現実的には車を所有できないのだ。地方部では車は生活必需品だが、少なくとも首都圏では今や車は中高年の道楽となりつつある。

　日本経済は長くデフレだと言われてきたものの、車の値段は確実に上がっているし、都心のマンション価格はバブル期並みだ。子どもを塾に通わせるのが当たり前となり、大学進学率も50％を超えるまでになっている。このように家賃や教育費を含めた生活費は確実に上がっているのに、非正規雇用が増えて、収入は確実に下がっている。戦後直後のように飢え死にするほど絶対的に貧しいというわけではないが、普通に働いて、普通に結婚して、普通に子育て

をするという「普通」がものすごく難しい社会になってしまった。90年代まで
の「当たり前」は、今や「理想」へと変わってしまっている。

(2) 減った賃金、増えた企業利益

なぜこのような社会になってしまったのか？　日本人が昔と比べて働かなく
なったからなのか？　結論から言うと、そうではない。正社員の労働時間は昔
と比べてさほど減っていないし、昔は多数派だった専業主婦世帯は激減して共
働きが当たり前となり、子どもも高校生になるとアルバイトをするのが当たり
前になっている。普通に考えると、昔と同じくらい働いて、家族の働き手も増
えているのだから、豊かになって当然のように思える。

しかし、厚生労働省「国民生活基礎調査」によると、1世帯当たり平均総所
得金額は、1994年の664.2万円をピークとして、直近の2018年には552.3万円ま
で2割近くも低下している。国税庁「民間給与実態統計調査」によると、1年
を通じて勤務した給与所得者の平均年収は、1997年の467.3万円をピークとし
て、直近の2020年には433.1万円まで低下している。世界を見渡してみても、
少なくとも先進国でこのように賃金が低下しているのは日本だけだ。家族総出
でたくさん働いているのに、なぜ日本だけ賃金が低下しているのか？

少子化と高齢化とが同時に進んでいることによって経済が成長しなくなって
いる、だから賃金も上昇しないのだと指摘されることもある。しかし、経済成
長がゼロだからといって賃金低下が自動的に発生するわけでは決してない。経
済の規模が変わらないのであれば、賃金も変わらないはずだ。それが低下して
いるということは、賃金以外の部分、簡単に言うと、企業のもうけが増えてい
るということだ。事実、2000年代に入るとバブル期を超える史上最高益を記録
する企業が続出し、2010年代に入ると、日本経済全体で見た企業利益の額は、
バブル期をはるかに凌駕する規模にまで膨れ上がり、内部留保は空前の規模で
激増している。

(3) 政治と分配の変化

経済学では、政府、企業、家計という三つの登場人物（経済主体）を想定し

14

て分析を行うことが多い。ここで、企業の代表者を「資本家」、家計の代表者を「労働者」として、両者が社会のルールをめぐって争い綱引きをする場が政治で、その政治の結果を実行に移す機関が「政府」だと考えてみよう。すると、90年代後半以降の日本は、政治の舞台における綱引きで資本家の力が強くなって労働者の力が弱くなった結果、資本家に有利になるようにルール（法制度）の変更が行なわれ、資本家の取り分（企業のもうけ）が増えて労働者の取り分（賃金）が減ってしまったと言える。

　具体的に考えてみよう。日本では90年代後半から2000年代前半にかけて派遣労働の解禁が行なわれ、それ以降も、「ホワイトカラー・エグゼンプション」や「裁量労働制」「働き方改革」という名称で法的に正社員の残業代が消し去られようとしている。また、2010年代になると、企業への税金（法人税）が下げられる一方で、消費税は10％まで引き上げられた。結果的に、労働者の取り分（労働分配率）は、90年代後半に65％近くあった状態から最近では60％を切るほどにまで下がっている（第3章図7）。

　ここで問題なのは、このような資本家に有利になるようなルールの変更を世論も後押ししてしまったことだ。バブル崩壊後企業経営が苦境に陥り、経済成長も止まった中で、企業利益を増大させれば、経済は再び成長し、賃金も上昇して豊かになると信じられた。だから、企業経営者の言う通りにルールの変更を行う「構造改革」に多くの支持が集まった。これは派遣労働の解禁や法人税減税といった資本家に有利なルール変更に邁進した小泉政権や安倍政権が、少なくとも当初は非常に高い支持率を誇ったことに象徴的である。しかし現実経済の世界は、企業経営の世界とは全く異なっている。

⑷　合成の誤謬

　経済学の基本的な考え方に「合成の誤謬」というものがある。これは、それぞれの人が合理的な行動をしても、全体としては意図しない非合理的な結果となることを言う。経済学の世界でよく例として挙げられてきたのは、スタジアムでのスポーツ観戦の例だ。よく見えるようにと一人が立ち上がると、その人はよく見えるようになる。しかし皆が同様に立つと、結局は座っていたのとあ

まり変わらなくなる。この例に象徴的なように、経済（社会）の世界では、必ずしも1＋1＝2とはならない。

　1990年代以降の日本に当てはめて考えてみよう。バブル崩壊後の苦境の中で、特に90年代後半から、各企業はリストラに邁進するようになった。リストラをすると、その企業の業績は、少なくとも一時的には上昇する。しかし、多くの企業がリストラをするとどうなるか？　社会には失業者があふれてしまう。そして多くの人が将来に不安を持つと、消費を減らし、安い物を買うことで節約しようとする。すると「モノが売れない」という経済状態になっていき、企業の売上や利益が減ってしまうから、企業はさらにリストラをするという悪循環に陥っていく。ある企業にとっては合理的な行動（＝リストラ）も、皆がそれをするようになってしまうと、社会全体としては悪い状況（＝不況）になってしまうのだ。

　これは、自らの企業業績を上げるためにはどうしたら良いのかを考える経営者の発想で分析できる話ではない。だが日本の場合、成功した経営者の言うことが盲目的に信じられるとともに、政権政党が莫大な企業献金をもらいながら、経営者団体の要求通りのルール作りを行ってきた。そして見事に「合成の誤謬」に陥ってしまった。これが日本の実情であるように思われる。

2．本書の目的と内容

⑴　本書の目的

　現在、2020年初頭から続くコロナウィルスの影響で、日本経済は転換点に差し掛かっている。振り返ってみれば、大きな経済危機（恐慌）は常に日本経済の転換点となってきた。1973年のオイルショックはその後の「減量経営」と海外進出を、1990〜91年のバブル崩壊はリストラと「産業の空洞化」をもたらし、雇用の非正規化と「一億総中流」の崩壊に繋がっていった。そして2008年のリーマンショックは、半導体や液晶などのIT関連分野における日本の産業の没落とさらなる雇用の悪化、貿易収支の赤字化をもたらした。2020年からのコロ

ナショックとその後も続いているコロナ禍は、2020年代の日本経済をどのように変容させていくだろうか?

　このコロナ禍の中で、企業でテレワークが広がっており、都心の高い本社ビルを引き払う企業も出てきた。それに伴い、テレワークに「適合的」な賃金形態への変化も広く議論されている。今必要なのは、この変化を、これまでのように資本家にとって都合の良いものにしてしまうのではなく、労働者を中心とする多くの人にとって利益になるものにしていくことである。そのためには、まず多くの人が、企業経営者やその広報機関によって流布されている情報をただ盲目的に信じたり感情的に反応したりするのではなく、経済のことについて自らの頭で理解し考える力をつけることが必要である。

　先述のように、日本経済は「一億総中流」だったかつての姿から、90年代後半を転換点として大きく様変わりしている。経済について考える際には、このような構造変化を捉え、かつてとは異なる21世紀日本の姿を正確に捉える新時代の経済感覚が必要になっている。このような新しい経済感覚を身につけ、経済のことについて自らの頭で理解し考えることができるための第一歩となるよう、基礎経済科学研究所（通称「基礎研」）という組織に集った主に30代の研究者で企画してみたのが本書である。本書では扱いきれなかったテーマが多くあるのも事実だが、本書が読者にとって経済を知る手掛かりとなり、少しでも日本経済が多くの人にとって良い方向に進路を変えていくきっかけとなることを期待したい。

⑵ 本書の内容

　本書は、第1部（第1章・第2章）で、世界経済および日本経済について概説をした後、第2～4部（第3～12章）で、重要な論点に焦点を絞り分析を行う。各章の内容は以下のとおりである。

【第1章】

　経済や社会がグローバル化（グローバリゼーション）するなかで、各国・地域間のつながりが密接となっているが、同時に格差拡大や社会的分断も深まって

いる。これには、国境を横断する経済活動の活発化、自由化や規制緩和の進行が関係している。第1章では、現代世界経済が、グローバル化を推進しようとする力と反グローバル化の動き、現在の国際的枠組みを維持しようとする動きと、変えようとする動きが交錯する、時代の転換点にあることを、政治・経済両面から検討する。そして、世界経済がグローバル化によって、両極化、不安定化していることを明らかにする。

【第2章】

　第2章では、日本経済の歩みを概観する。日本経済の歴史的な時期区分は幾通りもあるが、本章ではオーソドックスに、明治から第二次世界大戦まで、戦後復興期、高度成長期、安定成長期、失われた30年の5段階に分けて論じている。日本は高度成長期に、企業集団や下請けといった形で企業がグループを形成して安定的な取引関係を築くとともに、労働者も終身雇用と年功序列賃金のもとで所得が上昇して「一億総中流」と呼ばれた社会が形成された。しかしそれが安定成長期以降、減量経営やリストラ、海外進出やグローバル化といった要因によって崩壊していった様子を素描している。

【第3章】

　第3章では、バブル崩壊以降の「失われた30年」に焦点をあて、日本経済の変化について、その原因とともに考察している。1990年代の日本においては、経済学が教えるとおりに財政政策と金融政策とが極限まで実行されたうえ、2000年代以降は従来の枠を超えた「非伝統的」な金融政策も展開されることとなったが、経済の停滞から脱却することはできず、逆に貧困化が進行することとなった。この事態について、マルクスの「利潤率の傾向的低下法則」の視点から考察するとともに、年齢階級別に見ると、30〜50代の「結婚し子どもを育てていく」世代が最も犠牲となっていることを明らかにしている。

【第4章】

　第4章では、なぜ日本でキャッシュレス化が進み始めたのかについて、キャ

ッシュレス決済を利用する企業にとってのコストという観点から論じている。重要であるのは、決済手数料それ自体が目的ではなく、利用者の消費行動を把握し、それにより集まった情報を別のビジネスに役立てるというキャッシュレス決済システムを提供する側のビジネスモデルの存在であり、それがキャッシュレス決済を利用する側にとっての低コスト化を可能にしている。加えて、キャッシュレス化の進展が社会にもたらすプラスの面とマイナスの面の双方についても論じている。キャッシュレス化については往々にしてプラスの面のみが強調されるが、キャッシュレス化に対応できない人々の存在、またその進展が雇用にもたらす負の影響などについても考慮に入れる必要がある。

【第5章】

　第二次世界大戦後、日本はアメリカとの関係を軸にして、国際社会との関係を築いてきた。そして、1960年代には、自由貿易に関する枠組みを整備するに至っている。だが、日米貿易摩擦の深刻化によって、対米貿易収支黒字の是正を求められると同時に、国内経済構造の改革を余儀なくされる。日本経済のグローバル化は、まさに「外からのグローバル化」であった。自由化や規制緩和、市場開放は、国民生活に関わる分野にまで及んでいる。本章では、通商政策や対外関係から、日本経済のグローバル化過程を検討し、国民の豊かさの実現と、通商政策との関係を考える。

【第6章】

　第6章では、日本政府が推進する「働き方改革」の到達点および限界を論じた上で、現代の日本でなぜ働き方の改革が必要なのかを、長時間労働と雇用の非正規化の実態を例に明らかにする。わが国では、一部の労働者に過度の長時間労働が集中する一方で、低賃金かつ雇用の不安定な非正規労働者が急増するなど、まさに「劣化」とも呼ぶべき雇用破壊が進行している。本章では、この状況を打開する方策として、働き方改革の基本理念に欠落している「生活者の視点」を政策の土台に位置づけること、働き方改革が成長と分配の好循環や日本経済の再生を目的とする以上は、消費の担い手を増やす生活保障の充実や、

消費需要を喚起するための大胆な労働時間短縮政策等が必要不可欠であること等を提言している。

【第7章】

　第7章では、「ベーシック・インカム（BI）」と呼ばれる現金給付の政策案について検討を行う。これは、社会保障の現金給付部分を一括してBIに置き換え、大規模な無条件・普遍的給付を行うことを通じて、例えば生活保護の「選別」の問題や、行政コストの問題を解消しようとするものである。しかしながら、財源調達の問題や労働意欲の問題が指摘され、単純な制度であればよい、とは必ずしも言えない。しかしながら、BIという政策構想を考えることは、社会保障の現状を批判的に捉えることには役に立ち、その意味で検討することの意義はあると言える。

【第8章】

　第8章では、国民皆保険について検討する。皆保険体制は公的医療保険制度によって成立しているが、そもそも社会保険とはどのようなものか、技術的・理論的な面から検討を行い、また税ではなく保険料を集めることの意味についても検討する。その上で、皆保険体制の持続可能性を揺るがすものは何かを考え、昨今のコロナ禍がもたらした課題についても検討している。結局のところ、社会保険が扱う「リスク」と「コスト」についてどう対応するか次第であるが、その意味で、社会保険という技術は今でも一定程度の有用性を持っていると言えよう。

【第9章】

　第9章では、地域経済と財政の相互関係に焦点をあてて、日本の農山村地域が地域内経済循環の構築を通じて内発的発展を目指すにあたっての現状と課題を説明している。そこにおいて自治体は不可欠な役割を担っているが、同時にその役割は地域経済の担税力と政府間財政関係によって規定されていることに目を向けなければならない。それは地域資源として森林資源の産業利用を考え

20

た場合にも同様であり、木材需要が拡大傾向にあるなかで、森林政策・財政の規定的影響下で地元産業がどのように内発的発展を実現するのかを考えなければならない。

【第10章】

　第10章では、資本主義経済の長期動向を理論的に考察している。現在、日本を含めて先進国経済全体の低成長、少子高齢化、デフレ傾向が問題になっている。最適成長論の観点を組み込んだ労働価値説で分析すると、それはある種の経済的必然であると言える。ただし、そう悲観したものではない。本来、高齢化は健康で長生きできている、また、そのような医療・社会保障制度が整備されているということで、喜ばしいことである。社会保障は、若者がお年寄りを支えているように思われるが、支えられる側に子供や学生、障害者などもいるし、逆に支える側に元気なお年寄りもいる。定年を延長して、元気な人は長く働いてもらえば、社会保障は維持できる。ただ、社会保障の維持や、格差解消を目指すなら、税負担が増すことは長期的には避けられない。

【第11章】

　第11章では、市民が社会貢献活動を担う力量の主体的形成と発揮の機会を作り出す歴史的契機となった、1998年の特定非営利活動促進法の制定から、その後20余年が経過する中で、民間非営利組織の活動領域が市場化・営利化の影響を受ける一方、それ以上に営利組織の活動領域が非営利化・社会化してきているという変容の様子を描いた。現代に至っては、サステナビリティ（SDGs）への取り組み、ESG投資の勃興、ソーシャル・インパクトを期待する社会的投資家の誕生などを背景として、もはや、どのような企業形態であっても、社会貢献に軸足を移した活動を展開しなければ私的利益の追求すら困難な段階に入った、と言える。

【第12章】

　現代の資本主義経済は、情報通信技術によって支えられている。技術の飛躍

的な進歩は、グローバル化の原動力となるだけでなく、経済のあり方、人々の
ライフスタイルそのものを大きく変えている。本章では、情報通信分野に着
目し、その技術的発展過程、そして市民生活、企業活動の変化について検討す
る。その際、GAFA（グーグル、アマゾン、フェイスブック、アップル）と呼ばれる
巨大IT企業群に着目し、これらの企業が個人、企業、政府の活動に深く浸透
していること、さらに情報を独占することによって、企業間に階層関係が生ま
れていること、情報通信技術に進歩が新たな格差を生む土壌を形成しているこ
とを明らかにする。

　最後となったが、本書の出版にご協力いただいた鉱脈社の川口社長、そして
編集を担当いただいた鳥井さまにこの場を借りてお礼を申し上げたい。

第1部

政治経済情勢の「常識」が変わる

第1章　世界経済はどこで歪んだのか
──「両極化」する世界に生きる

小山大介（宮崎大学）

キーワード：グローバル化、反グローバル化、世界経済、多国籍企業

はじめに

　今の世界経済は豊かだろうか。私たちは豊かさを実感できているだろうか。グローバル化は何を私たちにもたらしたのであろうか。

　現代世界経済は、すでにかなりの部分「グローバル化（グローバリゼーション）」している。欧州委員会による「グローバル化」の定義に従うとすれば「グローバリゼーションとは、財とサービスの貿易や資本移動の、また技術移転のダイナミックな動きによって、違った国々の市場と生産が相互依存性を深める過程であると定義することができる。これは新しい現象ではなくて、かなりの期間にわたる発展が続くなかで起こったことである」(Commission of the European Communities 1997) ということになり、現代世界経済におけるグローバル化の過程は、長期間にわたり進展し、2000年代末には一定の到達点を迎えたと言ってよいだろう。

　資本主義経済におけるグローバル化の過程は、産業革命当初から進展しており、第一次世界大戦直後には、移民の流れや貿易、証券投資の拡大を中心として相当程度にまで進展した。しかし、その流れは二度の世界大戦によって瓦解し、第二次世界大戦後には新たな世界秩序のもとでグローバル化が進展した。

　第二次世界大戦後の現代世界経済のグローバル化は、貿易・投資の自由化、多国籍企業の海外事業展開とGVCs（グローバル・バリュー・チェーン）[1] の拡大を

---

1)「GVCs（グローバル・バリュー・チェーン）」とは「価値創出／分配のグローバル・ゲームとして見た生産・消費ネットワーク」と定義することができる（猪俣 2019）。

ともないながら進展し、外交・通商などの政治的領域と貿易・投資など経済的領域とが並行的にグローバル化を後押しした。そして1991年の冷戦体制の崩壊が全世界を舞台とした資本主義経済の拡大を推進し、2001年の中国WTO加盟[2]により、現代世界経済を新たな段階へと推し進めた。さらにICT革命が世界の空間的・時間的距離を縮めたことで各国・地域経済は一層緊密となっている。結果として財・サービス貿易額、直接投資額は各国の経済成長率よりも高い伸び率を示し世界経済のグローバル化の根拠をなした（ギルピン 2001）。まさに私たちは「グローバル化された世界」に生きている。

だが、2010年代の世界経済を鳥瞰すると、世界全体の経済成長率は低下し、これまでのように成長の牽引役を担う国・地域を失いつつある。世界の貿易額や直接投資額も2000年代後半を頂点として頭打ちの状態となっている。また、所得格差拡大や財政問題、各国間の対立など社会的・経済的・政治的課題は、すでに「沸点」を迎えており、各国・地域の各所でこれまでのグローバル化による「ひずみ」が生じている。2020年1月のイギリスのEU離脱はこれまでのグローバル化の過程が岐路に立っていることを物語っている[3]。そして日本も例外ではなく、新型コロナウイルスの感染拡大が、これに拍車をかけている。

現代世界経済は、各国・地域間の利害が複雑に絡み合いながら大きな構造転換の時を迎えている。それをひと言で表現するならば「グローバル化の時代」の終焉と「両極化の時代」の到来を意味しているといえよう。本章では、現在の世界経済と日本経済との方向性を探るヒントとなるよう、これまでのグローバル化過程を検討し、何故このような状況に至っているのかを検討する。

1．今、世界で何が起こっているのか

(1) 巻き起こる「自国中心主義」の嵐

---

2) 2001年11月の中国WTO加盟をかわきりに、2007年1月にはベトナムが、また2012年8月にはロシアがWTOへの加盟を果たしている。
3) 2019年12月に実施されたイギリス下院（庶民院）の総選挙で、EUからの離脱を目指す保守党が過半数を獲得し、2020年1月のEU離脱が決定的となった。

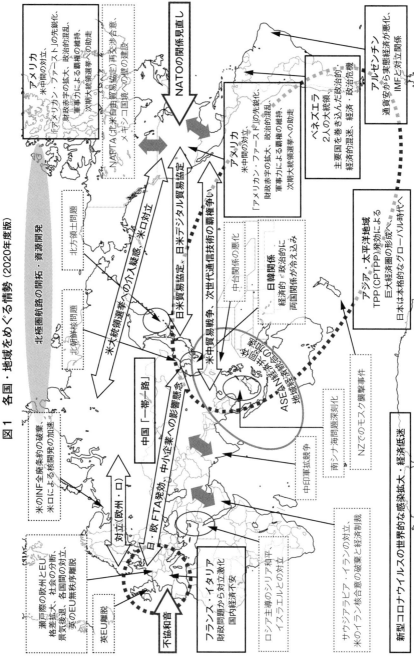

図1　各国・地域をめぐる情勢（2020年度版）

北極圏航路の開拓・資源開発

アメリカ
米中間の対立。
「アメリカン・ファースト」の先鋭化。
財政赤字の拡大。政治的混乱。
軍事力による覇権の維持。
NAFTA（北米自由貿易協定）再交渉合意、メキシコ国境の壁の建設。

NATOの関係見直し

アルゼンチン
通貨安から実態経済が悪化。
IMFと対立関係

アメリカ
米中間の対立。
「アメリカン・ファースト」の先鋭化。
財政赤字の拡大。政治的混乱。
軍事力による覇権の維持。
次期大統領選挙への助走

ベネズエラ
2人の大統領。
主要国を巻き込んだ政治的
経済の混迷。経済・政治危機

北方領土問題

北朝鮮核問題

日米貿易協定、日米デジタル貿易協定

米大統領選挙への介入疑惑、米ロ対立

中台関係の悪化

日韓関係
経済的・政治的に
両国関係が冷え込み

アジア・太平洋地域
TPP（CPTPP）発効による
巨大経済圏の形成
日本は本格的なグローバル時代へ

米中貿易戦争、次世代通信技術の覇権争い

中国「一帯一路」

対立（欧州・ロ）

米のINF全廃条約の破棄、
米ロによる核開発の加速

日・欧FTA発効

中小企業への影響懸念

米中経済依存の ASEAN経済圏
地域経済圏

南シナ海問題深刻化

NZでのモスク襲撃事件

中印軍拡競争

フランス・イタリア
財政問題から対立激化
国内経済不安

不協和音

（EU・ユーロ）

瀬戸際の欧州とEU。
格差拡大、社会の分断、
景気後退、各国間の対立、
英のEU無秩序離脱

英EU離脱

サウジアラビア・イランの対立、
米のイラン核合意の破棄と経済制裁

ロシア主導のシリア和平、
イスラエルとの対立

新型コロナウイルスの世界的な感染拡大・経済低迷

　現代世界経済において大きな転機となったのは、サブプライム・ローン問題から端を発する2008年の「リーマン・ショック」である。これによって、これまで進められてきた貿易・投資の自由化によるグローバル化と先進国を中心とする国際政策協調は、ひとつの到達点を迎えた。そして、世界経済の各所では、「ひずみ」が顕在化することによって、いわばグローバル化の「逆転現象」ともいえる事態が発生している。これらの現象は、貿易・投資の拡大とグローバル化の進展、好景気の影で、隠されてきた所得格差問題や各国市民の社会的分断が露呈することによって、あるいはこれまで政治の中枢を担ってきたエリート層や多国籍企業経営層が、これらの現象を覆い隠すことができなくなったことによって顕在化することになっている。

　これらの現象は、欧州・アメリカにおける政治不信と政権交代という形をともない、政治的主張の極端化を生んでいる。極右・極左を問わずポピュリズム政党が台頭し、オーストリア、スコットランド、イタリアでは政権交代が起こり、ドイツではAfD（ドイツのための選択肢）が第3の勢力として躍進している。イギリスではEUからの離脱が決定している。また、アメリカにおいてはトランプ政権が誕生し、これまでアメリカ自身が構築してきた世界秩序[4]に挑戦する動きを活発化しており、世界経済の混乱に拍車をかけていると同時に、民主党では次期大統領候補者の主張の極端化が進んでいる。中国においても香港を起点として共産党による一党支配への反発が鮮明となっている。

　これらの現象の最大の要因は、領域的なグローバル化の完了と高度経済成長の終焉であると考えられる。これまで世界経済のグローバル化は、先進国から新興国・発展途上国、そして中国などの移行経済地域を市場経済の網に包摂することによって達成されてきた。結果として貿易・投資は、各国経済成長率よりも早く成長し、その牽引役を担ったのが先進国の多国籍企業であった。しかし、現在の世界経済は、好況と不況が入り交じる状態にあり、2000年代における活況は影を潜めている。各国による量的緩和政策や積極財政の展開により、かろうじてプラスの経済成長を維持している状態なのである。また、世界経済

───────────────

4）この世界秩序とは、貿易・投資の自由化、グローバル化の推進、そして民主主義、人権の擁護である。

の周辺部であるアルゼンチンやベネズエラ、ギリシャなどの国々では、経済危機が政治危機へと事態は深刻化している。

　これらの経済危機、世界経済の伸び悩みに対して、各国や国際社会はその解決策を提示することができず、量的緩和政策を継続するのみである。そのため、投資資金が株価や商品市況を押し上げはしているが、それが中間層や低所得者層へと配分されていない。国連ではSDGs（持続可能な開発目標）が叫ばれ、地域経済における地域内経済循環や地域内再投資の必要性が語られているが、それが世界全体では十分に浸透していないだけでなく、持続的発展への開発目標についても、多国籍企業を含めた民間部門の投資促進やグローバル化の推進が明記されている（United Nations 2015）。これでは、市民にまで、十分な資金の配分ができない可能性すらある。

⑵ アメリカ・EU・ロシア・中国で深まる対立と貿易戦争

　貿易・投資の拡大には、関税引き下げや規制緩和がともない、各国では関税だけでなく非関税障壁の撤廃やサービス貿易が推進された。これには先進国を中心とした国際政策協調が必要不可欠であり、グローバル化の推進には各国間の対立関係をコントロールし、妥協点を見いだす外交上の努力を必要としてきた。1980年代後半から2000年代までの30年間においては、この国際政策協調がうまく機能することによって、世界経済秩序の維持とグローバル化が同時に進められてきた。

　しかし、2010年代後半になると政治面・経済面における各国間の対立はより先鋭化することになった。この背景には、中国・インドに代表される新興国の経済的・政治的台頭とアメリカを中心とした先進国の世界経済における相対的地位の低下がある（小山 2016）。これに追い打ちをかけたのが世界経済における景気の後退であった。このアメリカにおける世界経済の相対的地位の低下に関する議論は、今に始まったわけではなく、1971年のニクソン・ショックやG5の創設当初から議論されてきた問題であったが、中国などの新興国の台頭や日本経済の影響力低下とともに、より現実性を増して再登場し、世界経済の不安定化とともに、長期的には時代の転換点にあるとされている。

　特に、アメリカでのトランプ政権発足後は、アメリカ、EU、中国、ロシアを中心として、日本、インドなど周辺の主要国を巻き込みながら、各国間の政治的対立が深まり、国内情勢の緊迫化もあって外交・通商問題においても主要国の足並みが揃わない状態が続いている。アメリカは、EUや中国と経済問題で対立し、また中東情勢でも対立関係を深めている。EUとロシアは、ウクライナ問題や国政選挙への介入、トルコ、シリア情勢をめぐり対立している。また中国主導による「一帯一路」によってアジア、アフリカへと至る巨大経済圏が形成されようとしているが、これに対しても、アメリカや日本との対抗関係が深まっている。これらの政治問題が経済問題へと波及することによって、貿易戦争が先鋭化することによって、グローバル化が岐路に立っているのである[5]。またコロナ禍での感染症対策でも、国民国家の役割が際立っている。

　米中関係は、オバマ政権時から通商関係を中心に課題を抱えていたが、重大な外交問題には至らなかった。しかし、トランプ政権発足後の2018年、米中貿易戦争が先鋭化し、アメリカが通商拡大法やスーパー301条の適用を巡って調査を開始、ついには対中貿易赤字の是正を目的とする追加関税の発動に至っている。2019年9月現在、対中追加関税は第3弾までが発動されており、発動が懸念される第4弾を含めると、すべての貿易品目が追加関税の対象となる事態にまで発展している。この過程で、米中通商担当者は貿易交渉を続けているが、混迷する米中関係のなかで解決に糸口はつかめていない。

　またEU域内においても、シリアからの難民受け入れを巡って、ドイツとイタリアが対立するなど、米中欧では「自国中心主義」が高まるなかで反グローバル化の動きが深まっている。他方で、日本やASEAN（東南アジア諸国連合）では、経済統合を進める動きも見られる。日本ではEUとの自由貿易協定が締結され、RCEP（東アジア地域包括的経済連携）に向けた交渉が進められており、ASEANではASEAN経済共同体が2015年12月に発足している。

　このように一方では、EU、アメリカ、中国、ロシアなどを中心に反グローバル化の動きが進んでいるが、他方で地域経済統合の進展によるグローバル化

5）中国が掲げる「一帯一路」構想とは、2013年に習近平国家主席が打ち出した対外インフラ建設中心の国際開発構想である（平川均他編著 2019）。

が経済的にも政治的にも加速する動きも見られる。現代世界経済は、こうした
グローバル化を推進しようとする力と「自国中心主義」によってグローバル化
に歯止めをかけようとする動きが交錯する、複雑化した世界経済情勢を生み出
している。

2．世界経済の偏重、歪みの原因とは

(1) 経済的側面：多国籍企業の勃興

　ここまで論じてきたように、世界経済は岐路に立たされている。それはアメ
リカを中心とした先進国の相対的地位の低下と経済のグローバル化の領域的拡
大の終焉によるところが大きい。しかし、それだけでは留まらない構造的問題
を内部に秘めている。本節では第二次世界大戦後のグローバル化の過程のなか
でどのような問題が潜在的に存在し、そして各国において膨れあがってきたの
かを検討したい。

　まず、確認しておかなければならないのは、現代世界経済のグローバル化を
押し進めた中心的推進軸は、貿易と投資（直接投資）の拡大であり、それが先
進国から新興国、発展途上国そして移行経済地域へと波及することによって
もたらされた。もちろん貿易の拡大は、国境を越える財・サービスの移動をと
もなうため、各国間の市場開放や関税の撤廃、制度の統一や簡便化が必要とな
る。つまり、世界貿易の拡大は、経済的側面だけでなく、IMF・GATT体制の
拡大に代表される政治的側面における国際政策協調や政治的グローバル化を伴
っている。それは、一国内においては通商面、国内政策面における各国の政策
的裁量権を一部放棄することを意味していた。それが結果として、国内の産業
政策や通商政策の自由度を阻害する要因にもなっている。各国ではグローバル
化に対応するための経済改革が進められたのである（岡田 2005）。

　加えて、貿易や投資の拡大には担い手が必要である。この貿易・投資の拡大
は、1960年代以降、先進国の多国籍企業が担った。多国籍企業は、当初アメリ
カ企業から勃興し、近隣のカナダや大西洋の対岸にあるイギリスへと進出する

ことで、多国籍化を実現し、欧州各国ではアメリカ企業の進出を「脅威」と見
る動きもあった。しかし、1970年代にはイギリス、フランス、西ドイツに代表
される西側巨大企業が欧州域内やアメリカへと進出することによって、多国籍
化を実現することになる。また、日本企業も1970年代後半から80年代にかけて
大挙して海外事業活動を展開するようになり、各国間における直接投資の流れ
は、アメリカ中心から欧州各国、日本を巻き込んだ「相互投資」の時代を迎え
る。これが現代世界経済におけるグローバル化の出発点となった。

　多国籍企業の海外事業活動は、海外直接投資（直接投資）、企業内貿易、現地販
売、クロスボーダー・M&A、戦略提携にまたがり、各国に生産・流通・販売
網を形成することによって、企業内世界分業体制を構築するようになる。これ
ら個別企業の体制が高度に形成されることによって、先進国、新興国、発展途
上国を含めたGVCs（グローバル・バリュー・チェーン）が構築されている。そして
21世紀には、ICT革命を軸としてグローバル化はさらに加速したとされる（ボー
ルドウィン 2018）。

　多国籍企業の海外事業活動の特徴の1つに、タックス・ヘイブン[6]を利用し
た租税回避が挙げられる。海外直接投資を世界に点在する租税回避地を経由す
ることによって、膨大な海外直接投資収益を蓄積するとともに、親会社立地国
（本国）や事業活動を展開している国・地域からの租税を回避する手法である。
これらを駆使することによって多国籍企業が莫大な利益を確保しつつ、各国の
租税を回避し、投資家への配当や再投資へと資金循環されることによって、巨
大化の一途をたどった。また、グローバル化の過程のなかで、先進国に限定さ
れていた多国籍企業の所在地が新興国や発展途上国へも拡大し、結果として一
国経済に匹敵するあるいは上回る規模の経済活動を企業内に行い、経済的にも
政治的にも大きな影響力を有する多国籍企業群が形成されている。

(2) 多国籍企業における正と負の側面

　多国籍企業には、もちろん正と負の側面が存在している。私たちの身の回り

---

6)　タックス・ヘイブン（租税回避地）とは、法人税率や所得税率がゼロあるいは極めて低く設定されて
　いる国・地域のことであり、多国籍企業などのペーパーカンパニーが多数置かれている。

　の生活を見渡してみると、いかに多国籍企業に依存しているかがわかる。携帯
電話契約、ネット通販、スマートフォンアプリ、パソコン、タブレット、自動
車、鉄道、航空機の利用、衣食住、どれをとっても多国籍企業に依存しないで
生活を送ることは大変難しい。多国籍企業が提供する財やサービスは、私たち
の生活の質を向上させてきたのみならず、すべての財やサービスを市場経済の
なかに包摂してきた。今、この利便性から離れて生活することや生産活動を行
うことは難しいのである。また、世界中の人々が同様の財やサービスを手でき
るようになったことも、多国籍企業の海外事業活動がグローバルに展開された
結果である。これはいわば、多国籍企業の「正」の側面であろう。

　だが、多国籍企業の海外事業活動の展開とグローバル化は、激しい競争社会

コラム

肥大化するグローバル企業の売上高と株式時価総額

　グローバル企業とは、全世界に活動拠点を持ち、世界各国で事業を展開している多国
籍企業のことを指す。グローバル企業は総じて規模が大きく、世界中の人々から広く認
知されている。アメリカの経営雑誌「Fortune」が毎年発表している「Fortune Global
500」(2019年)によると、企業収益が1,000億ドルを超える企業は全世界に69社ある。日
本企業もこのなかに含まれているが、世界で最も収益の大きな企業は、アメリカのアー
カンソー州に本社を置く、ウォルマート・ストアーズであり、収益は約5,144億ドル、
従業員数は220万人に達する。この従業員数は札幌市(2019年11月)の全人口よりも多い。

　また、2019年12月11日に株式の上場を果たしたサウジアラビアの国営石油企業サウ
ジアラムコの株式時価総額は、上場初日に1兆8,770億ドルに達し、アップルの1兆2,000
億ドルを上回り世界最大となった。このようにグローバル企業は、天文学的規模にまで
膨れあがっている。

　しかし各国の実態経済は、ぱっとしない。そのため、株価の上昇やグローバル企業の
規模拡大との乖離が広がっている。仮想空間でのマネーゲームの膨張、それは現代世
界経済を象徴する現象の1つである。若年層の雇用不安、南欧・南米諸国の経済的苦境、
非正規雇用の拡大、所得格差の拡大、地域経済・社会の活力低下は深刻な課題となって
いる。世界経済をどのような視点を見れば良いのだろうか。「富」の偏重が進んでいる。
今、世界中で広がっている反グローバル化への「うねり」の原因を解明する糸口がここ
に眠っている。

の到来を助長している。これまでの地域的な繋がりや家族関係を破壊し、全世界の人々が比較の対象となる時代が訪れている。これらの競争社会においては、個人だけでなく、多国籍企業すらも脱落者となり、世界経済では常に、敗者が強者に包摂されている。これらは、グローバル、リージョナル、ナショナル、ローカルとの間に経済的な階層関係を作りだし、巨大多国籍企業、大手国内企業、そして中小企業との間にも、利益率、成長率、人材確保等における大きな格差・階層構造を生んでいる（小山 2017）。個人においても競争からの脱落者を大量に生む構造は同様であり、それが所得格差となって現れているのである。このような社会的格差構造の形成は、それを支える現役世代に大きな負荷を与えており、巨大多国籍企業における租税負担に比して、個人や中小企業における負担を増加させることにもつながっているのである。

　多国籍企業には、法を制定する力はない。しかし、国家や政府に圧力をかけることはできる。多国籍企業は、時に競争しつつ、時に協調することで自身の利益の極大化を図っている。多国籍企業と各国政府との間には、「グローバル化の推進」と「自由な経済活動」という共通利害が形成されているのである。

　世界経済の転換点という意味では、技術革新による経済構造の変容についても注視する必要がある。1990年代以降進んだICT革命は、ビッグデータの活用やAI研究へと進み、技術・情報・知的財産権の一部企業への集積が進んでいる。ここでも、技術・情報・知的財産権を持つモノと持たざるモノ、アクセスできるモノとの格差が進んでいる。監視社会の到来だけでなく、将来の雇用への不安が世界全体を覆っているのである。

(3) 政治的側面：貿易・投資の自由化、新自由主義的政策の促進

　経済のグローバル化は、国際政策協調によって後押しされた。それは、IMF・GATT体制の構築とラウンド交渉による関税の一括引き下げによって行われた。結果として、それは多国籍企業に新たな活動領域をもたらし、貿易を中心とした各国間の経済関係は急速に深まっていった。しかし、これに転機が訪れたのは、1970年代であった。新自由主義的政策のもとで、貿易・投資の自由化が加速度的に進むと同時に、各国制度・国内規制のグローバル化プロセス

図2　EU28カ国および日米における15−24歳までの失業率（単位：%）

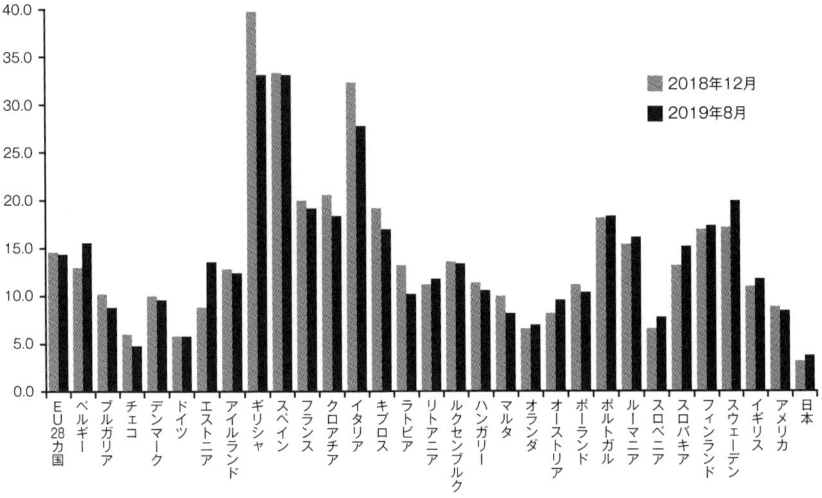

凡例：
- 2018年12月
- 2019年8月

縦軸：0.0, 5.0, 10.0, 15.0, 20.0, 25.0, 30.0, 35.0, 40.0

横軸（国名）：EU28カ国、ベルギー、ブルガリア、チェコ、デンマーク、ドイツ、エストニア、アイルランド、ギリシャ、スペイン、フランス、クロアチア、イタリア、キプロス、ラトビア、リトアニア、ルクセンブルク、ハンガリー、マルタ、オランダ、オーストリア、ポーランド、ポルトガル、ルーマニア、スロベニア、スロバキア、フィンランド、スウェーデン、イギリス、アメリカ、日本

注：2019年8月の数値がない国については、公表されている最新のデータを使用。
出所：EU統計局（Eurostat）データ（https://ec.europa.eu/eurostat/data/database アクセス日：2019年2月17日）より作成。

が開始される。各国間の国際政策協調における基本的路線は、一貫したグローバル化の推進であった。日米関係、新興国・発展途上国の市場経済化、EUの域内統一自体も新自由主義的である。

1970年代から世界各国を席巻した新自由主義的政策は、これまでのケインズ主義的政策とは対照的に、自由化や規制緩和、民営化などを基本路線として、個人に対しては、自助努力を促した。国内外の金融市場が自由化され、オフショア市場が形成され、投資資金が各国の金融市場や証券市場を翻弄するようになるのも、1980年代以降のことである。

また、国民生活に直結した電気、ガス、水道、鉄道事業へと民間資本が流入し、1990年代には郵政事業の民営化も進むことになる。本来で公的部門が担うべき事業にまで、民間企業が参入することによる国内生活への弊害、サービスの切り捨てが問題となるのも、この時期からである。くわえて、先進国では、社会保障制度の見直しが進み、労働市場改革による非正規雇用の急増、年金給付開始年齢の引き上げ等が実施されている。他方で、財産所得保有者の資産は増加を続け、雇用者所得と財産所得との税負担にも格差が生じている[7]。

⑷ 分断された「両極社会」の現出：欧州・アメリカの事例

　経済のグローバル化は、市場経済を前面に出し、「弱肉強食」、「優勝劣敗」の競争社会をもたらす結果となった。そのグローバル化され、多国籍企業が全世界で活動する社会は、企業であれ、個人であれ勝者であれば、ある意味で「生きよい」社会を形成している。しかし、一度「敗者」となれば社会の底辺へと追い落とされ、社会保障のセーフティーネットが機能しない「生きにくい」社会へと誘われる。

　現代世界経済を取り巻く課題のなかで、各国の両極化社会をもたらしている最大の要因が所得格差の拡大と若年層における就職難、不安定・非正規雇用であろう。もちろんこの問題は、日本においても最大の課題となっており、少子高齢化を進める問題の１つとなっていると考えられるが、EUやアメリカにおいては、社会的分断や政治構造の変容と直結した問題となっている。

　一例を挙げるとEUにおいては、域内での経済活動の自由化を推し進めた結果、「ドイツ一強」とも呼べる事態が生まれ、ドイツを中心として周辺部へと進むと所得格差や就職難が一層深刻化する結果となっている。EU域内では、平均所得の６割以下を指す相対的貧困者数の増加傾向が続いており、特にサブプライム問題が顕在化した2007年以降に急増する結果となっており、現在も高止まりの状態が続いている。また、EU域内ではドイツを除くと、失業率が高い状態が続いているが、そのなかでも南欧諸国の若年層（15から25歳）における失業率は、非常に高い状態が続いている。そのなかでもギリシャ、スペイン、イタリア、フランスでは、2018年12月現在、若年層の失業率が20％以上に達している。これらの国では例外なく、社会的分断が進んでいるのである。くわえて、シリアからの難民問題がEUの結束に風穴を開けている。欧州域内で進んだ自由化や規制緩和がEUの存続を危うくしていると考えられる。

　アメリカにおいては、一人当たり所得の地域間格差が拡大しており、ラストベルトと呼ばれる地域経済の活性化が課題となっている地域では、トランプ大

7）結果としてこれまで、経済、社会、文化を支えてきた「中間層」の所得が伸び悩むとともに、若年層の就職不安と所得格差が広がっている（ライシュ 2016）。

統領への得票が多くなっているが、東部のマサチューセッツ州、そしてニューヨーク、西部のカリフォルニア州、ワシントン州とアメリカ中部との所得格差が広がっている。2017年のデータによると、アメリカにおいて最も一人当たり賃金が高い地域は、ニューヨークの5万2,000ドルであるが、最も低いモンタナ州の賃金2万9,657ドルとでは2万ドル以上の格差が開いているのである。この現象は、日本における東京一極集中と所得水準の地域間格差と類似しており、地域経済の衰退と直結しているのである。

　若年層や若い現役世代の将来への不安は、社会的分断や政治不安と深く関連している。若い世代は、もはや父親や母親世代よりも良い所得、良い暮らしをすることが難しいことを認識している。そして増え続ける負担に限界を感じている。日本においては、社会変革をもたらすような動きは見られないが、若い世代の将来への不安が政治問題へと直結し、アメリカやEU域内においては、反グローバル化の動きとして具現化している。

　このように、世界経済の構造変化は、地域経済や所得格差といった私たちの近い場所での「歪み」から生じているのであり、経済のグローバル化によって、視点が希薄化しおろそかになっている地域経済や市民生活の重要性を再認識させる起点となっている。

おわりに：「両極化」の時代を生き抜くために

　現代世界経済におけるグローバル化プロセスは、貿易・投資の拡大を基本路線とし、多国籍企業の活動領域を拡大させてきた。そしてそれは、新興国や発展途上国の経済発展を促し、各国の所得上昇と貧困の削減をもたらしたとされている。しかし、新興国の台頭は、先進国との間に新たな対立関係を生んでいる。また、国内における産業政策や社会保障政策の裁量権は、国際政策協調によって縮小し、自由化や規制緩和、民営化、そして個人に対する自助努力を強いる、「自己責任論」の台頭すら生んでいる。

　これまでのグローバル化過程は、これまで本章で検討してきたように、各所に歪みを生み、経済的には個人所得の格差拡大や多国籍企業と国内企業、中小

企業との経済格差を生み出すだけでなく、グローバル化レベルにおける世界経済の構造変化すらもたらしており、それが世界経済の不安定化の基礎的要素を成している。また2020年1月から全世界で猛威をふるっている新型コロナウイルスの感染拡大は、社会的・経済的弱者の感染拡大とあわせて、世界経済をこれまでとは異なる社会・経済へと変容させようとしている。

　現代世界経済は、グローバル化を推進しようとする力と反グローバル化の動き、現在の世界経済の枠組みを維持しようとする動きと変えようとする動きが交錯している。まさに「両極化」を進める力学が働いているのである（小山2019）。そしてそれが、どちらの方向に向かうのか、現段階では判断が難しい状況が生まれている。とはいえ、経済面ではICT革命の進展もあり、グローバル化がさらに進むものと考えられ、その際、国内・地域経済の持続的発展や地域内再投資力[8]が強化され、個人レベルでは本質的な豊かさの推進が基調とされなければ、不安定化がさらに助長されることになるだろう。まさに世界経済は、パラダイム・シフトの時代を迎えているのである。

【参考文献】

Commission of the European Communities（1997）*1997 Annual Economic Report: Growth, Employment and Convergence on the Road to EMU*, Office for Official Publications of the European Communities, pp.35 - 36.

United Nations（2015）*General Assembly Transforming Our World: the 2030 Agenda for Sustainable Development*, p.29（https://www.un.org/ga/search/view_doc.asp?symbol=A/70/L.1 アクセス日：2019年12月16日）.

リチャード・ボールドウィン著、遠藤真美訳（2018）『世界経済大いなる収斂 ——ITがもたらす新次元のグローバリゼーション —— 』日本経済新聞出版社（原著：Richard Baldwin,（2016）*The Great Convergence: Information technology and the New Globalization*, Harvard University Press, Cambridge, Massachusetts）pp.15 - 23.

ロバート・ギルピン著、古城佳子訳（2011）『グローバル資本主義 危機か繁栄か』東洋経済新報社（原著：Robert Gilpin,（2000）*The Challenge of Global Capitalism: The World Economy In The 21ST Century*, Princeton University Press, Princeton, New Jersey）pp.18 - 19.

ロバート・B・ライシュ著、雨宮寛・今井章子訳（2016）『最後の資本主義』東洋経済新報社（原

---

8)「地域経済の持続的発展」とは、地域内の再生産の維持・拡大を意味し、「地域内再投資力」とは、地域経済の持続的発展を実現するための「地域内で繰り返し再投資する力」のことを指す（岡田2005）。

著：Robert B. Reich,（2015）*Saving Capitalism : For the Many, Not the Few*, Vintage Books, New York）pp.151 – 154.

猪俣哲史（2019）『グローバル・バリューチェーン　新・南北問題へのまなざし』日本経済新聞出版社 p.36。

岡田知弘（2005）『地域づくりの経済学入門 —— 地域内再投資力論 ——』自治体研究社 pp.50 – 56、 p.139。

小山大介（2016a）「Chap.13　通商政策を考える —— グローバル化する貿易・投資と日米関係」岡田 知弘・岩佐和幸編（2016）『入門 現代日本の経済政策』法律文化社 pp.229 – 230。

（2016b）『米日多国籍企業の海外事業活動と企業内貿易の展開 —— グローバル化とリージョナル化 の基礎過程 ——』（京都大学大学院経済学研究科学位申請論文）p.23。

（2018）「グローバル化する地域経済と中小企業の多様性 —— 宮崎県中小企業家同友会による景況調 査を事例として —— 」『企業環境研究年報』第22号（企業環境研究センター）pp.51 – 52。

（2019）「多国籍企業の進出から地域を守る道 —— グローバル化をいかに捉え、主体的に行動すべき か —— 」『中小商工業研究』第139号（中小商工業研究所）p.18

平川均他編著（2019）『一帯一路の政治経済学 —— 中国は新たなフロンティアを創出するか ——』文 眞堂 p.4。

第2章 日本経済の歩み
——日本型経済システムの成立と解体

森本壮亮（立教大学）

キーワード：高度成長、六大企業集団、一億総中流、減量経営、海外進出

はじめに

　経済のパフォーマンスを表す代表的な指標として、GDP（国内総生産）がある。これは、ある国（例えば日本）において一年間に生産されたモノやサービスの付加価値の合計額を示したものである。例えば、トヨタ自動車は、鉄やガラスなどの原材料や部品を用いて自動車を作っている。これら原材料や部品は他の企業が生産したものなのでカウントせず、トヨタがそれら原材料や部品に付け加えた価値がトヨタが生産過程で生み出した「付加価値」であり、日本全体で同様に一年間に付け加えられた価値の合計額がGDPというわけだ。

　GDPは、戦後ずっと大きくなり続けてきた（図1）。このようにGDPが大きくなることを経済成長と言い、戦争など例外時を除いて、経済は成長していくのが通常である。それが日本では、1990年代半ばに経済成長が止まり、以降はGDPがマイナス成長となる年も増えてきた（図2）。お隣の中国を見てみると10％近い成長をしているし（ただし近年は6％ほどに低下してきている）、そもそも日本も高度成長期（1955〜73年）は毎年10％くらい成長していたから、ほとんどの日本人にとって経済が成長しないというのは異常事態に思えた。以来現在までの約25年間、歴代政権による経済政策の一番の目的は、「経済成長を取り戻す」こととなってきた。

　そのために様々な経済政策が行われてきたが、安倍首相による「既得権益の岩盤を打ち破る、ドリルの刃になる」（2014年1月の世界経済フォーラム年次会議冒頭演説）という言葉に象徴的なように、規制の緩和が1990年代以降の経済政策

図1　名目GDPの推移

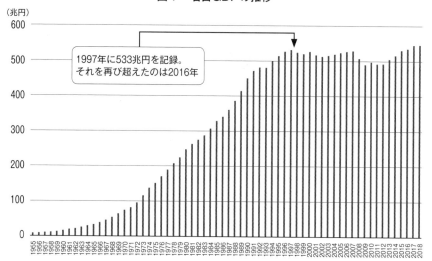

（兆円）

1997年に533兆円を記録。
それを再び超えたのは2016年

注1：1955～79年は「1998年度国民経済計算確報」、1980～93年は「2009年度国民経済計算確報」、1994～2018年は「2018年度国民
　　経済計算年次推計」による。
注2：年度。
出所：内閣府「国民経済計算」より作成。

図2　経済成長率（GDP成長率）の推移

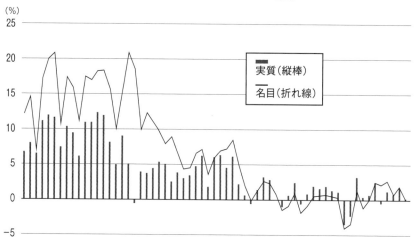

（%）

実質（縦棒）
名目（折れ線）

注1：1955～79年は「1998年度国民経済計算確報」、1980～93年は「2009年度国民経済計算確報」、1994～2018年は「2018年度国民
　　経済計算年次推計」による。
注2：年度。
出所：内閣府「国民経済計算」より作成。

の一つの柱であった。労働市場における規制緩和、金融における規制緩和、農業における規制緩和、国際的な投資と貿易の規制緩和（投資と貿易の自由化）……。経済成長を妨げている諸悪の根源とされた規制を緩和し、自由競争を促進することで経済は刺激され、成長を取り戻すことができると、政治家やマスコミを含め多くの人が主張してきた。

　しかし、そもそもなぜ規制というものがつくられ、これまで存在してきたのか？　規制を緩和するということは、どのような結果をもたらすのか？　規制緩和は、経済のシステムを作り変えることを意味する。ならば、日本経済、そして日本社会は、これからどのように変わっていくのか？

　こういったことを考えるためには、これまでの日本経済が歩んできた歴史を振り返り、規制に代表されるシステムによって形作られてきた日本の経済・社会のこれまでの姿を改めて見つめ直してみることが重要である。そこで本章では、これまでの日本の経済・社会について簡単に振り返ってみよう。

1．明治から第二次世界大戦まで

　実に250年以上続いた江戸時代も、黒船来航とともに太平の世が崩れ出し、1867年には大政奉還が行われ、翌1868年から明治の時代が始まった。西洋の圧倒的な軍事力を見せつけられた明治時代の日本は、富国強兵策と共に産業革命を推し進めた。江戸時代までの日本は、厳格な身分制度の中で、天皇や貴族そしてその後は武士の利益（領地獲得）が社会を動かす「封建社会」であったが、産業革命以降の日本は、企業の利潤（利益）獲得が社会の動力となる「資本主義社会」へと徐々に変化していくこととなる[1]。

　経済学における代表的な歴史観の一つに、唯物史観（史的唯物論）という考え方がある。これは、人間の物質的な生産活動・経済活動が「土台」となって法律や政治といった「上部構造」を規定し、歴史が動いていくと考えるものであ

1）ただし、具体的に日本がいつから資本主義社会となったのかについての判断は難しい。明治から太平洋戦争敗戦（1945年）までの日本は「半封建的な資本主義」であったとする見解を唱える「講座派」と呼ばれる論者も多い。興味のある読者は、「日本資本主義論争」と呼ばれる論争について調べられたい。

る。このような考え方を基礎に置くと、ある国が生産力の発展を遂げていく
と、それに比例して軍事力も大きくなり、原材料の調達や生産物の販売をめ
ぐって隣国と衝突するようになる。産業革命を達成し、生産力の飛躍的な発展
（経済発展）を遂げた日本は、財閥を中心とした大企業と政府が緊密に結びつい
た「帝国主義」とも称される体制を敷きながら次第に領土・植民地を広げてい
くとともに、他の列強諸国と衝突するようになっていった。これが、日露戦争
や太平洋戦争の、経済学的な一つの説明である。

　しかし、太平洋戦争において日本は、国民の大多数を動員したまさに総力戦
を行うも、日本国民だけでも300万人以上の犠牲者を出し、1945年の敗戦を迎え
た。唯物史観的には、軍事的衝突が起きた時、生産力・経済力の大きな方が勝
利する。日本は確かに資本主義列強の仲間入りを果たしたが、当時世界一位・
二位の経済力を有していたアメリカやイギリスとはまだまだ差があったのであ
る。

　8月15日の敗戦を告げる玉音放送が流れた時、東京・大阪をはじめとする大
都市は空襲で破壊され、特に広島と長崎は原爆投下によって壊滅的な状態とな
っていた。戦後の日本は、まさに何もない焼け跡からの再出発であった。

2．戦後復興期（1945〜54年）

　8月30日、連合国軍最高司令官のダグラス・マッカーサー元帥が日本の地に
降り立った。そして戦後の日本は、連合国総司令部（GHQ）による指令の下、
戦争へと向かわせたそれまでの社会構造を変革すべく、各種の改革を行ってい
く。

　まずその第一は、財閥解体である。GHQの中で対日経済政策を担った人々
には、進歩的な考えを持つニューディーラーが多かったとされる。彼らの目に
は、戦前の日本においては、財閥を中心とする大企業が、自らの経済的利益を
求めて人々を搾取しながら国全体を戦争に駆り立てたと映った。例えば、戦前
の三菱財閥は、創業者一族の岩崎家が持ち株会社の株を握り、三菱グループ各
社はその持ち株会社の傘下となって間接的な支配を受けるという支配構造とな

っていた。このような構造の下では、財閥家族の岩崎家が絶大な力を持つ特権階級となり、政財界や旧貴族・皇族との婚姻関係・交友関係を通じて、日本社会全体を支配し、その他多くの一般市民は労働者として奉仕するという、格差社会構造となっていた。戦争犠牲者の多くはそのような一般市民だったわけだから、財閥家族の株式を中心とする財産を没収し、持ち株会社を解体・禁止して、財閥というシステムを解体することが、日本を民主主義国家にするための第一歩だとされたのである。そしてこの過程で、財閥家族に代表される会社を所有するオーナー経営者が追放され、以降戦後日本の企業経営者は、社員から出世した「サラリーマン社長」が主役となっていく。

　二つ目の改革は、労働の民主化である。財閥解体によって資本家の強大な力をそぐとともに、労働者側の権利を保障することで民主的な社会を作ろうと考えられたのである。GHQの指令によって労働三法（労働組合法・労働基準法・労働関係調整法）が制定され、戦時中は禁止されていた労働組合運動が活発化していくこととなった。ただし、この時に戦時中の産業報国会の組織がベースとなって労働組合ができていったことから、日本の労働組合は欧米の産業別とは異なり、総じて企業別のものとなっていく。

　最後の三つ目の改革は、農地改革である。戦前の日本は、広大な土地を持った地主が小作人（農業労働者）を雇って農業を行っている比率が高かった。これも先に見た財閥を中心とする企業構造と同様に、GHQの目には非民主的な格差構造と映り、解体の対象となった。そして、地主の土地の多くが小分けされ、小作人たちに分け与えられることとなった。このように「解放」された小作人は「農家」となって、戦後日本の農業の主役となっていく。こんにち、日本の農業が家族主体の小規模経営で大規模経営のアメリカの農業と比べて生産性が低いとされている理由は、ここにあるのである。

　これら三つの改革は合わせて「経済の民主化」政策と呼ばれるが、これ以外にも「傾斜生産方式」と呼ばれる経済政策がとられた。戦後直後はとにかく何もない状態だったので、日本で採れる数少ない資源である石炭と、あらゆる産業の基礎的生産手段である鉄との二部門に、資金や労働力や輸入した重油を最優先に投入し、石炭と鉄鋼との二部門から生産力を回復させていこうとされた

のである。

　だが当時は、空襲で住む家や労働力を失った国民のほか、戦地からの復員者、満州をはじめとする大陸からの帰国者が路頭に迷っている状況で、食料品を中心に物不足となり、物価は急上昇して（ハイパーインフレ）経済は大混乱の状況だった。このように戦後の日本経済は、非常に困難な状況からの船出だったのである。

　しかしこのような状況に転機をもたらしたのが、朝鮮戦争（1950～53年）であった。戦後世界は、アメリカを中心とする西側・資本主義陣営と、ソビエト連邦を中心とする東側・社会主義陣営とに分かれ、例えば、第二次大戦の敗戦国となったドイツは両陣営の間で東西に真二つに分割された。幸い日本は分割されることはなかったが、隣の朝鮮半島で両陣営間の戦争が起こったのである。このとき日本はその地理的特性から、西側陣営の国連軍（実質的にアメリカ軍）から大量に物資の発注を受けることとなり、朝鮮戦争特需が生まれた。戦争という不幸な「対岸の火事」が「神風」となって、以降日本は高度経済成長の波に乗っていくこととなる。

　そしてちょうどこの朝鮮戦争中の1951年9月にサンフランシスコ講和条約と日米安全保障条約が締結され、それが発行した翌年、日本は独立を回復した。

3. 高度成長期（1955～73年）

　このように日本は主権の回復とともに経済の復興も終え、1956年の経済白書で「もはや戦後ではない」と宣言された。経済白書は、前年の各種経済統計データから経済状況をまとめたものなので、1956年の前年の55年が「もはや戦後ではない」状況だということとなる。そして、以降1973年の第一次オイルショックまでの18年間、日本は経済の好況不況を繰り返しながらも、平均して名目では15％以上、物価上昇分を差し引いた実質でも9％以上の経済成長を遂げていくこととなる。

　このような高度成長をもたらした要因については諸説あるが、何を差し置いても大きかったのは、戦争の影響であろう。「戦争で死んだ友の分も……」「日

本男児たるもの……」などは、この時代を生きた人々の口からよく聞かれた言葉である。戦争の悲惨な体験、（その良し悪しは別として）戦時中の教育や訓練が、この時代の企業家や労働者の精神や肉体に大きな影響を与えていたことは間違いない。今から振り返ると、戦時教育や徴兵を経験した世代を中心に、21世紀に生きる日本人とは異なる独特なマインドがあった。

　そして、先述の労働組合の例のように、戦時中に形成されたものが戦後に形を若干変えながらも継承され、戦後日本経済の基礎を形成したものが少なからず存在する。戦時中の軍需産業は解体されたが、そこから生まれた企業は数多くあるし、大企業が中小企業を「下請け」として利用する構造も、戦時中に広まったものである。また、1995年まで続き、戦後日本の農業システムを象徴する存在であった食糧管理制度（コメなど国民生活にとって主要な食糧の流通や価格などを政府が管理した制度）も、戦時中に作られたシステムである。

　戦争の影響のほかに、輸出も高度成長をもたらした要因の一つであった。先述のように、朝鮮戦争時に米軍から特需が発生したことが日本経済を成長軌道に乗せるきっかけとなったことからも、外需（外国からの需要）の影響は見逃せない。そしてマグロや女性用ストッキングのアメリカ市場への輸出によって、日米貿易摩擦が始まったのもこの時期である。ただし、GDPに占める輸出の割合は10％ほどと、この時期それほど大きくないし（**図3**）、貿易黒字が定着するのはもっと後の1980年代に入ってからである。当時の1ドル＝360円という固定為替の恩恵を受けて輸出によって成長した産業もあったが、全体に占める割合としてはそれほど大きなものではなかったのである。

　GDPは支出面から見ると、内需（消費＋投資＋政府支出）と外需（輸出－輸入）の合計から成る。消費をするのは家計、投資は企業、政府支出は政府、外需は海外の経済主体によるものであるが、家計による消費がGDPの6割ほどを占めており、高度成長を牽引したのは、まさにこの家計消費であった。戦後の日本は、人口の半数近くが農業という状態から出発したが、農家は長男が継ぐというのが通常であった。当時の出生率は2を超えていたから（**図4**）、未婚者や戦争で夫を失った女性の存在を考えると、だいたい各家庭に3人くらい子どもがいた計算になる。農家を継ぐ長男以外は家を出て東京や大阪などの大都市に

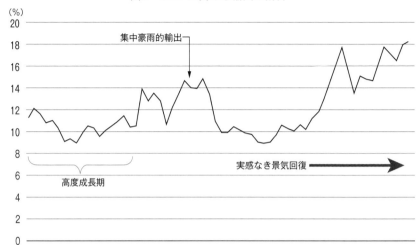

図3　GDPに占める輸出の割合

注1：1955〜79年は「1998年度国民経済計算確報」、1980〜93年は「2009年度国民経済計算確報」、1994〜2018年は「2018年度国民
　　　経済計算年次推計」による。
注2：年度。
出所：内閣府「国民経済計算」より作成。

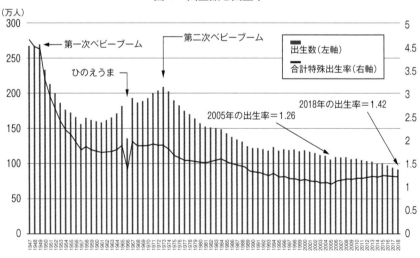

図4　出生数と出生率

出所：厚生労働省「人口動態調査」より作成。

職を求めて出ていくことになったので、上野駅など地方からの鉄道ターミナルには集団就職者があふれているという光景がよく見られた。そして就職・独立後はそれぞれが居を構え、生活必需品を買いそろえることになったので、高度成長期の前半は白黒テレビ・冷蔵庫・洗濯機という「三種の神器」が、後半はカラーテレビ・クーラー・自動車 (car) の「3C」が飛ぶように売れた。このような国内における家計消費が成長を牽引し、家電や自動車を作る企業が日本を代表する企業・産業となっていったのである[2]。

加えて、銀行や商社を中心に財閥が再結集していったことも、この時期の重要な変化である。GHQによって財閥家族は追放され、財閥傘下の企業を束ねる司令塔であった持ち株会社も禁止されたが、企業が活動するにあたっては横のつながりが重要になってくる場合も多い。企業は一般的に、貨幣（資金）を投下して、生産手段（原材料や部品）と労働力（従業員）との二種類の商品を買って、商品（モノやサービス）の生産を行い、その生産した商品を市場で売って、当初に投下したよりも大きい額の貨幣に変え、もうけ（「利潤」や「利益」と呼ばれる）を得ている。19世紀の代表的な経済学者であったK.マルクスはこのような企業活動によって貨幣が殖やされていく構図を「資本の一般的定式」と名づけたが、初めの資金の調達には銀行が、生産手段の購入や商品の販売をするにあたっては商社が近くにあればやりやすい。特に高度成長期の企業は、これら資金も購入・販売のルートも不足していたので、かつて財閥を形成していた企業群が、銀行と商社を中心に再結集していったのである。そしてこのような企業グループの形成は、三菱・三井・住友といったかつての財閥だけにとどまらなかった。大銀行（都市銀行）を中心にそれぞれ企業グループが形成され、三菱・三井・住友のほかに、富士銀行、三和銀行、第一勧業銀行を中心とする企業グループができあがった。いわゆる「六大企業集団」の形成である。

このような六大企業集団において、グループ内企業の融資をはじめとする資金の管理を担った都市銀行は「メインバンク（主要取引銀行）」と呼ばれ、グループの事務局のような役割を果たし、グループ内企業の経営を「手助けする」（監

2）この部分の詳しい話については、吉川（2012）を参照のこと。

視する）ために役員を派遣することもたびたびであった。また、1〜2カ月ごとにグループ内の社長が集まって「親睦を深める」社長会が開かれることとなった。加えて、グループ内企業の部長級や課長級などの懇親会や、グループ内企業の従業員用の結婚相談所まで存在し、グループ内の人的結束力を強める役割を果たした。

　原材料や部品などの調達にあたってもグループ内企業から行うことが多く、企業集団内ですべてをまかなえるという意味で「フルシステム」と呼ばれた。このように経済的・人的に結合されているのが企業集団の特徴であった。また、企業集団内には、大企業を筆頭とするピラミッド構造も存在した。例えば、三井グループに属するトヨタ自動車は、その下に部品供給を行う数多くの下請け企業を抱えており、その構造は「系列システム」と呼ばれる。このように、企業集団にせよ系列システムにせよ、「グループで群れる」というのが、良くも悪くも高度成長期の日本企業の特徴であった。

　ただし、このようなグループで群れる構造に問題がなかったわけでは決してない。高度成長期前半には、大企業と中小企業との間で「二重構造」と呼ばれる格差が社会的に問題となった。この時期に大企業では、終身雇用と年功序列という戦前の1920年代に形成された雇用システムが復活したのに対して、中小企業ではこのような安定的な雇用が保証されず、大企業と中小企業との間で格差があったからである。しかし、高度成長期も終わり頃になると、グループ構造によって成長の恩恵が上から落ちてきて（「トリクルダウン」と呼ばれる）、利潤率（利益率）では中小企業の方がむしろ上回るという現象が生じた（図5）。このように高度成長期の日本では、成長の果実が末端まで広く行き渡るという好循環が見られた。その結果、高度成長期終盤にできあがったのが「一億総中流社会」である。

　厳密に言えば、日本国民一億人全員が真ん中くらいの豊かさにあったわけでも、貧困がなかったわけでも決してない。ただ、経済成長の果実が広く行き渡るとともに、お金のあまりかからない公立の学校からでも勉強すれば国公立大学へ行けて大企業に就職できたという意味で機会の平等がある程度確保されるようになったこと、そして何よりも1961年に国民皆保険と国民皆年金が実現さ

図5　資本金規模別の総資本営業利益率

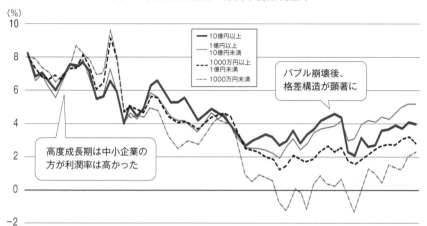

注1：全産業（金融業、保険業を除く）
注2：年度。
注3：1974年以前の1000万円未満の値については、200万円未満、200万円以上500万円未満、500万円以上1000万円未満のそれぞれの値の単純平均値。
出所：財務省「法人企業統計調査」より作成。

図6　総資本営業利益率と金利の推移

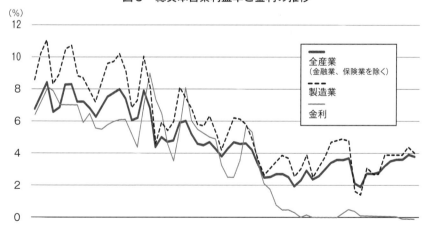

注1：金利に関しては、1994年以前は基準割引率および基準貸付利率、1995～2015年は無担保コールオーバーナイト物金利、2016年以降は準備預金の「政策金利残高」への適用金利。
注2：1959年以前は暦年平均の値、1960年以降は年度平均の値。
出所：財務省「法人企業統計」および日本銀行「時系列データ検索サイト」より作成。

れて国民の誰しもが安心して医療にかかれるようになったことなどから、「皆が真ん中くらいの生活を送ることができる」という雰囲気が国民の間で広まり、事実真ん中付近の所得者層（中流階級）が増えたのである。

　しかし、以上のような高度成長のメカニズムも、1970年頃になると終わりが見えてくる。国内的には、農村から都市への人口移動が徐々に落ち着いていき、それに伴う消費財需要の増加にも陰りが見えてきた。テレビや冷蔵庫などの耐久消費財は、一度買うと何年ももつため、一旦広く行き渡ると買い替え時期が来るまでそれ以上の需要増大は難しいからである。また国外との関係でも、1960年代後半には繊維を中心とした日米貿易摩擦が大きな問題となり、1969年に就任したニクソン大統領は、日本に繊維製品輸出を「自主規制」するよう強く迫った。これら国内外の要因により、1970年から実質成長率は下がりだし（図2）、1971年のニクソンショック、そして1973年の第一次オイルショックによる経済混乱は、高度成長期の終わりを告げる鐘となった。

4．安定成長期（1974〜91年）

　このように、大きな経済危機が来る前には、先に成長率や利潤率が低下し始めるということが、経済の歴史でよく見られる現象である。日本企業の代表的な経営指標となってきた「総資本営業利益率」（総資本に対して本業であげた利益の比率）の推移を見ると（図6）、オイルショック後に急落しており、成長率のみがその後の経済危機の予兆を示していたように見えるが、アメリカでは、オイルショックが来る前の1960年代後半からすでに利潤率の大幅な低下が始まっていた（Duménil and Lévy（2011）p.58）。ヨーロッパではさらに早く、ドイツでは1950年代中盤からすでに製造業における利潤率低下が始まっていたという指摘もある（Brenner（2006）p.7）。戦後復興の過程で経済が回復・成長し、中流階級が広く形成されたという点は先進各国共通の出来事で、「資本主義の黄金時代」（Marglin and Schor（eds.）（1992））とも呼ばれるが、1973年にオイルショックが来た頃にはすでに陰りが見え始めていたのである。以降、先進各国経済は共通して大きな危機に陥ることとなる。

　この1970年代の危機からいち早く抜け出したのが、日本であった。オイルショックによる経済混乱（特にモノの買い占めやインフレーション）の影響で、1974年の経済成長率は戦後初めて実質でマイナス成長となったが、翌75年には4％成長に回復し、以降バブルが完全に崩壊した1991年まで、平均して名目で8％弱、実質でも4％を超える「安定的な成長」を達成したのである（図2）。対するアメリカはこの時期、インフレとそれを抑えるための高金利政策（ボルカー・ショック）によって経済は混乱し、1980年代は財政赤字と経常収支赤字との「双子の赤字」に悩まされることとなり、ヨーロッパも経済が立ち直るきっかけがつかめないでいたから、危機からいち早く安定成長に移行できた日本は、先進各国の中でも例外的な存在であった。

　では、日本はどのようにして、この1970年代の危機をいち早く克服したのか？　それは主に「減量経営」と「海外進出」にまとめることができる。

(1) 減量経営

　先述のように、企業はお金を投下して、生産手段と労働力とを買って、商品の生産を行い、その商品を市場で売ってお金に変えて利潤を得ている。このお金の流れの中で、生産手段の購入に使われるお金を「不変資本」、労働力を雇うのに使われるお金を「可変資本」と呼ぶが、これら不変資本と可変資本との両者（俗に「コスト」と称される）を節約することが「減量経営」と呼ばれ、当時の経営者によってこぞって追求された。

　まず不変資本を節約する具体的な方法としては、高度成長期は自らの子会社、同じ企業集団や系列に属する企業から調達していた部品を、韓国・台湾・中国本土などからの調達へと切り替えていくことで、「コストを節約する」動きが徐々に広まっていった。そしてちょうどこれに呼応するかのように、1978年から中国の改革開放政策が始まり、松下電器（現パナソニック）を筆頭に製造業企業の中国本土への進出が始まった。高度成長期は日本全国に展開した工場や下請け企業を利用して生産していた構造が、海外生産と海外企業からの調達に変わり始めたのである。繊維産業などはこれ以前から東南アジアに進出を開始していたが、経済苦境の中で、コスト削減のための海外進出が一気に加速し

たのである。

　可変資本を節約する具体的な方法としては、人員削減がまず追求された。
人員削減といっても、従業員をクビにするというわけではなく（そのようなケー
スも当然あったが、主流ではなかった）、新卒採用を退職者数以下にすることで人員
を削減するという方法が広く取られた。また、従来は人の手で行っていた作業
を機械に置き換えていく、つまり「産業用ロボット」の導入が加速したのもこ
の時期である。そして当然ながら、途上国に工場を建設することは現地の安価
な労働力を利用できるようになるということでもあるので、不変資本部分だけ
でなく可変資本の節約にも大きく貢献した。なお、主婦パートや学生アルバイ
トを中心として非正規雇用が目に見える形で拡大し、戦後GHQによる民主化
政策の中で禁止された労働者派遣が再び認められるようになったのもこの時期
である（1986年に労働者派遣法が施行）。

(2) 海外進出

　このように、減量経営と車の両輪のように共に進行したのが企業の海外進出
であり、海外進出は不変資本・可変資本の両コストの削減に大きく寄与した。
しかし、海外進出の役割はこれだけにとどまらない。企業は商品を生産した後
にそれを販売してお金に変えないと意味がなく、「命がけの飛躍」とも言われ
るように、この販売部分が最も難しくかつ肝心である。前節で見たように、高
度成長期の終わりは、需要つまり販売部分に限界が来たことからやってきた。
安定成長期の日本企業は、この限界を海外市場への進出（商品を海外で売ってい
くこと）によって突破しようとしたのである。

　このように商品の販路を海外市場に見出していくことは、決して日本独特の
新しい現象ではない。例えば、産業革命直後の19世紀のイギリスは、機械を利
用して大量生産した綿製品を、国内市場だけでは需要に限界があったので、イ
ンドなどの植民地市場で売りさばいていた。同様に1970年代半ば以降の日本
は、商品の販路を、特にアメリカ市場に見出していったのである。

　例えば、日本メーカーの自動車はアメリカメーカーの車に比べて燃費も良
く、壊れにくかったのでアメリカの消費者の心をつかんでいった。また、ソ

ニーの盛田昭夫がウォークマンやCDといった次々と自社で開発した商品を、アメリカ市場で「made in Japan」というキャッチフレーズを用いて大量に売っていたのもこの時期である。このように安定成長期の日本企業は、ただ安いというだけでなく商品力で、アメリカの消費者の心を次々とつかんでいったのである。

　しかし、19世紀イギリスのインド市場への綿製品の輸出が現地の生産者を壊滅させたのと同様に、1980年代に入る頃には、現地アメリカ企業の苦境が大きな問題となってくる。先述のようにこの頃のアメリカ経済はどん底の状態で、日本企業によるアメリカ市場への「集中豪雨的輸出」が、アメリカ企業だけでなくそこで働く労働者をも苦境に陥れているとして、日米貿易摩擦が大きな政治問題化した。

　戦後の日本は、敗戦の結果としてのアメリカによる統治から始まっており、独立したといっても全国に残る米軍基地に象徴的なように、力関係でいえば日本はアメリカの属国のような関係にある。日米貿易摩擦が大きな問題となったこの時も、譲歩を余儀なくされた。また、1970年代の危機からいち早く脱して安定成長を取り戻していた日本は、「アメリカ経済を助ける」余裕もあったのかもしれない。結果的に1985年、ニューヨークのプラザホテルで、円とドルの為替レートを大幅に円高にするという「プラザ合意」が結ばれ、合意前に1ドル240円台だった為替レートは、1988年頭には1ドル120円台まで円が急騰するという結果となった。

　為替が1ドル240円から1ドル120円になるということは、日本から輸出してアメリカ市場で1万ドルの値札で売っていた自動車の円での価値が、240万円から120万円になるということである。もし日本の工場で1台あたり200万円のコストで作っていたとすると、1ドル240円だと1台あたり40万円の利益（240万－200万）が出ていたところが、1ドル120円だと1台あたり80万円の赤字（120万－200万）に変わるということである。このように為替が円高になる（1ドルに対する円の価値が高まる）ということは、日本の輸出産業には大きな大きな痛手となる……はずであった。そしてこのような「円高不況」への対策として、金利が引き下げられ、1986年から2.5％というそれまでと比べると異例の低金利と

なった（図6）。銀行から借金して事業を営んでいる企業にとっては、借金に
対する利息が減れば手元に残る利益はそれだけ多くなる。金融政策の定石通
り、このメカニズムによる企業支援が図られたのである。

　しかし政策当局の予想とは裏腹に、大きな不況はやって来ず、逆に家計や企
業の間で「今でしょ！」と言わんばかりに、ローンを借りて住宅購入やリゾー
ト開発をする動きが広まった。また家計や企業がこぞって株を買ったことで株
価が急騰し、1989年12月29日の日経平均株価終値は、史上最高の3万8,915.87円
をつけた。経済学的には、地価と株価が急騰するのがバブルの特徴である。
1980年代末の日本では、まさにバブルに典型的な現象が見られたのである。だ
が経済の歴史が示す通り、バブルはいつか必ずはじけるものである。そして株
価は1990年に入ると一気に下がり始め、一年も経たない9月には約半分の2万
円を一時割り込むに至り、地価もその後を追うように下がっていった。

5．失われた30年（1992年〜現在）

　今から思えば奇妙なことだが、バブルが崩壊した当初は、多くの国民が不況
は一時的なもので、数年で景気は回復すると思っていた。バブル崩壊直後に大
学を卒業した人々の間では、そのような景気回復を見込んで、あえてすぐには
就職せずにアルバイトなどの一時的な仕事で数年しのぎ、景気回復後に本格的
な就職をしようと「時間かせぎ」するという話もたびたび聞かれたという。し
かし、2020年代に生きる我々ならよく知るように、以降の日本経済は長期停滞
に陥ることとなる。

　世界的に見れば、ちょうどこのバブル崩壊の時期は、歴史の大きな転換点で
もあった。1989年11月にはベルリンの壁が崩壊し、12月にはマルタ島でソ連の
ゴルバチョフ書記長とアメリカのブッシュ（父）大統領とが会談して冷戦終結
が宣言された。そして1991年にはソビエト連邦が崩壊し、名実ともに東西冷戦
が終結した。「世界が一つになった」のである。

　中国やキューバなどの一部の社会主義国は残るも、世界は資本主義（貨幣増殖
を第一とする社会メカニズム）に飲み込まれ、企業（資本）は国境を越えて世界中を

自由に動き回れるようになり、東西冷戦以前の「世界市場」が復活した。「グローバル化」という用語が本格的に使われるようになったのは、この頃からである。日本にとっての「失われた30年」は、世界にとっては「グローバル資本主義」の時代であった。そして、日本経済が「失われた」理由も、このグローバル化と深く関わっている。

(1) 金融危機の1990年代

　まず1990年代の日本経済は、バブル崩壊による地価と株価の下落の影響を強く受けた。高い土地代を払って作ったゴルフ場やリゾート地の価値は一気に下がり、高い利用料を払って利用する者も少なくなっていき、みるみるうちに経営が悪化していった。このような企業に資金を貸していた銀行をはじめとする各種金融機関は、本来なら担保である土地や建物で最終的には資金を回収できるはずであったが、地価の急落を受けてそのような見込みもなくなり、資金は「焦げ付いて」、それらの企業の借金証書は「不良債権」と化した。銀行はもちろん、企業や家計が持っていた株の価値も急落し、バブル期に家を買った家計は高い利息の付いた数千万の借金の返済に苦しめられることとなった。

　このような状況の中、不良債権を大量に抱え込んだ金融機関の破綻や統廃合が相次いだ。象徴的な出来事としては、1997年に北海道拓殖銀行と山一證券が相次いで経営破綻した。北海道拓殖銀行は都市銀行（全国展開する大銀行）の一つ、山一證券も四大証券会社の一つであったから、山一證券社長の号泣謝罪会見と共に、社会に与えた衝撃はすさまじきものがあった。

　だが、この両社が特殊であったわけでは決してない。やはり都市銀行の一つであった大和銀行も不良債権を大量に抱え込み、ニューヨーク支店での米国債をめぐる巨額損失を隠ぺいしたとしてアメリカから追放された事件も加わって経営危機に陥り、同じく都市銀行であったあさひ銀行と2003年に合併してりそな銀行になるも、すぐに再度経営危機に陥って国有化されるという経緯をたどっている。他の都市銀行も不良債権問題で経営が苦しい状況は同様で、政府から強力な指導と莫大な公的資金（その原資はもちろん税金である）注入を受けながら、2000年代半ばまでに、三菱UFJ、三井住友、みずほの三つの「メガバンク」

に集約されるに至った。

(2) グローバル化と日本型企業システムの崩壊

　このように、バブル崩壊後の「失われた30年」の前半は、金融危機としての側面が強い。しかし、これと密に関わりながら進行したのが、グローバル化の進行と日本型企業システムの崩壊である。

　その象徴的な出来事が、1998年の日産自動車の経営危機とその後のカルロス・ゴーン体制による経営改革（「日産リバイバルプラン」と称された）である。日産自動車は、戦前は日立をグループの中核とした日産コンツェルンに属し、戦後の高度成長期以降は六大企業集団のうち富士銀行を中心とした芙蓉グループに属していた。それゆえ、経営危機に陥ったとき、本来なら富士銀行が主体となって救済するのが筋であった。しかし、1998年当時の富士銀行は不良債権問題により自身も経営苦境に立たされていてそのような余裕はなく、グループ内の山一證券は1997年に自主廃業、大倉商事は1998年に自己破産というさんたんたる有様で、企業集団として日産を救済するどころの状態ではなかった。結果としてフランスのルノー傘下となり、ゴーン体制によって系列解体が推し進められることとなり、2017年には日産系列最大企業であるカルソニックカンセイが、米投資ファンドのコールバーグ・クラウディス・ロバーツ (KKR) に売却されるに至っている。

　このように系列が解体されていくと、日産の車が売れると系列の中小企業まで広く潤うという、高度成長期に見られたトリクルダウンのメカニズムが働かなくなる。部品はグローバルに調達されているので、恩恵がまさにグローバルに流れ出てしまうという構造に変化したのである。結果、カルロス・ゴーンは「プロ経営者」として日産を「V字回復」させた功績として毎年10億円ほどの報酬を受け取りながらも（現在は、その額も違法にかなり過小に公表されていたことが明らかとなっている）、系列企業群は苦境に陥るという格差構造が発生してしまったのである。

　このような話は、日産だけの話ではない。安定成長期からの企業の海外進出は、1990年代以降のグローバル化の中で、六大企業集団体制に象徴的な企業が

グループを形成して動くという日本型企業システムの崩壊につながっていった。特に1990年代半ばに円高が進んだことから企業の海外進出が加速し、その後の都市銀行の再編は、この動きをさらに加速させた。2002年から2007年まで日本の景気は回復したとされているが、その恩恵が大企業にしか行き渡らず「実感なき景気回復」とよく言われたのは、このような日本型企業システムの崩壊が主因と言ってよい。高度成長期に好循環をもたらした従来のシステムの否定、それがバブル崩壊とグローバル化の中で1990年代以降進行したのである。

　そしてこの章の冒頭で、経済成長を求めての規制緩和が1990年代以降の経済政策の一つの柱であったと指摘したが、まさに官（政治）の側からの従来のシステムの否定の表現が「規制緩和」なのである。緩和の対象となっている規制の多くは戦後復興期にGHQ主導で作られ、高度成長期は政府による規制（統制）と企業間結合（企業のグループ構造）を特徴とする経済（かつてはこのような経済は「国家独占資本主義」と呼ばれた）であったのが、「グローバル競争」という名の無秩序な自由競争に基づく弱肉強食経済へ変化し始めたのである。

(3)「一億総中流」の崩壊

　このような企業構造の変化は、間もなく労働者の雇用にも変化を与えるようになった。高度成長期は中小企業の労働者にもヒラ社員にも広く経済成長の恩恵が広がって「一億総中流」と言われたが、そのような構造が崩れ、グローバル化の恩恵にあずかる大企業の経営層と管理職層が「勝ち組」となって所得を激増させ、それ以外の労働者が「負け組」となって所得を減らすという格差構造に変わっていったのが、90年代後半からの話である。それまで分厚かった中間層が高所得者層と低所得者層とへ両極分解し始め、当然ながら高所得層に上がる数の方が少ないから、1997年をピークとして日本全体の平均年収は下がり始めた（図7）。

　また、不況への対応策として最も簡単な経営戦略であるリストラが経営者の間で流行となり、社会問題化したのもこの90年代後半である。先述の日産のゴーン改革の柱は、系列解体・主要国内工場閉鎖・2万人以上のリストラであったが、これこそが日本企業の救世主であるプロ経営者の経営策だとして、

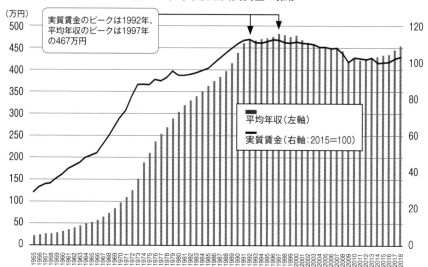

図7 平均年収と実質賃金の推移

注1：平均年収＝「1年を通じて勤務した給与所得者の年間の平均給与」
注2：実質賃金＝平均年収÷消費者物価指数（持家の帰属家賃を除く総合・年平均）
注3：暦年。
出所：国税庁「民間給与実態統計調査」、総務省統計局「消費者物価指数」より計算して作成。

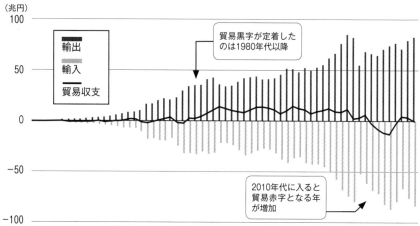

図8 輸出入と貿易収支の推移

注1：輸入額はマイナスで示している。
注2：暦年。
出所：財務省「貿易統計」より作成。

ゴーン氏逮捕まで長らくビジネス界で称賛されていたのは記憶に新しい。しかし、従来の日本の雇用システムは、終身雇用と年功序列を二本柱とした正社員主体のシステムであったから、リストラによってそこから振り落とされた労働者の多くは、下に落ちていくしかなかった。それゆえ、このような労働者を「救う」ために、従来の「硬直的な雇用システム」を改め、頻繁に転職が可能な「柔軟な雇用システム」に変えなければならないとの主張が、以降増えていくこととなる。

　このような労働者の「首切り」以外にも、それまで正社員でまかなっていた仕事を非正規雇用でまかなうという方法の人件費（可変資本）節約も広がっていった。これらの結果として、それまでは「家計補助的」な主婦パートが主体であった非正規雇用が、大学生や高校生の間だけでなく、自分で生計を立てていかないといけない働き盛りの人々の間にも急速に広まっていったのである。そして、このようなシステムチェンジを手助けするべく、労働者派遣法の改正（1999年に派遣の原則自由化、2004年に製造業への派遣解禁）に代表される労働法制の改正がなされた。結果、現在までに労働者の4割弱が非正規雇用となり、そのような非正規雇用が企業を縁の下で支えるというシステムに変化するに至っている。

　しかしこのような雇用のシステムチェンジは、幾多もの問題を発生させることとなった。代表的なものの1つ目は、消費が伸びないことと、その結果としてのデフレである。賃金が下がる（平均年収では、ピークの1997年の467万円から2012年に408万円まで下がり、2018年は440万まで回復したものの、それでも約20年で約30万下がっている）ということは、消費の力も弱まるということである。GDPの構成要素のうち、家計消費が最も大きい6割ほどを占めているから、ここが伸びないと当然ながらGDPの成長は難しいし、モノが売れないと値下げ競争が加速するからデフレとなる。

　個々の利益が経済全体の利益になるわけではないことを、経済学では「合成の誤謬」と呼んできたが、まさにこのメカニズムが働き、個々の企業の利益追求が日本経済全体にはマイナスの作用をしてしまったのである。安定成長期は需要不足をアメリカ市場への輸出でカバーした。現在はアメリカ市場に加えて

中国などのアジア市場への輸出でカバーしようとしているが、生産や部品調達の海外移転も進んで輸入も増えているから、貿易黒字（輸出 − 輸入、「外需」に等しい）が縮小するだけでなく貿易赤字となる年も出てきて（図8）、GDPの停滞から脱せないという状況が続いている。

　雇用システムの変化の2つ目の影響は、少子化である。19世紀の古典派経済学は、賃金と人口とは比例的だと考えた。賃金の低い貧しい国の方が一般的に出生率は高いから現実はそこまで単純ではないが、90年代以降の日本ではこのような教義通りのメカニズムが働いてしまっている。従来の正社員主体の日本型雇用システムであれば、収入が長期的に見通せるために、結婚して（将来見通せる収入の範囲内で）子どもを生むことに経済上の不安を抱くことはあまりなかった。それが、いつ解雇されるかわからない、非正規の職にしかありつけないというような状況の下では、家族計画が立てられない。また、結婚・出産の時期（20代後半〜30代）はキャリアのステップアップに重要な時期とも重なるため、格差が広がる状況の中で上層に上がるためにキャリアを取るか、それを諦めるか妥協をして結婚生活を取るかという究極の選択を迫られるケースも増える。1997年のアジア通貨危機に伴ってIMF管理下に入ったことで強制的に「柔軟な雇用システム」へと変えられた韓国では、若い世代が恋愛・結婚・出産を諦める「三放世代」となり、2019年には出生率がついに1を切ったことが発表された（2020年の出生率はさらに低下して、0.84となった）。今の日本はまだそこまでではないが、もしかするとこれは近い将来の日本の姿かもしれない。

　このように、日本は1990年代後半に、企業システムも雇用システムも、社会全体がドラスティックな構造変化を遂げた。この構造変化は主に、バブル崩壊後の低迷する経済を克服し、企業も国全体も「成長を取り戻す」ために引き起こされたものである。しかしながら、企業システムの変化も雇用システムの変化も、元をたどれば1970年代後半から始まった安定成長期における「減量経営」と「海外進出」から始まったのであり、それらがそれぞれ「リストラ」と「グローバル化」という言葉に名前を変え、量的にも質的にも拡大したのがバブル崩壊後の時期なのである。その意味で、バブル崩壊は構造変化の引き金となったにすぎない。それでは、この変化について第2部第3章でもう少し深く見て

いこう。

【参考文献】

Brenner, R. (2006), *The Economics of Global Turbulence*, London: Verso.
Duménil, G. and Lévy, D. (2011), *The Crisis of Neoliberalism*, Cambridge: Harvard University Press.
Marglin, S.A. and Schor, J.B. (eds.) (1989), *The Golden Age of Capitalism: Reinterpreting the Postwar Experience*, Oxford: Clarendon Press.
Marx, K. ((1867, 1885, 1894) 1962, 1963, 1964), *Das Kapital*, Erster Band, Zweiter Band Dritter Band, Berlin: Dietz Verlag.（資本論翻訳委員会訳（1982–89年）『資本論』第1分冊–第13分冊　新日本出版社

中村隆英（1993）『日本経済——その成長と構造——』第3版　東京大学出版会。
橋本寿郎（1995）『戦後の日本経済』岩波新書。
吉川洋（2012）『高度成長——日本を変えた6000日——』中公文庫。

第2部

変質する日本経済
——経済・産業政策の本質

第3章 平成の「失われた30年」と日本経済の構造変化

森本壮亮（立教大学）

キーワード：ポリシー・ミックス、非伝統的な金融政策、
　　　　　　利潤率の傾向的低下、置塩定理

はじめに

　2019年4月30日、30年余り続いた平成の時代が終わった。前章で見たように、日経平均株価は1989年末に史上最高の3万8,915.87円をつけた後、翌年に入ると一気に下がり始めてバブルが崩壊したから、1989年1月8日から始まった平成の30年間は、ほとんどがバブル崩壊後の「失われた30年」であったと言える。

　ただ、「失われた30年」というのは、あくまで国民の多くの感覚であって、各種経済指標で見ると、平成の30年間がずっと「失われていた」わけでは必ずしもない。GDPと賃金は1997年まで緩やかながらも上昇し続けたし（前章、図1および図7）、2000年代以降は企業利益が急回復し、バブル期を超える史上最高益を上げる企業も多くなってきている。

　この落差は一体何なのか？　なぜこのような事態が生じているのか？　そしてこの中で何が生贄となり犠牲になっているのか？　これらのことを解明するのは必ずしも容易でないが、今の日本の学界では「なかったこと」とされつつあるマルクス経済学から見える視野も織り交ぜながら、本章で考えてみたい。

1．「失われた30年」の経済政策

⑴ 1990年代の「ポリシー・ミックス」

　20世紀のオーソドックスな経済学においては、経済が不況に陥った際には、財政政策と金融政策とを組み合わせて（「ポリシー・ミックス」と呼ばれた）景気対策を行うように教えられてきた。そしてバブル崩壊後の日本の経済政策は、この教義に忠実に従って行われた。

　まずバブル崩壊によって落ち込んだ経済を下支えすべく、公共事業の拡大という財政政策が行われた。山形新幹線、秋田新幹線、長野新幹線といった整備新幹線、明石海峡大橋や山陽自動車道、首都圏中央連絡自動車道といった高速道路が次々と開業したのも1990年代である。前章で見たように、GDPは支出面から見ると、内需（消費＋投資＋政府支出）と外需（輸出−輸入）の合計から成る。落ち込んだ消費や投資に対して、政府支出を増やすことで内需（そしてGDP）を下支えしようとしたのである。また、政府支出によって公共事業を行うと、そのお金が受注した建設会社に流れ、その建設会社やその社員がそのお金をトラックなどの設備投資や飲食に投資・消費することでトラック業界や飲食業界にお金が流れ……という風に波及していくことで、結果的にはじめに政府が支出した金額の何倍もの経済効果が生まれる「乗数効果」が期待された。

　もっとも、1990年代に政治のトップにいたのは、小沢一郎、橋本龍太郎、小渕恵三といった、高度成長期に『日本列島改造論』を唱えた田中角栄の元親衛隊たちであったことを考えると、不況対策として財政政策が行なわれたのは当然のことであった（ただし、橋本政権時には一時的に財政引締めの方向に舵が切られるとともに、消費税が3％から5％に引き上げられた。これはおそらく、景気が回復したと彼が早合点してしまったからであろう）。しかし、不況下で伸び悩む税収の中で政府支出を増やすと、財政赤字が拡大して国債が累増していく。同時に日本は高齢化も急速に進んでいるから、社会保障関連の政府支出も急増していった。したがって、財政政策による景気対策は早晩限界に突き当たり、日本の財政状況は以降劇的に悪化していくこととなる。

　また同時に、金融政策によって金利も引き下げられていった。1990年に6％ほどだった政策金利（当時は、日本銀行が民間金融機関に資金を貸し出す際の金利である「公定歩合」がコントロールの対象だった）は、1999年にはほぼ0％まで引き下げられ、「ゼロ金利政策」が開始された（前章図6の金利の推移を参照）。この間、90

年代半ばに政策金利は、民間金融機関が資金を貸し借りする短期金融市場にお
ける「無担保コール翌日物金利」へと変更されているのだが、「無担保コール
翌日物金利」が0％ということは、金融機関は金融市場において利息を支払わ
なくても無担保でほぼ無限大に資金調達可能な状態にあることを意味する。こ
のような状態になるまで金融市場にお金をあふれさせることで、各種の金利を
低下させて、企業や家計がお金を借りやすい状態にし、企業の投資や家計の消
費を刺激しようとしたのである。

　だが、このような金利のコントロールによる「伝統的な金融政策」もまた焼
け石に水だったことは、現在の我々がよく知る通りである。そして、金利はゼ
ロより下には下げられない。マイナス金利という、貸したお金未満しか返済さ
れないような状態でお金を貸すお人よしは、通常いないからである。

　こうして、財政政策とともに金融政策もまた限界に直面し、オーソドックス
なポリシー・ミックスは袋小路に陥ったのである。

　当時を振り返ると、日銀によるかつてないほどの規模での資金供給によって
短期金融市場で金利がゼロになるまでお金があふれかえっている状況にありな
がらも、銀行は不良債権問題によって軒並み経営危機に陥っており、中小企業
への「貸し渋り」や、無理矢理貸出資金を回収する「貸しはがし」が社会問題
となっていた。金融市場にあふれかえっていた資金が、家計や企業といった実
体経済の方にまで流れなかったのである。そこから「不況なのは日銀が十分に
お金を供給していないからだ」という言説が、国民の間に実感を伴いながら広
まっていくこととなる。そしてそれに呼応する形で、世の中の貨幣量を強制的
に増やすことを目的とする「非伝統的な金融政策」が、政治の力によって半ば
強制的に推し進められていくこととなった。

⑵ 非伝統的な金融政策

①量的緩和政策（2001〜06年）

　世界中の金融関係者が固唾を呑んで注目する中、まず2001年から2006年まで
行われたのが「量的緩和政策」である。これはその名の通り、世の中の貨幣量
を増やすことを目的とした政策である。経済学的に言う「貨幣量」とは、現金

（硬貨と紙幣）と預金の合計額を指す。ここで預金を「貨幣」とみなしているのは、現代経済において、企業はもちろんのこと家計も、預金部分を用いて商品取引を行っているからだ。例えば、ネットショッピングでクレジットカードを用いて商品を購入した場合、ある一定期間後にまとめて銀行預金から代金が引き落とされる。

　このように現代経済においては商品取引のかなりの部分が預金部分を用いて決済されており、日銀がHP上で発表している統計によると、2020年秋段階で現金が約110兆円、その10倍以上の預金（普通預金などの「預金通貨」や定期預金などの「準通貨」といったものがある）が存在しており、貨幣量全体の指標として現在広く用いられているＭ３は1,500兆円弱となっている。

　しかし、金融政策でこれら現金と預金から成る「世の中の貨幣量」（「マネーサプライ」や「マネーストック」と呼ばれる）を直接コントロールすることは通常不可能である。政策によって、各家庭や民間企業が保有する現金や預金の額を直接増減させることはできないからだ。それゆえ、2001年からの量的緩和政策では、現金と日銀当座預金（金融機関が日銀に預けているお金）の合計である「マネタリーベース（ベースマネー、ハイパワード・マネーとも呼ばれる）」を増加させることで、パンの生地（マネタリーベース）がオーブンの中で膨らむように、世の中の貨幣量（マネーサプライ）が増えることが期待されたのである。

　具体的には、日銀が金融機関から国債を大量に購入し、その代金を金融機関の日銀当座預金口座に振り込むという形で、日銀当座預金額が増やされた。結果的に、量的緩和政策が開始された2001年3月におけるマネタリーベースは約66兆円だったものが、量的緩和政策が終了する2006年3月には約109兆円にまで増加している。マネーサプライとマネタリーベースとの比率を、経済学では「信用乗数（貨幣乗数）」と呼んでいるが、量的緩和政策開始時の2001年3月に信用乗数は約10であったから、マネタリーベースを当初の倍近くの約109兆円まで引き上げると、マネーサプライは1,000兆円超に膨れ上がるだろうと期待されたのである。しかし、世の中の貨幣量を示すマネーサプライは、同期間において約640兆円から約710兆円までしか増加していない。図１からもわかるように、世の中の貨幣量を示すマネーサプライは、マネタリーベースの増加には影

図1　マネタリーベースとマネーサプライ（量的緩和期）

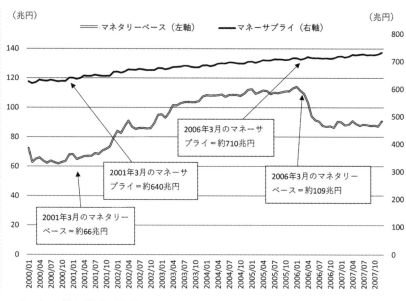

注：マネーサプライ＝M2＋CD。月次平均。
出所：日本銀行HP内「時系列統計データ　検索サイト」より作成（最終閲覧日：2020年12月13日）。

響されず、量的緩和政策は狙い通りにはいかなかったのである。

　ただし、この期間、賃金の低下と輸出の拡大によって企業利益は飛躍的に増大し、国民の実感を伴わない形での景気回復が見られた。このことが、量的緩和政策の成果を曖昧にし、2010年代の非伝統的な金融政策のさらなる深掘に繋がっていくこととなる。

②アベノミクスのインフレターゲット政策（2013年〜）

　2000年代の景気回復は輸出に大きく依存するものだったので、2008年のリーマンショックによる外国経済の悪化は、日本経済に対して震源地の諸外国以上に深刻な影響をもたらした。そして、ゼロ金利政策や量的緩和政策とほぼ同時期に進められた「雇用の流動化」政策によって派遣などの非正規雇用も拡大していたから、不況への対応として雇用調整（派遣社員をはじめとする非正規社員の雇い止めなど）が広く行われ、年越し派遣村がマスコミでも大きくとりあげられ

図2　マネタリーベースとマネーストック（アベノミクス期）

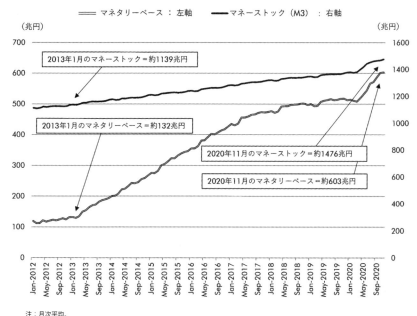

注：月次平均。
出所：日本銀行HP内「時系列統計データ　検索サイト」より作成（最終閲覧日：2020年12月13日）。

るなど、社会問題化した。これに輪をかけるような形で2011年に発生した東日本大震災に見舞われた日本は、苦境から脱するべく、「アベノミクスの一本目の矢」と名づけられた異次元の規模での量的緩和政策を行っていくこととなる。

　2012年の年末に行なわれた総選挙で大勝して政権交代を果たした安倍首相（当時）は、自らの考えに反対する白川日銀総裁（当時）を半ば辞任に追い込み、元官僚の黒田東彦氏を日銀総裁に、世の中の貨幣量はコントロールできるとするマネタリズムの経済学の代表的論者である岩田規久男氏を日銀副総裁に据えて、「量的・質的金融緩和」をスローガンとした「大胆な金融政策」を開始した。そして「デフレからの脱却」をより明確にすべく、「2％の消費者物価の前年比上昇率」を「物価安定の目標」とするインフレターゲット（物価目標）が設定された。このコミットメント（公約）を達成するべく、まさに異次元の規模で日銀による国債買い入れが開始され、マネタリーベースが急増させられて

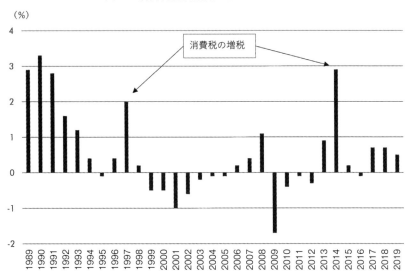

図3　消費者物価指数の推移（対前年度比）

注：持家の帰属家賃を除く総合指数、全国、2015年基準。
出所：総務省統計局「消費者物価指数」より作成。

　いくこととなる。2000年代の量的緩和政策の失敗は、その規模が小さかったことに原因があり、もっと大胆にすれば成功すると唱えられたのである。

　しかし、当初盛り上がった世論の期待とは裏腹に、世の中の貨幣量（郵便局が民営化されて郵便貯金が統計に組み入れられたことなどから、「マネーサプライ」から「マネーストック」という名称に変更されている）はまたしても期待通りには増えず（図2）、物価も期待通りに上昇することはなかった（図3）。異次元の規模で日銀から金融機関に供給された資金は、今回も金融機関の日銀当座預金に積み上がるだけで、家計や企業といった実体経済には流れなかったのである[1]。

　このような状況を打開すべく、2016年には日銀当座預金の一部（法律で義務付けられた部分を超える「超過準備」部分）に、マイナス0.1％の金利を付ける「マイナス金利政策」が開始された。これは日銀当座預金という金融機関の手元に大

1) ただし、コロナショックが起こった2020年4月以降、マネタリーベースとマネーストック双方において、これまでにない急拡大が見られる。これは、苦境に陥った航空や旅行、飲食などの業界から大規模な緊急融資の要請が相次いでおり、資金の貸出先を見つけるのに苦労してきた銀行が、その要請に積極的に応じているからであろう。

図4　主要部門別の資金過不足の推移（対名目GDP比）

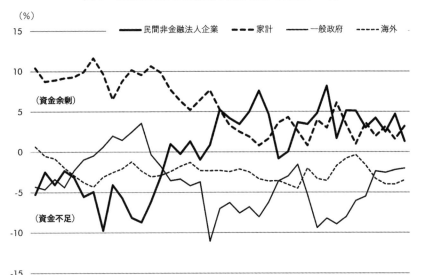

注：1980〜93年は「2009年度国民経済計算確報」、1994〜2018年は「2018年度国民経済計算年次推計」による値。
出所：日本銀行「資金循環統計」および内閣府「国民経済計算（GDP統計）」より計算して作成。

量に積もり積もったお金を、家計や企業といった実体経済に強制的に流さざる
をえなくすることを意図したものであったが、これがさらなる混乱を呼ぶこと
となる。異次元に積み上がった日銀当座預金の0.1％のお金が日銀に取られて
しまうこととなった各金融機関は、一気に困難な状況へと陥ったのである（た
だし、メガバンクなどは、マイナス金利が適用される部分を一気に縮小させ、逃げ切れた感
もある）。金融機関は振込手数料の引き上げや預金通帳の有料化などによって、
その困難を利用者に転嫁しようとしているのが現状であるが、問題の根本であ
る異次元に積み上がってしまっている日銀当座預金のお金を流す先はなく、袋
小路に陥っている状況である（2020年に発生したコロナショックを受けて、各銀行が
いち早く企業への融資を表明した背景には、このような事情がある）。

　本来であれば、企業や家計にお金を貸し出すのが銀行の役割であるが、90年
代以降、家計だけでなく企業も全体として見れば資金余剰の状態（預金をする存
在）へと変わっている（図4）。その上、家計や企業への貸出金利も1％を割り

込んでいる状況である。これはたとえ貸し出し先を見つけたとしても1％ももうけを得られないことを示しており、そこから店舗設備費や人件費などを支払わないといけないことを考えると、これではビジネスとして成り立たない（忘れられがちだが、銀行も利潤獲得を目的とした営利企業である）。日銀から膨大な量を供給される資金の貸し出し先がないこと、これがこんにち銀行が苦境に陥っている根本原因なのである。

　ただし、2019年秋の消費税増税までの間は、またもや企業利益が急回復することで、国民の実感を伴わない形での景気回復が見られた。結果として、国民の間にはアベノミクスへの評価がある程度存在している。しかし、このインフレターゲット政策を進めた結果、世の中に出回っている国債（約1,000兆円）の半分以上（500兆円超）を日銀が抱え込み、東証1部の時価総額（約600兆円）の約5％を日銀が保有して株を買い支えているという異常事態となっている。

2．日本経済における利潤率の傾向的低下

　このようにバブル崩壊後の「失われた30年」の経済政策を振り返ると、定石通りの景気対策は行ったし、2001年以降は世界に先駆けて量的緩和政策を行った（2008年のリーマンショック後は、欧米も量的緩和政策をすることとなった）。しかしGDPや賃金は伸び悩み、国民の間に景気回復の実感はない。

　なぜこのようなことになってしまっているのか？　その答えを示すことは簡単でないし、おそらく様々な要因が複雑に絡み合うことでこんにちの状況が生じている。ただ、この状況は、19世紀の経済学者K.マルクスが今から約150年前に展望していた事態に酷似している。

　当時の日本はまだ幕末から明治に移る頃だったし、マルクスが生きた当時のイギリスと現代の日本とでは、150年という時と地球半周近い距離の差の分だけ、状況が大きく異なる。だが、当時のイギリスも現代の日本も、利潤を求めて社会が動いていく資本主義経済であるという本質的な点では何も変わらない。そこで、マルクスが「利潤率の傾向的低下法則」と名づけて重視した資本主義経済の長期法則について見てみよう。

⑴ マルクスが考えた「利潤率の傾向的低下法則」

　マルクスは、産業革命によって工場に巨大な機械が次々と導入されていくことで生産力が飛躍的に向上しながらも、ほぼ10年周期で不況（恐慌）に見舞われるとともに、利潤率も低下していく状況を目の当たりにして、資本主義経済には生産力拡大と利潤率低下との矛盾が内包されていると考えた。

　企業はその活動を行うにあたって、銀行や株式市場などから調達したお金を用いて、原材料や部品といった生産手段を購入したり（そのお金をマルクスは「不変資本（C）」と呼んだ）、労働力を雇ったりする（そのお金をマルクスは「可変資本（V）」と呼んだ）。そしてこれら生産手段と労働力を用いて商品（サービスを含む）を生産し、その商品を市場で販売してお金に変えるという活動を日々行っている。この最後に得たお金と当初用いたお金の差額（俗に言う「もうけ」）をマルクスは「剰余価値（M）」と呼んでおり、これが企業にとっての利潤となる（厳密には、剰余価値から、地代や利子や配当金や税金が差し引かれた残りが企業の手元に残る「利潤」となる）。そして、はじめに用いたお金と剰余価値との比率が「利潤率」であり、これは以下のように表せる。

$$利潤率 = \frac{M}{C+V} = \frac{M/V}{C/V+1}$$

　ここで、分子の剰余価値（利潤）と可変資本（賃金）との比率（M/V）は、労働のキツさや、企業と労働者との間の分配状況を示し、これをマルクスは「剰余価値率（搾取率）」と呼んでいる。また分母の不変資本と可変資本との比率（C/V）は、機械と労働者との比率（すなわち技術の状況）を反映したものであり、これをマルクスは「資本の有機的構成」と呼んでいる。

　マルクスが生きた19世紀、機械が生産現場に導入されることで、労働が根本的な変化を見せていた。まず、それまでの農業や職人労働の世界では農民や職人の気分やペースで労働が行われていたのが、機械のペースに合わせた労働へと変化していった。人間が主体の労働であれば、休憩や睡眠などが間に挟まれるが、機械にそれらは必要ない。結果として、自由な休憩時間は無くなって労

働は規律づけられたものに変化していき、生産ラインの速度を労働者が対応で
きる限界まで引き上げることにより労働は強化され、少しでも機械を「有効
活用」しようと夜間労働が広まって労働が長時間化していった。一方で、力仕
事や職人的な技術は必要なくなり、職人が一から十までしていた工程は分割さ
れ、それぞれの工程が機械を用いた単純労働となったので、女性や子どもでも
可能なものとなり、低賃金化していくことにもなった。

　このように、機械化が進行すると、資本の有機的構成とともに剰余価値率も
上昇していくことをマルクスは発見した。しかし長時間労働化や賃金低下に
は人間的な限界があるから（労働者は24時間は働けないし、賃金ゼロでは生きていけ
ない）、剰余価値率の上昇には限度がある。対して、機械化（「資本の有機的構成」
の上昇）にはそのような制約はない。そして事実、19世紀のイギリスでは無際
限に機械化が進行していくような状況にあった。したがって、先の式の分子部
分に対して分母部分が拡大していくから、利潤率は長期的な傾向としては低下
せざるを得ないとマルクスは考えた。

　ただし、各企業が機械を導入するためには、投資資金規模の拡大（資本の集
積）が不可避であるし、市場競争を勝ち抜くためには、より大規模に大量生産
することで商品一つあたりの価値（個別価値）を低下させて、市場価格よりも
安い価格設定をすることが基本的な戦略となる。このような規模拡大によっ
て、それぞれの企業の不変資本や可変資本の大きさは拡大していき、それに伴
って、剰余価値（利潤）の大きさも拡大していく。それゆえマルクスは、利潤
率の低下と利潤量の増大が同時に進行すると考えた。

　それだけではない。規模の拡大のために他企業の合併や買収（M&A）も広く
行われるようになり、市場競争は無数の小規模企業どうしのものから、少数の
大規模企業どうしのものへと変化していく。また、機械を用いて生産量が拡大
していったとしても、それに比例して需要が拡大していくわけでは決してない
から、大量生産は社会の消費力（国内需要）という制限に突き当たる。すると、
競争は大企業どうしが自らの生き残りをかけて市場シェアを奪い合い、無秩序
に互いに潰し合うような「競争戦」へと転化していくとともに、外国市場への
輸出に活路が見出されるようになる。しかし、世界にはそのような輸出先市場

が無限にあるわけではないから、これも早晩限界に突き当たる。結果として、利潤量は増大していきながらも企業は利潤率低下から逃れられず、満足な利潤率を得られないという意味で有望な投資先を見つけられない資金が企業内に過剰資本（現代で言う「内部留保」）として積み上がっていく。そして、このように過剰となった資本が金融市場に供給されるとともに、冒険的な投機が促進され、バブルやその崩壊（恐慌）へと繋がっていく。

(2) 置塩定理と戦後日本経済の利潤率の推移

以上が、約150年前にマルクスが「利潤率の傾向的低下法則」と名づけたストーリーである[2]。マルクスはこの理論の研究を主に1860年代に行ったが、これが収められている『資本論』第三巻が世に出たのは、マルクス死後の1894年のことであった。以降100年余りの間、この理論に関して様々な議論が繰り広げられてきたが、ここでは最も有名な議論である置塩定理（Okishio theorem）と呼ばれるものについて、簡単に紹介しておこう。

これは1960年代に、神戸大学の経済学者であった置塩信雄が提起し、日本だけでなく国際的にも大論争をまき起こしたものである。置塩はまずマルクスの議論を数式的に整理し、企業による新技術の採用には、(1) 生産性を高めて商品一つあたりの個別価値を低くする技術（生産性基準）と、(2) 生産費用を低下させて利潤率を高める技術（費用基準）との異なった二種類の基準があることを指摘した。そして、マルクスが想定していたのは (1) の生産性基準であるが、企業は一般的に (2) の費用基準に基づいて新技術を採用するはずだから、結果として利潤率は上昇する（＝マルクスが主張するような利潤率低下という結果にはならない）と主張した。これが "Okishio theorem" として国際的に広く知られている議論である。

ただし置塩はこの議論に続いて、実質賃金（物価上昇分を差し引いた賃金）が上昇した際は、費用基準に基づいて利潤率を上昇させるような新技術の採用を自由にできなくなり、資本の有機的構成を上昇させてしまうような「代替的技

2)「利潤率の傾向的低下法則」の詳細は、マルクス『資本論』第三巻第三篇（邦訳第9分冊に所収）を、その一つのまとめとしては、森本（2020）を参照されたい。

図5　自己資本利益率 (ROE) の推移

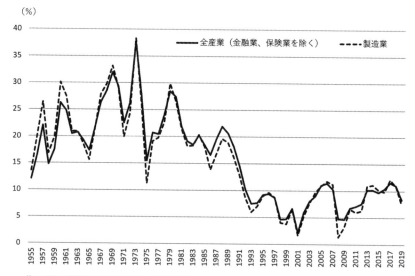

注1：ROE＝税引前当期純利益÷（純資産−新株予約権）
注2：2006年度以前は、分母に新株予約権を含まない。
注3：純資産は、期中平均値（前期末と当期末の値の平均値）。
注4：全規模、年度（ただし1959年以前は暦年）
注5：マルクス的には税は剰余価値からの分割となるため、税引前利益を用いている。
出所：財務省「法人企業統計調査」より計算して作成。

　術」の採用を余儀なくされ、結果として利潤率が低下する可能性も指摘し、「統計的な平均利潤率がどうなるかは、先験的な方法でいうことはできない」（置塩1978、154頁）とも書いている[3]。

　ここで、前章でも見た戦後日本経済の利潤率の推移を振り返ってみよう。前章の図6では総資本営業利益率の推移を示したので、ここではもう一つの代表的な利潤率の指標である自己資本利益率（ROE）の推移を示しておく（図5）。前章図6の総資本営業利益率は、高度成長期にほぼ横ばいであったが、こちらの自己資本利益率は高度成長期には上昇している。しかしその後は、振れ幅は大きいものの低下傾向にある点は総資本営業利益率の動きと共通しており、2000年代以降回復傾向にある点も共通している。

─────────

3) 以上のような置塩定理の詳細については、置塩（1978 第3章、および1987 第3章）を、議論の一つのまとめとしては森本（2016）を参照されたい。

図6　資本の有機的構成の推移

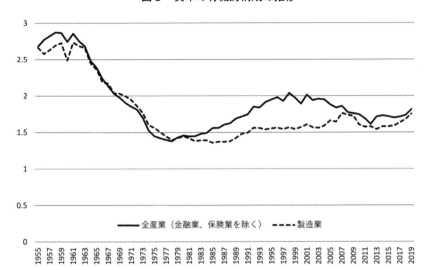

注1：資本の有機的構成＝不変資本÷可変資本
注2：可変資本＝従業員給与＋従業員賞与＋福利厚生費
注3：不変資本＝原材料・貯蔵品＋その他の有形固定資産＋無形固定資産
注4：全規模、年度（ただし1959年以前は暦年）
出所：財務省「法人企業統計調査」より計算して作成。

　置塩は、1960年代前半に上述の置塩定理を提起した。この時期、総資本営業
利益率はほぼ横ばい、自己資本利益率は上昇していたわけだから、置塩の議論
は当時の現実を反映した時代を捉えた議論であった。しかしその後、第一次オ
イルショックを転機として、2000年頃まで利潤率は傾向的に低下していくこと
になる。2000年代以降はいずれの利潤率も低下が収まって若干の回復傾向にあ
るものの、利潤率は安定成長期にも届かないくらいの水準にとどまっている。
なぜこのようなことになってしまったのだろうか？

(3) オイルショック後の1970年代の構造変化

　前章で見たように、高度成長のメカニズムは1970年頃に終焉を迎えた。ま
た、エネルギー源である原油を輸入に100％近く頼っている我が国では、第一
次オイルショックの影響は小さからぬものがあった。しかし、いくら大きなシ
ョックだったとはいえ、その影響が何十年も続くというのは考えにくく、根本

的なところで構造変化が起こった可能性が高い。そして事実、この頃に構造変化を引き起こす要因がいくつか発生していた。

　一つは、実質賃金の上昇である。前章図7を振り返ると、1966〜73年の間、実質賃金が急上昇している[4]。置塩は、実質賃金が上昇した際は企業による新技術の採用に制約が出てきて、資本の有機的構成を上昇させて利潤率が低下する可能性を指摘しているが、このメカニズムが働いた可能性がある。機械は労働力と比べると高価なことが多いので、導入コストを考えると、機械化は必ずしも利潤率を高めるわけではない。安価な労働力を豊富に得られるのであれば、それを利用する方が安上がりだからである。それはこんにちでも、人件費の安い途上国では人海戦術の手労働が広く行われていることを見てもわかる。そして日本でも、高度成長期前半には農村部から若くて安価な労働力が豊富に供給されていたのである。しかし労働力供給が一段落した高度成長期後半、労働力需給がひっ迫し、実質賃金が急上昇したことが、企業による新技術の採用様式に変化をもたらしたと考えられる。

　図6は、財務省「法人企業統計調査」から「不変資本」と「可変資本」とみなせるものを抽出し、その比率（資本の有機的構成）の推移を示したものである[5]。これを見ると、高度成長期には低下していた資本の有機的構成が、1970年代以降上昇傾向へと反転している。置塩はあくまで理論的に、実質賃金が上昇すると企業の新技術採用行動が変化して、結果的に利潤率が低下する可能性を指摘したが、統計的には、現実の日本経済でも同様のメカニズムが働いたように見える。そして事実、安定成長期以降の日本では、産業用ロボットの導入やFA（ファクトリー・オートメーション）が急速に進んでいくこととなり、ブルーカラーと呼ばれた工場労働者はみるみるうちに減少していった。

　構造変化の要因の二つ目は、企業の競争様式の変化である。前章で見たよう

---

4) 実質賃金の推移に関しては、厚生労働省「毎月勤労統計調査」における「月間現金給与総額」から見ることも多い。対して、マスコミ報道では国税庁「民間給与実態統計調査」における平均年収が注目される。これらでは、カバーしている範囲（事業所規模や人数など）が異なるが、両統計から析出した実質賃金の推移はほぼ同じとなるため、前章および本章ではわかりやすく「民間給与実態統計調査」からの数値を示している。森本（2016、257-258頁）も参照されたい。
5) 企業の会計帳簿に「不変資本」や「可変資本」といった項目はないため、資本の有機的構成については、近似的に推計するしかない。推計の限界については、森本（2016、247-248頁）を参照されたい。

に、GHQによる戦後改革で財閥は一旦解体されたが、高度成長期に入ると再結集し始め、三菱・三井・住友といった旧財閥のほかに、富士銀行、三和銀行、第一勧業銀行を中心とする新興の企業集団を加えて、六大企業集団体制が成立した。このようなヨコの繋がりに加えて、戦時中の軍需生産体制に端を発する下請制度（自動車や電機産業では「系列システム」として知られる）というタテの繋がりを利用しながら、商品の調達や販売をグループ内で協力し合って安定的に行おうとする行動様式が見られた。

　加えて、「護送船団方式」と呼ばれた大蔵省による金融機関への強力な統制政策に代表されるように、政府による規制や統制政策も広く展開された。このように企業どうしと政府とが競争を調整して利潤追求を行う様式は当時「国家独占資本主義」と呼ばれたが、もしこのような調整がうまくいくのであれば、置塩が指摘したような「費用基準」の技術選択によって利潤率を上昇させることが容易になる。そして、このような環境がある程度整っていたのが高度成長期であった[6]。

　しかし、前章で見たように、第一次オイルショック後の日本は、国内需要の制約を突破すべく外国市場への輸出に活路を見出すようになっていった。そうすると、上記のような競争の調整による利潤率上昇メカニズムがうまく働かなくなる。外国市場における競争相手は言うまでもなく外国企業であり、外国市場には日本政府も力が及ばないし、いくら六大企業集団のような大企業グループといえども外国企業との競争の調整などほぼ不可能だからである。

　また、この時期から生産の海外移転も進んでいくこととなったが、中小企業が多い下請企業が親会社について海外進出することは決して容易ではなく、これが下請制度が崩れていくきっかけの一つとなった。結果として各企業は、安定的な取引関係によってある程度競争をコントロールできていた高度成長期の

6）ただし、小田切・久保（2003、476-477頁）は、企業集団メンバー企業の利益率は他と比べて高くなかったことを指摘している。系列システムに代表される下請制度もそうだが、安定的な取引関係が保証されていると商品の性能や質を高めるインセンティブが働きにくいことに加えて、独立系企業の場合はパフォーマンスの悪い企業はそもそも生き残れないということもあって、独立系企業の方が平均して高いパフォーマンスを残してきたということであろう。また、企業集団によってその結びつきには大きな差があったし、政府の統制も必ずしも思い通りにいかなかった（自動車産業のように、政府による指導を拒否する企業も少なくなかった）から、国家独占資本主義のメカニズムがすべてうまく機能していたわけでは決してない。

状態から、安定成長期以降はマルクスが「競争戦」と呼んだコントロールの利かない無政府的な競争にさらされていくこととなり、市場で少しでも自社商品が売れるよう、生産性を高めて商品一つあたりの個別価値を低くすることで他企業よりも安い価格付けを可能とするような新技術の採用（生産性基準の技術選択）を余儀なくされることとなった。すると、資本の有機的構成が上昇し、利潤率は低下するというメカニズムが働くようになる。

　安定成長期における企業の海外進出は、このように企業の競争様式を変化させて、個別企業にとっては利潤を追求するものであったとしても、マクロ経済的には利潤率を結果的に低下させてしまうという「合成の誤謬」をもたらしてしまったのである。

3. 1990年代末以降の利潤率の若干の回復 —— 日本経済の構造変化 ——

　しかし、1990年代末頃から利潤率の低下は収まり、若干の回復傾向が見られる。それとともに、企業の内部留保の急拡大が問題となっている。この変化は一体何なのだろうか？　最後に、この変化について若干の考察をしておこう。

⑴ GDPが停滞する中での利潤の確保

　第2章冒頭で見たように、経済のパフォーマンスを表す代表的な指標はGDPである。物価を加味しない名目値で見ると、このGDPは1997年をピークとして、2010年代半ばまで伸び悩み、低下すらした（実質値で見ても、ほぼ同様の動きになる）。そのような中、2000年代に入るとバブル期を超える史上最高益を記録する企業も増加し、内部留保が飛躍的に急拡大する状況が生じている。

　1.の⑵で見たように、これは一見、量的緩和政策という非伝統的な金融政策の結果のようにも見えるが、それは幻影にすぎない。先述のように、量的緩和政策によって期待したようなマネーサプライの増大は見られず、貨幣供給の増加が実体経済の繁栄をもたらすというメカニズムは働かなかったからである。

　しかし、利潤率が反転しだした90年代末から劇的に変化したものがある。それは賃金と雇用である。企業は生産活動によって、原材料や部品といった生産

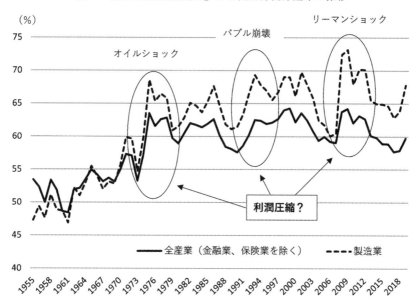

図7　「法人企業統計調査」から見た労働分配率の推移

注1：労働分配率＝可変資本÷付加価値
注2：可変資本＝従業員給与＋従業員賞与＋福利厚生費
注3：全規模、年度（ただし1959年以前は暦年）
出所：財務省「法人企業統計調査」より計算して作成。

手段に、労働によって「付加価値」を付け加えて商品（サービスを含む）を生産している。その付加価値を、主に労働者と企業（もしくは資本家）とが分け合うわけだが、もしこの分割で、労働者の取り分が少なくなり企業の取り分が多くなると、その分だけ利潤率は上昇する。2.の(1)で見た利潤率の式で言うと、分子の剰余価値率（M/V）が上昇することによって、その分だけ利潤率が上昇するのである（一般的には、付加価値のうち労働者に主に賃金として分配される比率である「労働分配率」という指標で議論されることが多い。労働分配率は、V/(V+M)である）。

　第2章図7からわかるように、日本の平均年収は1997年をピークに下がり始めた（物価を加味した実質賃金だと、1992年がピークである）。このような賃金低下により、その分だけ企業の取り分の確保が目指されたのである。しかしこれはあくまで、付加価値というパイの奪い合いにすぎない。だから、国内の付加価値の合計であるGDPが停滞し、時に低下する中、企業部門だけ利潤率が上昇（＋

利潤額も増加）するという事態が生じたのである。

　図7は、「法人企業統計調査」から見た労働分配率の推移である。日本は高度成長期に、終身雇用と年功序列賃金（そして企業別労働組合）を柱とする「日本型雇用慣行」が広がったが、このシステムのもとでは、不況に陥ったとき、正社員である労働者をいきなり首にしたり、賃金を大幅に下げたりできないため（ボーナスは下がっても、基本給部分は簡単には下げられない）、労働分配率が上昇する。図7からもわかる通り、日本では第一次オイルショック、バブル崩壊、リーマンショックといった大きな経済ショック（恐慌）時に労働分配率が急上昇しているが、労働分配率の上昇は裏を返せば企業側の取り分（「利潤シェア」とも言われる）の減少でもあるので、その分だけ利潤は圧迫（圧縮）されることとなる。それゆえ、第一次オイルショック後やバブル崩壊後の日本でも、「利潤圧縮」が経済苦境の原因だという議論が注目を浴びることとなった（Glyn and Sutcliffe 1972、橋本 2002）。

　しかし、第一次オイルショック後に減量経営や海外進出、そして機械化が進行したように、バブル崩壊後の90年代後半からは、賃金を低下させることによる利潤確保がなされたのである。上述のように、日本型雇用慣行のもとでは賃金部分を大胆に削ることは難しい。だから、各企業が「プロ経営者」を迎え入れて強権的にリストラを強行することに加えて、政府によって日本型雇用慣行を支えている労働法制の規制緩和が強制的に進められたのである。その代表が労働者派遣法の改定であり、結果として非正規雇用が急拡大していくこととなった[7]。

(2) 雇用の変質 —— 1997〜2007年までの10年間 ——

　安定成長期までの日本においても、非正規雇用が無かったわけでは決してないし、たとえ終身雇用の正社員といえども大企業と中小企業との間では「二重

---

[7]　労働者派遣法の次は、正社員に関わる法制度にも手が付けられていくこととなった。すなわち、解雇規制の緩和（解雇の金銭的解決制度）、「ホワイトカラー・エグゼンプション」や「裁量労働制」（いずれも残業代を削ることを主眼としている）などが俎上に載せられ、すでに一部実現されている。安価な労働力である外国人労働者の受け入れ拡大のための入管法の改定も、同様の流れの中で行われてきた。

図8　正社員の割合（男性、年齢別）

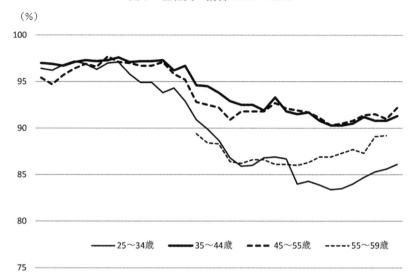

注1：2001年以前は2月の値。2002年以降は、1〜3月平均の値。
注2：55〜59歳に関しては、年平均の値。
出所：総務省統計局「労働力調査」より作成。

構造」とも称される大きな差があった。しかし、不況に陥った際に「雇用の調節弁」としてリストラされた非正規労働者の多くは家計補助的な主婦パートであったから（そのような主婦の夫にある程度の安定した収入がある限り、家計が一気に苦境に陥ることはないという意味では）、社会的にはそこまで大きな問題とされなかった[8]。だが90年代後半以降の非正規雇用は、それまでの主に家計補助的なものから、自らの収入で家計を支えていかないといけない世帯主部分にも侵食していくこととなる。

　図8は、男性における正社員の割合（年齢別）である（女性の場合、家計補助的な主婦パートがそれなりに存在していて分析が難しくなるので、ここでは男性だけをとりあげている）。90年代半ばまでは、ほぼすべての年齢階層において、97％ほどが正社員であった。世の中には、転職や健康を害しているなどの理由で働けていな

8）あくまで「社会的に問題とされなかった」だけであり、本当に問題がなかったわけでは決してない。安定した収入を持つ夫がいない女性にとっては、生死を分けるほど深刻な問題であった。

図9 年齢別平均年収の推移（男性、2015年価格、1997〜2007年）

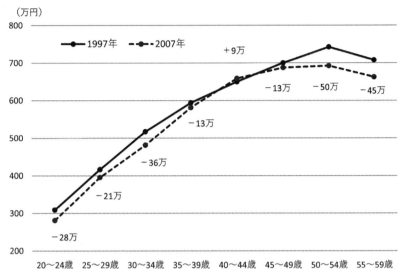

注1：1年勤続者の値。
注2：物価変動の影響を取り除くため、2015年の価格で示している。
出所：国税庁「民間給与実態統計調査」および総務省統計局「消費者物価指数」より計算して作成。

図10 年齢別平均年収の推移（男性、2015年価格、2007〜2018年）

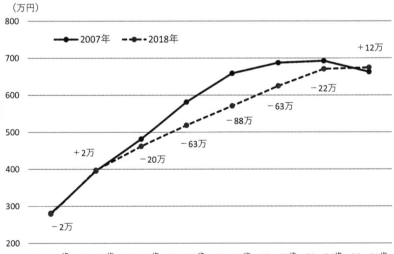

出所および注：図9に同じ。

い人もいることを考えると、経済学的にはこの数字はほぼ完全雇用だったとみなしてよい。しかし、90年代半ば以降、まず25〜34歳の年齢層で、そして2000年代に入ると35〜55歳といった結婚して家庭の大黒柱となっているはずの層でも、正社員の割合が低下（＝非正規比率が上昇）しだした。「就職氷河期」という言葉があるが、バブル崩壊後のこの時期、企業が正社員の新卒採用を絞り込んだことで、高校や大学などを卒業しても、正社員の椅子に座れない者が多く出たのである。加えて、すでに正社員として働いている労働者においてもリストラが広く強行されたため、35歳以上の層でも正社員の割合が低下していった。

　90年代後半といえば、ちょうどPCやインターネットや携帯電話が普及していった時期であるが、そのような変化にうまく対応できず、年功序列によって賃金も高くなっていた40代後半以降の層が特にリストラのターゲットとなった。このような層は、リストラ後に転職先を見つけるのも、やはり苦しい。おそらくこのことが、35〜44歳のミドル層よりも45〜54歳のシニア層において、正社員の割合がより低下した原因であろう。

　ただ、企業が人件費を削減するためにリストラをしても、企業全体としての仕事量が減るわけでは決してない。仕事が回らなくなると企業として崩壊してしまうため、社内の仕事に慣れ、変化にも対応できた35〜44歳のミドル層に仕事を集中させることによって、リストラが進められたと考えられる。だが、このような人減らしのやり方は、当然ミドル層に過度な負担と無理を強いることとなる。「過労死110番」が開設されたのは1988年のことであったが、ちょうど小学生くらいの子どもがいるミドル層を中心とした「過労死」が特に大きな社会問題としてクローズアップされたのが、この90年代末頃からである。

　このような事情は、この間の年齢別の平均年収の変化からも推測できる。図9は、各年齢層における（物価変動の影響も加味した）実質的な収入の変化を見るために、1997年と2007年における平均年収を2015年の消費者物価で計算し比較したものであるが、ここからもわかるように、雇用の変質が起こったはじめの10年間（1997〜2007年）では、大きく年収が低下した他の年齢層（特に30代前半と50代）と比べて、ミドル層は低下が比較的小さなものとなっているか、上昇さえしている（40〜44歳層は、名目値では11万円の減少だが、物価変動の影響で実質値では

9万円の上昇となっている）。

(3) 雇用の変質 ── 2007年以降10年間 ──

　しかしリーマンショック後は、このような構造に変化が生じた。今度はミドル層で、賃金低下が生じたのである。図10は、図9と同様に計算したこの間の年齢別平均年収の実質的な変化であるが、先の10年間に大きく低下した20代や50代で一部増加が見られるのに対して、ミドル層で大きく平均年収が低下している。当然、90年代に20代だった人々が2010年代に40代となっているので、90年代の20代の状況が2010年代の40代の状況にスライドしている面もあるが、先の1997〜2007年の変化と合わせると、1990年代後半以降、まずはじめの10年に35歳未満と50代の層で重点的に賃金が低下させられ、リーマンショック後の10年に35〜44歳のミドル層で重点的に賃金が低下させられ（45〜50歳においては、いずれの時期にも賃金が低下している）、現在までにすべての年齢階層において大幅な賃金低下が達成されてしまったことがわかる。

　ただし、近年は正社員の割合が高まり賃金も上昇してきたと、しばしば指摘される。図8と図10を見ると、確かに20代後半と50代において正社員の割合と平均年収との上昇が観察されるが、ミドル層は2007〜2018年の10年間に大きく平均年収を落としている（2015年頃から若干の回復は見られるが、それまでの低下のごく一部を回復できたにすぎない）。若い世代の雇用状況が若干改善していること、2000年代前半にはリストラ・早期退職の対象となっていた50歳以上の世代がまだまだ働けるようになったという点では良いものの、結婚し子どもを育てていく世代であるミドル層の悪化は、若い世代に対して「結婚し子どもを育てていくことは難しい」というメッセージとなり、未来への希望を奪うものとなってしまっている。

おわりに

　2. で見たように、マルクスは資本主義が進展していくにつれて、機械化と剰余価値率の上昇（労働の強化と低賃金化）が進行し、結果として利潤率低下と

図11　年齢別平均年収の推移（男性、2015年価格、1997〜2018年）

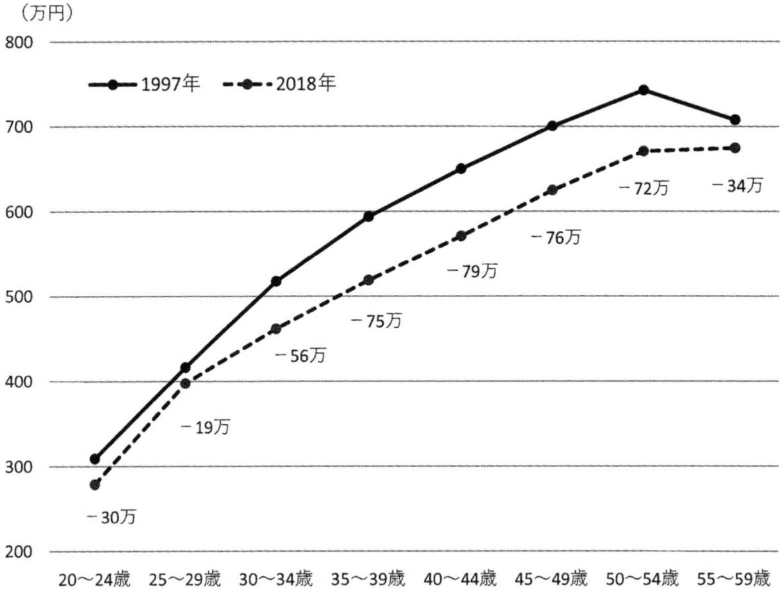

出所および注：図9に同じ。

利潤量増大が起こり、資本の過剰と冒険的な投機が広範に見られるようになると考え、これを「利潤率の傾向的低下法則」と呼んだ。戦後の日本経済と対照させてみると、特に安定成長期以降、まさにこの法則が強く効いてしまっているようにも見える。

　ある種冷徹な見方をするならば、1.で見たような「失われた30年」における財政・金融政策は、資本主義の進展とともに「利潤率の傾向的低下法則」が貫徹する中での「悪あがき」だったとも言えなくもない。しかし、90年代後半以降、雇用と賃金の構造を根本的に変えることによって、労働分配率の低下（＝企業側の取り分の拡大）による利潤率の回復が達成された。

　図11は、3.で見た1997年から2018年までの年齢別の平均年収の変化をまとめたものである。この約20年の間、30代後半から50歳くらいまでの「結婚し子どもを育てていく」世代において実質80万円近い平均年収低下となってしまっている（名目でも60万円以上低下している）。90年代から2000年代中葉にかけて状

表1　賃金（月給）階級別労働者の割合の変化（男性、%、1997〜2019年）

（万円）	25〜29歳	30〜34歳	35〜39歳	40〜44歳	45〜49歳	50〜54歳	55〜59歳
〜15.9	1.4	1.1	0.7	0.5	0	0.1	-0.1
16〜19.9	-1.4	3.4	3.3	2.5	1.7	2.2	1.6
20〜23.9	-4.6	4.1	5.3	3.7	2.7	1.6	0
24〜27.9	2	-0.2	3.7	5	3.1	1.5	-1.4
28〜31.9	1.3	-3.9	-0.9	2.1	2.8	0.9	-1.9
32〜35.9	0.5	-2.6	-3.4	-1.8	-0.1	-0.1	-1.7
36〜39.9	0.2	-1.2	-3.7	-3.1	-0.9	-0.8	-0.9
40〜44.9	0	-0.8	-2.5	-3.4	-2.3	-1.4	0.6
45〜49.9	0.2	-0.1	-1.6	-2.6	-2.3	-1.5	0.8
50〜59.9	0.1	-0.1	-0.4	-2.7	-2.8	-2.4	0.9
60〜69.9	0	0.2	-0.3	-0.3	-1.7	-0.8	0.1
70〜	0	0.1	0.1	0.1	-0.1	0.8	1.8

出所：厚生労働省「賃金構造基本統計調査」より計算して作成。

況が特に悪化した20代や50代以上においては、2007年以降平均年収が増加しているから「状況は改善している」という印象を持ちやすいが、企業の中で最も中心となって働き、「結婚し子どもを育てていく」という意味では社会の中でも最も中心的な世代となり、経済的にも消費の主役となっている世代である30代後半から50歳くらいまでが、最も大きな犠牲となっている。

　表1は1997年から2019年の間に、男性の年齢別に見た賃金（月給）階級別労働者の分布割合がどう変化したのかを示したものである。先の図9〜11はあくまで平均値の変化であるが、ここからは分布の変化の様子が見てとれる。この20年で格差が拡大したとよく言われるが、表1は、特に30代から40代にかけて、月給30〜50万円台の中間層が解体し、その分だけ下層が増えたことを如実に物語っている。「格差拡大」や「中間層の両極分解」と言われるが、表1からは、上層に上昇できた人はごくわずかであり、ほとんどが下層に転落したことがわかる。

　しかし、前章図6および本章図5からもわかるように、このような多大な犠牲を払って得られたものは、高度成長期はおろか安定成長期にもはるかに届かないくらいの水準への利潤率の回復、有望な投資先を見つけられずに企業内部に異次元に積もっていく内部留保、そしてその内部留保と金融緩和によって供

給された資金によって引き起こされた株高である。

　約150年前の経済学者マルクスは、資本主義の本質は企業活動を通じて貨幣を無際限に増やしていくことであり、人間の生活・人生はそのような「資本の活動」の付属物でしかなくなってしまうと批判し、資本主義社会を革命によって根本から転覆し、人間主体の共産主義社会へ移行させることを主張した。現代に生きる我々は、そこまでラディカルなことがすぐに可能になるとはなかなか思えないかもしれないが、結婚し子どもを育てていく世代を中心とした人間の多大なる犠牲のもとに成り立っている、企業の利潤率の若干の回復と異次元に積もっていく内部留保、そして株高の恩恵を受ける少数の国内の富裕層と外国人投資家を富ますことに、果たして大義はあるのか、今我々は問わなければならない。

【参考文献】

Glyn, A. and B. Sutcliffe. (1972), *British Capitalism, Workers and the Profits Squeeze*, London: Penguin Books. (平井規之訳 (1975)『賃上げと資本主義の危機』ダイヤモンド社)

Marx, K. ((1867, 1885, 1894), 1962, 1963, 1964), *Das Kapital*, Erster Band, Zweiter Band Dritter Band, Berlin: Dietz Verlag. (資本論翻訳委員会訳 (1982-89年)『資本論』第1分冊−第13分冊、新日本出版社

置塩信雄 (1978)『資本制経済の基礎理論 —— 労働生産性・利潤率及び実質賃金率の相互関連 ——（増訂版）』創文社。

置塩信雄 (1987)『マルクス経済学II —— 資本蓄積の理論 ——』筑摩書房。

小田切宏之・久保克行 (2003)「企業 —— ガバナンス・行動・組織 ——」橘木編 (2003) 所収。

菊池博之 (2017)『三井・三菱・住友・芙蓉・三和・一勧 —— 日本の六大企業集団 ——』KADOKAWA。

基礎経済科学研究所編 (2008)『時代はまるで資本論 —— 貧困と発達を問う全10講 ——』昭和堂。

橘木俊詔編 (2003)『戦後日本経済を検証する』東京大学出版会。

中村隆英 (1993)『日本経済 —— その成長と構造 ——』第3版、東京大学出版会。

二宮厚美・福祉国家構想研究会編 (2013)『福祉国家型財政への転換 —— 危機を打開する真の道筋 ——』大月書店。

橋本寿朗 (2002)『デフレの進行をどう読むか —— 見落とされた利潤圧縮メカニズム ——』岩波書店。

森本壮亮 (2016)「利潤率の傾向的低下法則と日本経済 —— 置塩定理を中心にして ——」『桃山学院大学 経済経営論集』第57巻第3号。

森本壮亮 (2020)「日本資本主義における競争様式の変容 —— 利潤率の傾向的低下法則の観点から ——」『立教経済学研究』第73巻第3号。

第**4**章　キャッシュレス経済の現状と課題

田添篤史 （三重短期大学）

キーワード：キャッシュレス経済、決済ビジネス、雇用問題

はじめに

　現在、キャッシュレス経済[1] という言葉が広まっている。2017年ごろから言葉としては広まりつつあったが、これが多くの人々の意識に広まる大きなきっかけとなったのは2018年12月に実施されたPayPayの「100億円還元キャンペーン」であろう。これによって、QR決済、スマホ決済、キャッシュレス決済という言葉が流行することとなった。また2019年10月の消費税増税に関する負担軽減策として、期間が限られてはいるがキャッシュレス決済を利用した場合の還元が実施され、それに合せて小売業でもキャッシュレス決済のアピールが盛んになされている。

　日本はもともと現金主義が強固であるとされる（経済産業省 2018）。とはいえ、従来から現金を利用しない決済方法が存在していなかったわけではない。代表的なキャッシュレス決済の種類を**表1**にまとめてあるが、キャッシュレス決済という名称を明示的に使っていなかったにせよ、実質的にはすでにキャッシュレス決済は身近に存在していた。代表例としてはクレジットカードがある。また電子マネーやデビットカードも存在していたし、交通系のICカードを通勤や通学、あるいは支払いで利用している人も多い。しかしこの中でもっとも利用比率としては高く、キャッシュレスの代表例であるクレジットカードでさ

---

1) キャッシュレス経済といわれだしているが、そもそも多くの取引は、特に大口の取引では現金での決済はほぼ用いられていないのであるから、わが国での経済活動を総体としてみればすでに「キャッシュレス」化は進展している。最近のキャッシュレスという言葉は、特に消費者がスーパーやコンビニなどで行っている小口決済において、脱現金化が進展しているという意味である。

表1　キャッシュレス経済の手段

	プリベイド（前払い）	リアルタイムペイ（即時払い）		ポストペイ（後払い）
主なサービス例	電子マネー	デビットカード	モバイルウォレット（QRコード、FC）	クレジットカード
特　徴	事前に利用金額をチャージ	リアルタイム取引	リアルタイム取引	後払い、与信機能
加盟店への支払いサイクル	月2回など	月2回など	即日、翌日、月2回など様々	月2回など
2016年の民間最終消費に占める割合	1.7%	0.3%	－	18.0%

出所：経済産業省（2018）の図表1をもとに筆者作成

え、民間最終消費支出に占める支払い方法としては20％弱である。またそのほかの手段を合計しても日本は約20％と、キャッシュレス先進国と呼ばれる国々と比較すると普及が進んでいない。

　最近になり注目され始め、キャッシュレス決済という言葉を広めることになった支払い方法は、表1のなかでモバイルウォレットとよばれる方式である。これが広まり始めたのは、スマートフォンの普及、および性能向上という技術的要因による部分も大きい。また、人々が支払い手段として何を利用するかは習慣による部分も大きいため、人々のキャッシュレス決済に対する意識を変えるうえでは、PayPayやd払いなどの各種決済システムが行っている大規模キャンペーンの存在は、それによってキャッシュレス決済という手段に対する意識が大きく広がるというインパクトを与えたと思われる[2]。加えて日本においても経済産業省を中心として、キャッシュレス経済を推進する動きが強まっている。

　このように日本でもキャッシュレス経済を目指した動きが本格化している。このような現状にあわせて、本章ではキャッシュレス経済に向かう動きを見ていく。

2）ただし博報堂（2017）によるアンケート調査では、人々がキャッシュレスに反対する理由としては、浪費しそう、お金の感覚が麻痺しそう、お金のありがたみがなくなりそうというものがあげられている。このような要因についてはキャッシュレスである限りはなくならないと思われる。またクレジットカード利用を中心としてキャッシュレス経済化を推し進めた韓国では、リボショッピング払いの増加と、自己破産者の増加という事態も発生した（伊部 2019）。これを考えると、このような危惧が杞憂であるとはいいきれない。

　本章では最初に経済産業省の資料をもとにして、①諸外国でキャッシュレス化が進んでいる理由、②日本で現金主義が強固である理由を述べる。次にPayPayなどのキャッシュレス決済の普及が進んでいる理由を、主に事業者側の視点から述べる。キャッシュレス決済を導入する事業者にとっては、これまでのキャッシュレス決済手段に比べて導入コストが安いということが大きい。しかしなぜ安価に導入することが可能となっているのか。それは決済のプラットフォームを提供している企業が、どのような点から利益を得ようとしているのかに関わっており、本章ではその点に注目して論じていく。さらにキャッシュレス経済がもたらす利点と問題点をそれぞれ述べる。キャッシュレス経済は人手不足への対応、新しいビジネスチャンスの創出につながるなど利点がある。しかしその一方で問題点も有している。

　本章ではキャッシュレス決済の進展が引き起こす問題を、キャッシュレス決済から排除される人々が発生する可能性と、キャッシュレス決済の進展が雇用にどのような影響を及ぼすかという点に焦点をあてて考える。キャッシュレス決済を利用するためにはチャージが必要である。チャージを行うためには、仮にキャッシュが消滅したとすると、銀行口座と紐づけることが必須となる。しかし世界には銀行口座を持つことができない人々が存在する。このようにキャッシュレス決済の進展はあるタイプの人々を排除することにもつながる。またキャッシュレス決済の進展は、現金に携わる仕事を消滅させていくことにもつながるが、それは雇用の問題を引き起こす。このようなキャッシュレス経済が引き起こす問題点についても本章ではみていく。

1．諸外国と日本におけるキャッシュレス決済の現状

　最初にキャッシュレス化の比率がどのようになっているかを、世界と日本を比較したうえでみていく。野村総合研究所（2018）の資料をもとに世界のキャッシュレス化比率についてまとめたものが**表2**である。これをみると韓国がキャッシュレス化においてはもっとも高い。続いてイギリスとなっている。なお統計の問題から中国は記載されていないが、2015年で約60％と推定されてい

表2　国内外のキャッシュレス化の推進状況

	キャッシュレス比率		
	2007	2016	変化の大きさ
韓国	61.8%	96.4%	+34.6%
イギリス	37.9%	68.7%	+30.8%
オーストラリア	49.2%	59.1%	+9.9%
シンガポール	43.5%	58.8%	+15.3%
カナダ	49.0%	56.4%	+7.4%
スウェーデン	41.9%	51.5%	+9.6%
アメリカ	33.7%	46.0%	+12.3%
フランス	29.1%	40.0%	+10.9%
インド	18.3%	35.1%	+16.8%
日本	13.6%	19.8%	+6.2%
ドイツ	10.4%	15.6%	+5.2%

註：キャッシュレス比率は、(カード決済〈電子マネー除く〉＋E-money決済) ／家計最終消費支出
出所：野村総合研究所 (2018) を基に筆者作成

る。日本はここにあげた国では下から2番目である。

　キャッシュレス化は、それぞれの国においてどのような理由で進展している
のか。それについて経済産業省 (2018) を参考に国別にみていくと次のように
なる。スウェーデンにおけるキャッシュレス化の進展は、1980年代におけるバ
ブル経済と90年代に入ってからのバブル経済崩壊による金融危機に対処するた
めの、金融機関を中心とした生産性向上の取り組みという側面がある。またス
ウェーデン特有の事情として気候的に冬季になると現金輸送が困難となるこ
と、人手が慢性的に不足していること、強盗事件の多発に対処するための犯罪
対策という理由が主なものとして挙げられている。スウェーデンでは元々クレ
ジットカードやデビットカードが普及しキャッシュレスへの受容性が高かった
が、支払いアプリとしてSwishとよばれるものが登場したことも大きいとされ
ている。また実店舗の中には現金での支払いを拒否する店も存在している。

　キャッシュレス化がもっとも進展している韓国では、1997年の東南アジア通
貨危機の打開策という側面が強い。実店舗などの脱税を廃絶することや消費活
動の活性化を目的として、政府主導でのクレジットカードを中心としたキャッ
シュレス化がすすめられた。政府は、クレジットカード利用額の中で年間30万
円を上限として所得控除することや、宝くじの権利を付与する、店舗でクレジ

ットカードの取り扱いを義務付けるといった政策を導入しキャッシュレス化を
強力に推し進めた。

　この2か国とはかなり異なった理由からキャッシュレス化が進んできたのが
中国である。中国には偽札問題による現金の安全性が疑わしいこと、脱税の問
題があること、現金の印刷、流通コストの問題や、1990年代になるまで決済シ
ステムやルールが統一されていなかったという社会的背景が存在していた。も
ともと現金を利用する決済システムが脆弱であったがゆえに、古いシステムを
廃棄するコストが少なく、そのために一気にキャッシュレス化を進めることが
できたといえる。この点は現金を中心とした決済システムが完成していた日本
と対照的な点である。

　以上みてきたように、キャッシュレス化が進展した理由については各国独自
の事情が大きく影響している。表2をみると日本はドイツと並んでキャッシュ
レス化においては最下位のグループとなるが、その日本でも最近になりキャッ
シュレス化が叫ばれるようになっており、またQRコード決済の普及が進むな
どの変化が生じている。次節では近年になりキャッシュレス化が進展し始めた
理由を、事業者にとってのキャッシュレス決済導入コストという点、および安
価な導入コストを可能とする、従来とは異なった決済システム提供者のビジネ
スモデルの出現という点からみていく。

2．なぜキャッシュレス決済は広まり始めたのか

　キャッシュレス決済が広まり始めた理由については様々なものが考えられる
が、本章ではキャッシュレス決済を利用するための事業者側の費用を出発点と
して考えていく。

　日本においてキャッシュレス決済が普及してこなかった理由の1つに、事業
者がキャッシュレス決済を導入するためのコストが高かったということがあげ
られている。キャッシュレス決済を導入するにあたって事業者側が負担しなけ
ればならない主なコストとしては、①事業者側がシステムを利用するために支
払う手数料、②キャッシュレス決済用の端末を導入する費用、の2つが存在し

ている。

　経済産業省の資料3) では、①の側面については平均では3.24％の手数料であり、クレジットカード端末は導入するために少なくとも数万円の費用がかかるとされている。このような金額は特に小規模の事業者にとっては大きな負担となる4)。これに対して2018年に登場したQRコードを利用した決済システムの１つであるPayPayは、ユーザースキャン方式およびPayPayのサービス開始から３年間という期間限定ではあるが、決済の手数料を無料とした。また売り上げが実際に店舗に入ってくる場合の入金手数料についても2019年９月30日まではどの金融機関でも、それ以降はPayPay銀行に口座があれば永年無料という状態である。またQRコード支払いは従来から存在するバーコードスキャナーを利用する、あるいは消費者側が店頭に掲示してあるQRコードを読み取るという形でなされるため、専用端末は不要となりその分のコストも安い。

　期限付きであり将来は不透明であるが、現時点ではこのように導入にあたって事業者側が負担しなければならないコストが従来のキャッシュレス決済手段と比較して低廉であるという点が、導入が急速に進んでいる理由として大きいと考えられる。しかしなぜ導入した事業者から手数料を取らないということがビジネスモデルとして成立するのであろうか。従来の決済ビジネスでは手数料が主たる収入源であり、決済手数料を安価にするということは従来のビジネスモデルと反するように思える。この点を次に考えていく。

　考えうる１つの理由としては、新しく決済ビジネスに進出してきた企業が短期的な利益ではなく、決済システムを支配することによる長期的な利益を狙っている可能性がある。複数の決済システムが競合している場合、短期的には赤字であってもまずは加盟店数を増やすことが長期的にはより大きな利益につながる。決済システムは利用できる店舗が多いほど消費者側にメリットが大きくなるため消費者から選択されやすくなる。また多くの消費者が利用している決済システムであるほど事業者側に導入のメリットが大きくなるため、それを導

---

3) https://www.kantei.go.jp/jp/singi/keizaisaisei/miraitoshikaigi/sankankyougikai/fintech/dai1/
　siryou2.pdf（2020年７月12日確認）
4) クレジットカードの手数料は大規模加盟店ほど低く、中小規模の加盟店ほど高くなっており、この点も特に小規模業者にとっての重荷となっている。

入する事業者が拡大していく。そうすると利用できる店舗が多いため、消費者がさらにその決済システムを選択するようになる。つまり、ある決済システムを利用可能な場所が増加→消費者がその決済システムをより選ぶようになる→その決済システムを導入する事業者が増加し、利用可能な場所が増加していくという形で決済システム拡大の好循環が発生する。逆に競合する決済システムに導入店舗数で劣る場合、これとは逆の悪循環に陥る可能性が高い。そのため決済システムのサービス開始初期には赤字が発生したとしても、それについては度外視して店舗数を増やしていくことで支配的な決済システムの地位を築き上げることが重要な目標となる。競合相手を駆逐し支配的な決済システムの位置を占めることができれば、その後で手数料を有料にすることによって長期的には利益を増加させることができる。このように複数の決済システムが競合している場合には、短期的な損失を度外視し、支配者としての地位を確立することが合理的な戦略となりうる。

　しかしより重要な点は、最近になり決済ビジネスに乗り出してきた企業のビジネスモデルでは、従来の決済ビジネスとは異なりそもそも決済システムが生み出す手数料が主たる収益源と想定されていないということにあると考えられる。このビジネスモデルでの主たる収益源は、消費者のデータを蓄積したうえでそのデータが生み出す付加価値のほうにある[5]。QR決済では顧客がどのような商品を購入したかというデータを収集することができる。顧客がQR決済を利用し、その顧客に関する消費情報が蓄積されれば蓄積されるほど、その情報を分析し顧客が購入しやすい商品を見つけ出し、それを基として特定の個人をターゲットとした広告を出す、あるいは蓄積された大量の顧客データそのものを売買するということが可能となる。このように決済手数料それ自体が利益の源泉ではなく、人々の消費行動のデータが利益の源泉であれば、まずは主たる決済システムとしての地位を確立し、より多くのデータを蓄積することが最大の目標となる。

---

5) この意味では、PayPayなどのビジネスモデルはGoogleと類似しているといえる。Googleは検索システムやGmailなど、多くのサービスを無料で提供している。しかしそこで収集された個人の行動データをもとに、広告の提供などによって多くの利益を生むことができている。

　また蓄積されたデータを活用することで、ターゲットを絞った広告を出すなどにとどまらず、新しいビジネスへとつなげることができる。このような蓄積された消費行動データを応用するビジネスとしては、現在進んでいる「信用スコア」のビジネス展開が例としてあげられる。信用スコアとは基本的には個々人の返済可能性を指標化することによって、融資判断に利用するものである。ただしそれ以外でも、例えばネットオークションで信用できる取引相手かどうかの情報を提供する役割、また最近広まりつつあるシェアリングエコノミーの分野でも活用することができる。このような信用スコアビジネスに対しては、すでにソフトバンクとみずほ銀行が提携して提供するAIスコアがあったが、2018年末にはヤフーが、2019年に入ってからはドコモが、またLINEもLINEスコアの提供を開始するなど、キャッシュレス決済を提供する企業が企業グループとして信用スコアビジネスにも乗り出すという現象が発生している。消費者の消費行動を把握することができれば、利用額やどのような商品を購入したかなど、信用スコアを計算するうえで豊富な情報が入手できる[6]。

　個人の情報を収集するということと関連しているのが、PayPayなどが取り組んでいる、単なる決済システムではなく「スーパーアプリ」の地位を確立しようとする動きである。「スーパーアプリ」とはそのアプリ内で、公共料金の支払い、タクシーやホテルの予約、金融取引など多くのことを行うことができるアプリのことを指す。消費者の多くの行動を1つのスーパーアプリ内に囲い込むということが企業の目的となるが、それが達成できれば単に消費にとどまらず膨大な個人の行動情報を蓄積していくことが可能となり、先に述べたビジネスモデルを大きく飛躍させることができる。

　このように、現在活発化している新しい決済ビジネスは、純粋に決済システムとして行われているわけではなく、個人の消費活動のプラットフォームの地位を得ようとする巨大なビジネスプロジェクトの一環として行われているもの

---

6) 信用スコアビジネスとしては中国で展開されている芝麻信用が有名である。芝麻信用では消費行動データに加えて、政府から提供される学歴データや公共料金の支払いなど多様なデータもあわせて信用スコアを計算しているため、消費行動データのみでは信用スコアとしては不十分である。しかしながら消費行動データは信用スコアを計算するうえでの重要な部分を構成するのは確かである。

である。

　以上みてきたように、大量に蓄積された行動情報を別のビジネスに活用することで巨大な利益獲得の機会が生み出されることになる。蓄積された消費者行動情報を活用することで利益を生み出そうとする企業にとっては、個々人のデータをどれだけ獲得できるかということが第一の目的であって、決済手数料それ自体は些末な問題である。決済システムを単独で見た場合には赤字になったとしても、そこで得られた情報を活用することでトータルとして黒字にすることができれば問題はない。このように決済システムからの収益それ自体が目的ではなく、それによって獲得される膨大な個人行動のデータこそが主たる利益の源泉となるというビジネスモデルを展開していることが、決済ビジネスそれ自体は赤字でもよいということを生み出し、導入手数料無料という事業者側にとっての得を生み出すこととなる。QRコード決済を利用するうえで消費者に金銭的費用は発生していないが、その裏では行動情報を企業に譲り渡しているという点には注意しなければならない。

　2020年時点では、複数のキャッシュレス決済が併存している状態であり、どれか一つが圧倒的なシェアを握っているというわけではない。また今後も新しい形のキャッシュレス決済システムも出てくるであろう。「スーパーアプリ」を目指す動きにしても、先に述べたPayPayのみではなく、au PAYアプリも金融に力点をおいたスーパーアプリ化を目指すことを発表し、d払いも「モバイルオーダー」を提供するショーケース・ギグと資本業務提携することでスーパーアプリ化への流れを強化している。このように今後は単に決済システムとしてのみではなく、消費活動を提供するプラットフォームとしての争いが激化してくるものと思われる。

3．キャッシュレス決済の社会に対する正のインパクト

　次にキャッシュレス決済の進展は、社会に対してどのような正のインパクトがあるのかということを考えていく。キャッシュレス決済を推進する政府、企業としてはやはり経済的なインパクトを重視している。それらについて経済産

業省（2018）が消費者側、企業側、そして公共的な点にわけてまとめているた
め、以下ではそれをみていく。

　消費者が得るメリットとしては、現金を持ち歩かない利便性、ネット取引
では不可欠であるということ、被害リスクが低い（条件次第では被害額が補償され
る）、データの利活用により消費履歴を管理しやすい、というものがあげられて
いる。

　経済産業省としてはFintechの活用を新しいビジネスにつなげることを重視
しているため、事業者側のメリットがもっとも強調されている。事業者側のメ
リットとしては、キャッシュレスの進展によりレジが無人化可能となるため人
手不足の対策となる、現金を輸送するなどの現金の取り扱いコストの削減[7]、
実物通貨を入手する必要がなく、また支払い方法も理解しやすいものとなるた
め訪日外国人観光客のインバウンド消費を促進する、というものがある。また
前節でもみたように、個人の購買情報の蓄積とその分析によってマーケティン
グを高度化する、および新しいビジネスへとつなげる、というものがある。前
節で強調したように、企業側が新たなビジネスチャンスとしてもっとも重要で
あると考えているものは最後の点であろう。

　最後に公共的観点としては、経済取引を電子データとして把握することによ
って、事業者や消費者がおさめるべき税金を正確に把握することができ負担の
公正化につながる、徴税にかかる費用を削減することにより効率化を達成する
ことができるとされている。

　以上みてきたように、個人の生活の利便性の増進、企業利益の増加、および
公共の利益の促進といった点にキャッシュレス化はつながっていくであろう。
とはいえ、ここまで述べてきたことだけであれば社会全体に量的な変化は発生
こそすれ、質的に根本的な変化がもたらされるということはないと思われる。

　しかしながらキャッシュレス化の進展は次のような形で社会に対して根本
的な変化を、しかも残念ながらマイナスの方向にもたらす可能性がある。1つ

7）現金支払いを可能とする社会インフラにかかるコストとしては、印刷、輸送、店頭設備、ATM費
　用、人件費などがあげられる。それらの合計額は推定によるしかないが、1兆円以上がかかってい
　るとされる（経済産業省 2018）。

は、キャッシュレス化の進展は社会のすべての人に対して等しく進むのではなく、一部の人を排除する形で進む可能性があるということから発生する問題である。もう1つはキャッシュレス化の進展が雇用に与える影響である。次節ではこの2つについて順番にみていく。

4．キャッシュレス化の進展がもたらす社会的な負のインパクト

　本節ではキャッシュレス化を推し進めていったときに想定される負のインパクトを、特定の人々が決済から排除される可能性、雇用に与える影響という2点からみていく。

　1つ目の特定の人々が決済から排除される可能性について、Amazon Goとよばれる店舗で実際に発生したことをもととして考えていく。この店舗は、アメリカでAmazonが開店させたキャッシュレス決済を究極に推し進めた店舗である。この店舗は次のような仕組みである。Amazon Goにはレジがなく、代わりに客が入店時にスマホアプリをスキャンする。客が買いたいものを棚から取っていくと、Amazon Goに設置されたカメラやセンサーがその動きをトラッキングする。客が退店すると、代金はその人のAmazonアカウントに自動で請求され、通常のAmazonの買い物と同様に決済される。誰が何を店から持ち出したかはAmazon側で自動的に把握するため、客はレジに並んで支払いをする必要さえない。キャッシュレス化のみならず、レジすら必要がないという店舗である[8]。

　このようにキャッシュレス決済がもたらす効率性という利点を、小売店において究極まで推し進める試みであったが、これに対して次のような社会的問題を引き起こすことが指摘された。Amazon Goを利用するためにはAmazonに登録せねばならず、そのためには銀行口座あるいはクレジットカードが必要となる。これらを作ることができない人々、主に低所得の人々はそもそもこの店舗を利用することはできない。この店舗はそのような人々を排除することにつ

8）ただし完全に無人店舗というわけではなく、案内係や製品の補充担当などは店舗に存在する。

ながる。このような批判があったため、2019年にはAmazonは方針を転換し、Amazon Go店舗も現金で支払い可能とすること、そのために有人のレジを設置することとした[9]。

　これはアメリカにおける事例であるが、そこで発生した問題はいかなる場所でも発生しうる問題である。キャッシュレス決済のシステムを利用するためには、銀行口座やクレジットカードとの連携が必要となる。現時点では現金でキャッシュレス決済用の口座にチャージすることも可能である。しかし究極のキャッシュレス社会、つまり現金が存在しない世界では、現金でチャージするという方法は利用できなくなる。そのため銀行口座やクレジットカードが不可欠である。しかし世界には銀行口座やクレジットカードを持つことができない人々も存在しており、それらの人々は低所得に多い。キャッシュレス決済の進展は、この様な人々を排除することになるという懸念がある[10]。

　以上で述べてきたように、キャッシュレス決済に対応することができない人々がいるという問題意識のもとでアメリカでは州、あるいは都市レベルでキャッシュレス店舗を法的に禁止する動きがすでに発生している。このような都市としてはフィラデルフィア、サンフランシスコ、州としてニュージャージー州がある。繰り返しになるがこの問題はアメリカに限らずキャッシュレス決済が広まるならばどこの国においても発生する可能性があるものである。日本においてもすべての人々がキャッシュレス化に対応できるとは限らない。キャッシュレス決済には銀行口座やクレジットカードが必要であり、何らかの理由でそれらを持つことが難しい人々が存在するということも忘れてはならない。キャッシュレス決済の進展はそのような人々を排除していくことにもつながるのである[11]。

　また現金での決済が残存すればそれだけでよいのかといえばそういうわけで

---

9)　もっともAmazonはAmazon Goの仕組みをあきらめたわけではない。むしろその仕組みを他社に販売することを計画している。正確にはAmazon Goの基幹技術である「Just Walk Out」を他社に販売するとしている（https://justwalkout.com/ を参照）。

10)　https://www.nytimes.com/2019/02/20/business/cashless-payments.html?module=inline（2020年4月2日確認）

11)　このほか、高齢者などの利用方法がわからない人々への対応も重要な問題である。これはいわゆるデジタルディバイドの一種であるが、それについては対応するためのスタッフを配置するなど

もない。現金決済がマイナーな支払い方法となっていけば、現金で決済するには手数料を支払わなければならなくなるという可能性がある。現金を取り扱うためには現金の輸送代金、保管代金が必要となってくるが、それについての費用を現金支払いのみに上乗せしていくということも考えられる[12]。その場合、キャッシュレス決済を利用することができず現金で支払わざるを得ない人々は、実質的に貧しくなっていく。キャッシュレス決済の手段を準備できない人々が低所得層に多いとすれば、この負担は逆進的なものとなっていく。このような問題への対応、例えば現金決済に対して追加で手数料をとることを法的に禁止するといった対応も併せてとっていく必要がある。

　以上の問題は人々の消費者としての側面に対して影響する問題であった。しかしキャッシュレス化の進展は雇用問題にもつながる可能性がある[13]。企業がキャッシュレス化を推し進める場合、雇用される労働者の数は現金を取り扱う手間がなくなっていく分減少する。例えば小売業がAmazon Go店舗の形態をとる場合、レジの人員は削減される。その場合、売上高に変化がなければ雇用者数は必ず減少する。レジ以外を担当する人員は残っているため、キャッシュレス経済化によって売り上げが大幅に上昇すれば既存店舗でも製品補充担当などが増加する、あるいは新規店舗が設立されるなどの経路で雇用が増大する可能性はある。しかし売り上げがさほど上昇しないとすれば、キャッシュレス化それ自体の雇用に対する影響はマイナスとなる。その場合、キャッシュレス化による雇用の減少→消費需要の減少→経済停滞というプロセスが生じる可能性もある。

　キャッシュレス化を推進する主体はこのような点については触れていないが、人口減少及び高齢化が進展している日本では構造的に消費需要が増加しづらいと思われる。キャッシュレス化の進展は労働コストを削減することで個別

企業の短期的利益の増加にはつながるかもしれないが、マクロ経済で長期的に見た場合には、キャッシュレス推進主体の思惑とは反対にこのような事態が生じる可能性についても考慮しておかねばならない。

　またこの種の雇用問題はすべてのタイプの労働者に等しく発生するのではなく、特定のタイプの労働者に集中して発生する傾向があるということも注意すべきである。現在レジで働いている人々はパートタイムなどの不安定雇用の人々が多いと思われるが、キャッシュレス化の進展による雇用削減は、そのようなタイプの人々に偏りをもって出現するだろう。キャッシュレス経済化の進展はそのような人々の収入源を奪い取ることにつながり、このような経路からも格差を拡大していくことになる可能性を認識しておかねばならないのである。

おわりに

　本章では近年になり目立ってきたキャッシュレス化について論じた。従来から日本にはクレジットカードに代表されるキャッシュレス決済手段は存在していたが、消費者が利用する決済手段としては現金が主流であり続けている。しかし最近になりキャッシュレス化を推進する動きが加速している。本章では事業者のキャッシュレス決済導入に伴うコストという点に注目し、2018年末から注目され始めたQRコード決済では導入コストが低廉であることが、QRコード決済対応店舗が急速に普及した理由であること、また低廉な導入コストを可能とする決済システム提供者側のビジネスモデルをみた。

　決済システムそれ自体からの収益ではなく、決済システムを通して得ることができる消費者の行動データと、それを活用したビジネスが主たる収益源であること、さらには単なる決済システムにとどまるのではなく、消費活動全般を囲い込むスーパーアプリ化を目指しているということが、安価な決済システム提供を可能としている。

　政府などが強調するように、キャッシュレス化の進展が企業および消費者の両方にメリットをもたらすことは確かである。しかし同時に負の側面も存在している。1つ目はキャッシュレス決済に対応できない人々がいるということで

ある。キャッシュレス決済を行うためにはそれを可能とするための手段を持たなければならないが、すべての人々がそれを用意できるとは限らない。この問題は主に低所得の人々に影響すると思われ、アメリカでは法的にキャッシュレス決済のみの店舗を禁止する動きも出始めている。もう1つは労働者としての側面に現れる問題である。キャッシュレス決済が進展した場合、現金決済にか

コ ラ ム

新型コロナウイルスはキャッシュレス経済を推進するか？

　2020年4月時点で新型コロナウイルスが世界各地で猛威を振るっている。このことが意外な形でキャッシュレス決済の進展に影響を与えるかもしれないという予測がある。鈴木 (2020) は、新型コロナウイルスの流行が人々の現金支払いに対する意識を変えるかもしれないとする。新型コロナウイルスは紙や金属の表面でもしばらくの間は生存しているため、現金の受け渡しが新型コロナウイルスを媒介する可能性がある。その恐れから人々が、現金による支払を忌避し、キャッシュレス決済を選択するようになっているとする。またキャッシュレス決済であれば店員と客との接触時間を短くできるという利点もある。

　もっとも、新型コロナウイルス対策として現金を避けることがどれだけ効果があるのかという点には疑問が出されている (オルカット 2020)。とはいえ、往々にして人々の行動に影響を与えるのは科学的な事実ではなく、人々がどのように感じるか、あるいは信じているかということである。新型コロナウイルスによって、鈴木が述べるように人々が現金を「汚い」ものと考えるようになれば、人々が物理的に現金を敬遠するようになり、それがキャッシュレス決済を推進する原動力となるかもしれない。

　思わぬ原因で人々の意識が変化し、それが社会に大きな影響を与えるということは歴史上しばしみられる。キャッシュレス経済の推進についても、そのような思わぬところからの影響で大きな変化がもたらされるかもしれない。

　コラムの参考文献

鈴木淳也 (2020)「鈴木淳也のモバイル決済業界地図：コロナウイルスの自粛ムードで変わる、キャッシュレス決済の形」(https://www.itmedia.co.jp/mobile/articles/2003/26/news090.html 2020年4月3日確認)
オルカット・マイク (2020)「〈キャッシュレス〉に新型コロナ拡散防止の効果はあるか」『MIT Technology Review』(https://www.technologyreview.jp/s/192471/no-coronavirus-is-not-a-good-argument-for-quitting-cash/ 2020年4月3日確認)

かわる労働をしている人々は職を失うこととなる。キャッシュレス決済の進展により経済が非常に活発化すれば職を失った人々を吸収できる新規の雇用が生まれる可能性もあるが、日本経済の現状を考えるとその可能性には乏しいように思える。

　キャッシュレス経済の推進については、現在の停滞した日本経済の状態を打ち破るための手段としてその利点が強調されて語られることが多いが、本章でみてきたように社会に対して副作用をもたらす可能性があるということについても認識しておかねばならない。

【参考文献】

伊部和晃（2019）「なぜキャッシュレス化を進めるべきなのか：コンサルタントが語る」野村総合研究所。
経済産業省（2018）「キャッシュレス・ビジョン」。
博報堂（2017）「お金に関する生活者意識調査」。
野村総合研究所（2018）「キャッシュレス化推進に向けた国内外の現状認識」（https://www.meti.go.jp/committee/kenkyukai/shoryu/credit_carddata/pdf/009_03_00.pdf　2020年4月3日確認）。

※本稿の記述は、2020年時点のものである。

グローバル化は国民を豊かにするのか
—— 変質する自由貿易の理念と通商政策

小山大介（宮崎大学）

キーワード：グローバル化、自由貿易体制、通商政策、FTA（自由貿易協定）

はじめに

　日本経済は「豊か」だろうか。日本国内で生活している市民は、豊かさを実現しているのだろうか[1]。主要国が貿易と投資の自由化を旨として「グローバル化」を推進する目的は、各国・地域間の経済交流の活発化による国民生活における「豊かさ」の実現にあったはずである。しかし、これは本質的には実現されておらず、社会を覆う閉塞感や将来への不安が渦巻いている。本章では、日本経済の基盤を成す産業政策のうち、貿易や投資、対外関係を司る通商政策に着目したい。

　一国の通商政策とはどのような考えのもとで行われるべきなのであろうか。そもそも通商政策は、貿易や投資の制限を撤廃し、自由な経済活動を双方向で実現することを目的としているが、国民生活や国内経済への弊害が大きい場合はこれを是正し、必要な措置を講じる役割も担っている（松井編 1964）。だが実際のところはどうだろうか。

　グローバル化が国内経済・社会の各所に至るまで浸透した現在において、私たちの国民生活は必ずしも豊かになっていないのではないかとの疑問が浮かび上がる[2]。

1）確かに、世界銀行によれば日本の1人当たりGDPは、1960年の8,608ドル（2010年物価水準）から2018年には4万8,920ドル（2010年物価水準）にまで拡大している。しかし、他の先進各国との格差も拡大している。

2）例えば、グローバル化の進展によって超富裕層が誕生すると同時に、中国や東南アジア各国では中間層が台頭している。しかし、先進各国では中間層の所得上昇が停滞し、貧富の格差が拡大する傾向にある（ミラノビッチ 2017）。

　現代世界経済では、アメリカを中心とした先進国による国際協調体制によって貿易と投資の自由化、ひいてはグローバル化が進められた。これはIMF・GATT（ブレトンウッズ）体制と呼ばれ、日本は戦後直後から同体制に組み込まれていく。

　アメリカを中心とした自由貿易体制構築の基本理念は、「二度と戦争のない社会の実現」であった。そのためには、二度の世界大戦期のような通貨切り下げ競争やブロック経済化を再び起こしてはならないとの意思が込められており、貿易や投資が各国間で活発化し、相互交流が深まることが平和への近道であると考えられた。実際、継続的に実施されてきたGATT・ラウンド交渉[3] では、工業製品を中心とした関税が大きく引き下げられ、多国籍企業の海外事業活動の展開もあって、先進国間の貿易が大幅に増加していくことになる。

　しかし、1970年代以降、アメリカを含めて世界経済情勢が大きく変化し、対米貿易不均衡の是正、当初の理念を逸脱した過度な自由化や規制緩和などが行われるようになる。そしてグローバル化が経済的にも政治的にも進展するなかで、自由化や規制緩和、関税の撤廃などが地域経済にも大きな影響を及ぼすようになっているだけでなく、政策上の「後もどり」が難しい状況が生まれている。

　本章の課題は、世界経済と日本経済との関係を通商面から明らかにすることにある。後述するが日本は1960年代にIMF・GATTを軸とした西側の自由貿易体制に包摂され、財・サービス貿易を拡大させるだけでなく、日本企業はこの基本枠組みのもとで多国籍化を果たしている（小山 2016）。これらの日本経済のグローバル化プロセスを検討することで、私たちの生活や日本経済を支える地域経済がいかにグローバル化した世界経済のなかに組み込まれてきたのかを検討する。そして現在の日本国内で進展している自由化や規制緩和が、さらに地域経済をグローバル経済へと包摂するものであり、それは必ずしも日本（地域）経済の持続的発展[4] に寄与したり、国民生活を豊かにするものではないこ

とを検討したい。

1．日本における自由貿易体制の確立

(1) 戦後の世界の自由貿易体制とは

　現代世界経済は、新興国の台頭などもあり、「時代の転換点」を迎えている
ばかりでなく、コロナ禍、米中貿易戦争による関税の引き上げ輸出制限など、
保護貿易主義的な政策が各国で採用されつつある。しかし、この貿易と投資の
自由化を基調とするグローバルな自由貿易体制の原型は、IMF・GATT体制
にある。それはアメリカを中心として第二次世界大戦の戦勝国によって構築さ
れ、1991年におけるソ連邦の崩壊もあって、この世界秩序が全世界を覆う形で
発展を遂げており、中国やベトナム、ロシアなど移行経済地域がWTOに加盟
することによって、貿易・投資の飛躍的な拡大をもたらした。

　このIMF・GATT体制は、3つの主要な国際機関が役割分担することによっ
て成り立っている。まず、各国の国際収支動向や外国為替市場などを監視し各
国通貨の安定を図る機関であるIMF（国際通貨基金）、関税の撤廃や貿易の自由化
を目指す組織であるGATT（現：WTO）、そして国に対して長期資金を供給し経
済発展に必要となるインフラ整備を促進する機関であるIBRD（国際復興開発銀
行・世界銀行）である。

　このうち、IMFについては伝統的にアメリカ人が専務理事を務め、各国は出
資比率に応じて発言権が付与されている[5]。出資比率の関係上、実質的にアメリ
カのみが拒否権を発動できる組織構造となっている。WTOについては、一国
につき1票の発言権が平等に付与されており、各国は一般理事会において経済
力・政治力の差に関係無く、発言することが可能となっている。またWTOに
は貿易に関する紛争解決のための機関が設置されている。IBRDについては、
当初は欧州において戦争で破壊された公共施設の復興のための機関であった

5）IMFにおける出資比率は、SDRs（特別貸出枠）への出資額によって決定され、2016年1月の改定
　によって、アメリカ、日本、中国が出資上位3カ国を構成するようになっている。

が、日本や新興国・発展途上国へも長期資金の供与が行われている。

　このように現代世界経済の国際秩序を支える中心機関の状況を概観すると、アメリカの優位性が鮮明となって見えてくる。確かに、IMFやIBRDは、アメリカの出資によって支えられている点が大きい。だが、日本やドイツ、中国といった国々の出資についても増加傾向にあり、中国やロシアといった国々とアメリカとの間での主導権争いも鮮明となっている。また、貿易・投資の自由化プロセスについても、GATTにおけるウルグアイ・ラウンド交渉によって妥結したサービス貿易の促進や知的財産権の保護、非関税障壁の撤廃、農産物貿易の自由化を巡っては、先進国間、新興国・発展途上国を巻き込んだ議論が展開されており、各国間の思惑のズレから、不協和音が漂っているのも事実である（中本編 2007）。

　このWTO内部における対立の先鋭化とウルグアイ・ラウンド交渉後のドーハ・ラウンドの機能不全は、FTA（自由貿易協定）の締結促進と地域経済統合という形となって世界経済に現れている。結果として、現代世界経済は、グローバルな貿易・投資の自由化を基礎としながらも、欧州、北米、南米、アジア・太平洋と言った地域において経済統合が進む、リージョナル化（リージョナリゼーション）の時代を迎えており、日本も例外なくこの枠組みのなかに包摂されている。

(2) 日本における自由貿易体制への包摂過程

　では日本経済は、どのようなプロセスを経て自由貿易体制へと包摂されてきたのであろうか。日本における貿易・投資の自由化、国内市場開放のプロセスには、主に3系統が存在している。①アメリカとの二国間協議、②GATT・WTOによる多角的通商交渉、③FTA（自由貿易協定）締結交渉である。①については、日米貿易摩擦に起因する対米交渉や日米構造協議、規制改革などを挙げることができる。②については、GATTにおける各ラウンド交渉やWTOの枠組みのなかにおける国際政策協調が基礎となる。③については、日本は当初、GATTに続くWTOの多角的通商交渉を支持していたが、WTO交渉が暗礁に乗り上げるなかで、1990年代後半以降に締結交渉を加速化させてきた。こ

れについては、当初は二国間協定が中心であったが、2010年代においては、TPP11（CPTPP）、日・ASEANEPA（日・ASEAN包括経済連携協定）、RCEP（東アジア地域包括的経済連携）など多国間にまたがる地域経済統合が中心となっている。

　日本は第二次世界大戦における敗戦によって、戦前に構築されていた国際関係が一度「御破算」されており、1951年サンフランシスコ講和会議および個別の平和条約や通商条約の締結によって、一から国際的な通商関係が構築されている。だが、GHQ（連合国最高司令官総司令部）占領下では、日本政府に貿易を行う権限はなく、GHQの事前承認が必要であった。また、決済に必要となる米ドルは恒常的に不足していた。戦後日本の対米関係はこの時期に基本構造が作られた。そして、国家貿易から民間貿易への移行によって、日本の通商関係は徐々に正常化していくことになる（日本貿易研究会編1967）。

　ここで重要となるのが、日本を取り巻く国際情勢の変容である。米ソ対立が深まるなかで、日本を早期に独立させる動きが加速し、1949年に通商産業省（現経済産業省）が発足し、1ドル＝360円の為替レートが確定する。そして1951年9月のサンフランシスコ講和条約によって、日本は国際社会へと復帰する。

　1950年代から60年代にかけて、日本では通商関係の回復が進められた。アジア各国との個別交渉が進められると同時に、国連、IMF加盟（1952年）、1955年のGATT加盟、1964年のOECD（経済協力開発機構）加盟によって、日本は西側資本主義陣営のなかに組み込まれることになった[6]。そして、貿易において例外品目以外については数量制限を課さないGATT11条国（1963年）、貿易決済等の経常取引に関する規制を設けないIMF8条国（1964年）によって、日本の自由貿易体制が確立することになった。つまり、日本は1964年段階において自由貿易体制の国内的枠組みを備えており、本質的な意味で国際社会へと復帰したといえる。

---

6) この過程のなかで、日米安全保障条約が1951年に締結、また日米相互防衛援助条約（MSA条約）が1954年、新日米安全保障条約が1960年に締結され、日米関係は経済・政治・安全保障などの面で急速に深まっていくことになった。

2．日本経済のグローバル化と市場開放の足音

(1) 1970年代における世界経済構造の変化

　1970年代以降の日本の通商交渉は、これまで以上にアメリカとの関係を重視することで進められていく。それを示したのが図1である。この時期の国内外の情勢を検討すると、一方ではアメリカの貿易収支が赤字化し、ドル散布による金の流出が進むなかで、1971年にニクソン・ショックが起こる。そして、2度の石油危機によってこれまでの高度経済成長時代が終わり、低成長、構造改革の時代が到来するのである。くわえて、景気後退局面での急速な物価上昇などによってスタグフレーションの発生によって、国民経済は困窮していくことになる。他方では、東西冷戦構造の雪解けや日米首脳による中国訪問と文化大革命の終焉、改革開放路線への転換など、世界経済のグローバル化への先駆けとも呼べる出来事も起こっている。

図1　日米経済関係略歴

1972	日米繊維協定調印 日本第二次鉄鋼輸出自主規制
1977	日米カラーテレビ市場秩序維持協定締結
1980	ＮＴＴ調達取決め策定
1981	日本対米自動車自主輸出規制実施
1986	MOSS（市場志向型別）協議締結（エレクトロニクス、電気通信、医薬品・医療器械林産物、輸送機械） 日米半導体協定締結
1987	対米工作機械輸出自主規制実施
1988	牛肉・オレンジ交渉、輸入割当撤廃
1989	日米構造協議開始 日本側課題：貯蓄・投資パターン、土地利用、流通機構、系列、排他的取引慣行 米国側課題：貯蓄・投資パターン、企業の投資活動、政府規制、輸出振興
1990	日米構造協議終結 日米首脳会談（3月、7月、9月）
1991	日米首脳会談（4月、7月） 湾岸戦争勃発
1993	日米包括経済協議の枠組で合意（以後日米首脳会談は、年2回開催） 「新しい経済パートナーシップのための枠組の下での規制緩和と競争政策に関する強化されたイニシアティブ」 細川連立内閣発足
1994	日米経済包括協議、知的所有権分野決着（8月） 日米経済包括協議、政府調達分野決着（10月） 日米経済包括協議、板ガラス分野決着（12月）
1995	日米経済包括協議、金融・サービス分野決着
1996	日米首脳会談（2月、9月） 日米経済包括協議、保険問題最終解決（12月）
1997	アジア通貨危機
1998	日米規制緩和に対する共同現状報告（第1回） 小泉厚生大臣（当時）、郵政事業民営化主張
1999	日米規制緩和に対する共同現状報告（第2回） 国旗・国家法成立
2000	日米規制緩和に対する共同現状報告（第3回）
2001	日米規制緩和に対する共同現状報告（第4回） 「成長のための日米経済パートナーシップ（日米投資イニシアティブ）」立ち上げ（ブッシュ大統領、小泉首相）
2002	「アメリカ政府改革提言」 「日米の規制改革及び競争政策の下でのアメリカ政府から日本政府への改革要望イニシアティブ」へ改組 「アメリカ政府改革提言」第1回年次報告書（第8回まで発表）
2003	新日米租税条約署名
2004	日米社会保障協定署名
2005	日米相互承認協定署名
2006	新たなイニシアティブに関するファクトシート（日米経済調和対話）
2007	日米経済調和対話事務レベル会合
2008	「日米共同声明：未来に向けた共通のビジョン」発表 「ファクトシート:日米協力イニシアティブ」発表
2013	日米租税条約改正議定書署名 日本のTPP協定交渉参加に関する日米間の協議妥結 自動車貿易及び非関税措置に関する日米並行交渉開始
2014	「日米共同声明：アジア太平洋及びこれを越えた地域の未来を形作る日本と米国」発表 「ファクトシート：日米のグローバル及び地域協力」発表
2015	「より繁栄し安定した世界のための日米協力に関するファクトシート」を発表 TPP協定大筋合意（アメリカを含む） 自動車貿易及び非関税措置に関する日米並行交渉妥結
2017	米国のTPP離脱 日米経済対話初回会合、第2回会合
2018	日米経済対話課長級協議 「自由で公平かつ相互的な貿易取引のための協議」立上げで一致 TPP11（CPTPP）発効
2019	1年間に5度の日米首脳会談 日米貿易協定、日米デジタル協定最終合意
2020	日米貿易協定、日米デジタル協定最終発効（1月1日）

出所：外務省「日米経済関係年表」など送米関係資料より作成

　この時期のアメリカ経済は、ベトナム戦争による国内経済の疲弊、インフレに悩まされており、重化学工業や自動車産業などこれまで経済を支えていた主要産業が岐路に立たされることになる。また、欧州先進国経済においても、1970年代後半から80年代にかけて、厳しい局面に見舞われることになる。

　これに対して、日本は合理化および重化学工業から高度組立型産業や半導体、工作機械、映像・音響技術といった分野への産業転換が進んだことで、早期に景気回復軌道を回復した。ただ、この景気回復は国内需要を喚起したものではなく、大手企業を中心とした集中豪雨型輸出による貿易収支黒字によって、表現されたものであった。これが、後に欧州各国、アメリカからの批判をまねくことになる。

　この歴史的な潮流のなかで、アメリカの世界経済における相対的地域が低下することになり、戦後の世界秩序を構築してきたIMF・GATT体制、また同体制を再建しようとして試みられたスミソニアン体制が崩壊することになった[7]。これ以後、世界経済は国際化からグローバル化、サービス経済化、金融化の道をたどることになる。

　このように世界経済を取り巻く情勢が大きく変容した1970年代は、現在ではおなじみとなっているG5（先進国財務相・中央銀行総裁会議）が始まった時期でもあるが、GATTによる多角的通商交渉（ラウンド交渉）に大きな変化が見られた。それは、これまでもっぱら、交渉参加国の拡大と工業製品を中心とした関税の引き下げが議論されてきたが、公共調達制度やアンチダンピングなどと言った非関税処置（非関税障壁）に関する項目が交渉項目に含まれるようになっていくのである。

　このように1970年代は、台頭する新自由主義的政策から、貿易のみならず投資・サービスなどの市場開放が進む時代へと向かうのである（小山 2016）。

---

7) アメリカでは1971年に貿易収支が赤字化し、これに替わってサービス貿易収支が黒字化することになる。また、海外からの利益、手数料・特許料の受取が増加し、アメリカ経済は、財貿易中心から海外利潤への依存を強めていく（杉本 1980）。

(2) 日本経済のグローバル化と日米貿易摩擦

　日米における貿易・通商をめぐる摩擦は、第二次世界大戦以前から存在していたが、第二次世界大戦後の1950年代よりツナの缶詰を起点として発生している[8]。この日米貿易摩擦は、1960年代以降、繊維、鉄鋼、カラーテレビ、工作機械、自動車、半導体と日本の産業高度化と連動して、先鋭化している。戦後の日本の通商政策はアメリカとの関係のなかで展開されてきたといえる。

　日米貿易摩擦とその後の交渉の基本的流れは、まず日本からの対米輸出が増加し、日本の特定品目における貿易収支が悪化する。するとアメリカの産業界からの批判が高まり、アメリカ議会でのロビー活動を経て、日本への是正要求へと波及する。この時はじめて日米貿易摩擦が顕在化するのである。

　日米通商交渉では、アメリカが日本の対米貿易黒字の是正について妥協することは基本的になく、日本側が一方的に対応することが求められる。その際、日本政府が交渉を出来るだけ先延ばしにすることによって、産業構造の転換に向けた施策や中小企業対策を進めることになるが、最終的には当該製品の輸出自主規制が行われる。GATT協定やWTO協定においては、先進国が輸入自主規制を行うことが例外品目を除き禁止とされており、それがGATT11条国である根拠とされていることを考えれば、輸出国が自国企業による輸出に枠を設ける行為は、ある意味では自由貿易体制の構築とは逆行する行為であるといえよう[9]。

　日米貿易摩擦は、日本からの輸出数量の制限を伴うため、国内中小企業への影響は計り知れないものであったが、大手企業についてはアジアNIEs、東南アジア各国、対米進出を行うことによって貿易摩擦の回避が行われた。これにより、日本企業の海外事業展開が加速することになる。だが、1980年代になると日米通商交渉の争点は、貿易収支の是正から日本国内の不公正な取引慣行や金融の自由化、国内市場開放が争点となっていく。

　通商交渉におけるアメリカの姿勢に対して日本国内においても、今後の日本

8) ツナ缶の対米輸出については、1950年に関税引き上げが行われ、1956年には関税割当制度（タリフ・クオーター制度）が導入されている（日本貿易研究会編 1967）。
9) 日米貿易摩擦が地域経済や中小企業に大きな打撃を与え、産業構造の展開を余儀なくされた事例は数多くあるが、日米繊維協定の妥結がその代表例である。これについては本文中にて後述する。

経済の動向を指し示す上で大きな方針転換や起点となったのが1985年のプラザ合意と1986年の前川リポートの発表である。これを契機として日本は、国際化そしてグローバル化へと舵を大きく切ることになり、現在の日本経済や社会のあり方を規定した出来事としても無視することはできない。

　プラザ合意（1985年）は、アメリカ・ニューヨークのプラザホテルで行われたG5蔵相（当時）・中央銀行総裁会議においてドル高是正として日本円、西ドイツマルクに対して協調介入を実施することを決定した合意である。これによって、特に日本円は約2年半の間に1ドル240円から120円と急速な円高を遂げることになる。それは製造業を中心に、国内企業の海外進出の決定的な要因となり、1980年代後半から1990年代初頭にかけて、日本企業が対外直接投資において世界の中心的役割を担うことになった（UNCTAD 1992）。

　また、前川リポート（1986年）は、中曽根首相の私的諮問機関である「経済構造調整研究会」が発表した報告書であり、正式名称は「国際協調のための経済構造調整研究会報告書」である。この報告書では、貿易不均衡の是正と自由化の促進、グローバル化の促進が提言されている。主な提言内容は、①内需拡大、②国内経済構造の転換、③直接投資の促進、④国内市場の開放、⑤金融の自由化、⑥国際貢献の促進（国際協調のための経済構造調整研究会 1986）であり、1990年代における国内経済のグローバル化と国際政策協調の推進を想起させる内容となっており、前川リポートの基本方針に則って、1980年代以降の国内構造改革の舵取りが行われていると言っても過言ではない。

　また、日本国内からの情報発信という点では、2003年に経団連（日本経済団体連合会）から発表された提言書「活力と魅力溢れる日本をめざして（奥田ビジョン）」が重要な意味を持つ。そこでは「made in Japan戦略」から「made by Japan 戦略」への展開を提言されているのである。この提言は、日本企業の本格的な多国籍企業化とグローバル戦略が背景となっており、日本企業は国内で生産したものを全世界へと輸出するのではなく、現地生産・現地販売へとシフトし、日本企業が全世界で製品やサービスを提供する戦略が提言されているのである。また、この流れに対応した国家戦略の実施が提案され、国内の地方自治のあり方として道州制の導入が産業界から求められているのである（岡田 2010）。

　このように、日本の通商交渉はアメリカとの関係を軸に展開されてきたが、1985年を境界線として、国際化からグローバル化を推し進める方針のもとに諸政策が策定され実施されている。これら国内経済の構造改革は、対米交渉やGATT・WTOでの多角的通商交渉での結果を反映したものが多く含まれているのである。また日本側からの対応として、国内経済のグローバル化に呼応する形で財界から政策提言が行われ、それは行財政改革や教育、福祉にまで広がっているのである[10]。

　2020年には、新型コロナウイルスの感染拡大により、訪日外国人観光客が「ほぼゼロ」となり、飲食業、宿泊業を中心に、経済的打撃が大きくなっているが、これについても、インバウンド拡大というグローバル化促進路線が大きく関わっている。

3. 国内経済の市場開放から地域経済への波及：日米交渉とFTA締結

(1) 日米関係の深化と深まる市場開放要求

　前節で述べたように、日米通商交渉や多角的通商交渉は、時代を追うごとに貿易不均衡問題を議論する場から国内産業構造や知的財産権問題、市場開放、自由化など非関税障壁を含めた広域的な分野を議論する場へと変貌を遂げることになる。その代表例となるのが1989年から2年間かけて行われた日米構造協議である。この協議では対米貿易黒字の削減から日本の国内市場の開放を含めた広域的な分野が協議され、その枠組みは1993年の「日米包括経済協議」へと引き継がれており、現在もこの基本的枠組みが継続されている。

　日米通商交渉やアメリカにおける政策転換によって、日本の地域経済や中小企業はこれまで大きな影響を被ってきた。1972年に妥結した日米繊維協定では、国内からアメリカへの繊維製品の輸出がほぼ不可能となり、日本各地に点在していた繊維メーカーは、国内向けに切り替えるか、海外進出を行うか、そ

---

10)　財界からの積極的な政策提言は、経団連（日本経済団体連合会）だけでなく、経済同友会、在日米国商工会議などからも行われている。

れとも廃業するのかの選択を強いられている。これによって、国内から縫製工場が姿を消し、日本国内に流通する繊維製品はほぼ輸入によってまかなわれる事態になっている。また、日米繊維協定妥結後の1978年には、繊維貿易が黒字から赤字へと劇的に変化し、経済情勢や競争力を無視する形で政策的に貿易収支赤字が生み出される結果となっている。また1971年のニクソン・ショックとその後の円高は、刃物や食器類などの軽工業品の輸出にも大きな影響を与えている。地域経済は、国際関係による最初の試練を迎えることになったのである。

　1980年代以降は、輸出数量制限ではなく、国内市場の開放が中心となっていく。その代表的なものを列挙すると、牛肉・オレンジの輸入割当撤廃（1988年）、大規模公共事業の実施（1990年）、WTO政府調達協定（1995年）、医療保険分野等の市場開放（1996年）、大店立地法（1998年）、郵政民営化（2007年）を挙げることができるだろう。

　牛肉・オレンジの輸入自由化（1988年）は、GATT・ウルグアイ・ラウンド交渉においても大きな争点となっており、コメの輸入自由化とも深く関係する項目であるが、この自由化が農産物の輸入自由化の出発点になっており、その後の市場開放により、日本では毎年7兆円以上の農産物を輸入するようになっている。

　日米構造協議の妥結項目の一つである大規模公共工事の実施では、10年間で430兆円（後に630兆円）の公共工事を国内需要の喚起を目的として実施することが合意されており、2000年までの間、日本の公共事業は活況を呈した（阿部武司編著2013）。しかし、その後の公共工事の急減は地域の建設業関連業種の減少をもたらしただけでなく、ハード中心の公共事業によって、修繕費、メンテナンス費用の急増をもたらしている。また公共工事の原資として発行された建設国債は、日本政府の債務残高を急増させる結果となっている。くわえてWTO政府調達協定（1995年）によって、国だけでなく地方自治体における政府調達の外資系企業への市場開放が成されている（入札制度問題研究会編著1996）。

　この他、医療保険分野や自動車保険分野での市場開放によって、いまや外資系保険会社が国内における第2・第3の保険市場を席巻しており、大店立地法（1998年）は、日本各地での大型ショッピングモールの建設を後押しした。これ

によって、国内経済の低迷とあわせて「価格破壊」と呼ばれるデフレが発生し、各地に存在していた商店街は、シャッター通りへと姿を変えることになっている。

　このように、1985年以降の日本経済・社会のグローバル化プロセスは、政策の実施から10年後に、国内経済・社会に大きな弊害をもたらすことになっている。日本経済の基盤は、もとより地域経済における私たち住民や中小企業の日々の経済活動にある。しかし、1980年代に構想され、1990年代に実行されたグローバル化プロセスは、もっぱら国内大手企業や多国籍企業に新たな活動領域を提供するものであった。地域において事業が競合した中小企業や個人商店は事業承継が難しくなり、廃業の道を歩むことになった。日本経済の社会や経済は、もはや後戻りできない段階へと変容しているのである。

(2) WTO交渉の停滞とFTA締結交渉の加速

　この間のGATT・WTOの多角的通商交渉では、1994年のウルグアイ・ラウンド妥結とWTO発足（1995年）発足によって、交渉項目に知的財産権やサービス貿易分野（GATs、TRIPs）が加えられることになり、新興国・発展途上国を含めたさらなる国内市場開放へと舵が切られている。この交渉項目の追加は、ウルグアイ・ラウンド交渉におけるアメリカの強い意向によるものであり、アメリカが大幅な貿易収支黒字を確保できる領域であった。

　しかし、あまりにも急速なグローバル化、農産物貿易の市場開放、知的財産権保護、サービス貿易の拡大など、アメリカの強い市場開放要求に対して、発展途上国はもとより、他の先進国の間でも足並みが揃わなくなり、ラウンド交渉は進展が困難となった。また、1999年のWTOシアトル閣僚会議では、反グローバル化のデモによって、新ラウンドの立ち上げを合意することができなかった。これ以降、グローバル化を推進する勢力とグローバル化に歯止めをかけようとする勢力によった度々対立が起こるようになる。結果、WTOにおける多角的通商交渉は暗礁に乗り上げる。

　これに変わって、FTA（自由貿易協定）を関係国や友好国間で締結する動きが加速することになる。このFTAは2017年12月の段階で296件が発効済みとな

図2 日本のFTA締結状況

発効・署名済み		
	国・地域	**発効・締結時期**
1	日・シンガポールEPA	2002年11月発効
2	日・メキシコEPA	2005年4月発効
3	日・マレーシアEPA	2006年7月発効
4	日・チリEPA	2007年9月発効
5	日・タイEPA	2007年11月発効
6	日・インドネシアEPA	2008年7月発効
7	日・ブルネイEPA	2008年7月発効
8	日・ASEANEPA	2008年12月から順次発効
9	日・フィリピンEPA	2008年12月発効
10	日・スイスEPA	2009年9月発効
11	日・ベトナムEPA	2009年10月発効
12	日・インドEPA	2011年8月発効
13	日・ペルー EPA	2012年3月発効
14	日豪EPA	2015年1月発効
15	日・モンゴルEPA	2016年6月発効
16	TPP11 (CPTPP)	2018年12月発効
17	日EU・EPA	2019年2月発効
18	日米貿易協定	2020年1月発効
19	日米デジタル協定	2020年1月発効
交渉妥結・実質合意		
1	日ASEAN・EPAの投資サービス交渉	実質合意
交 渉 中 等		
1	日・カナダEPA	交渉延期中
2	日・コロンビアEPA	交渉中
3	日中韓FTA	交渉中
4	RCEP（東アジア地域包括経済連携）	交渉中
5	日・トルコEPA	交渉中
6	日GCC・FTA	交渉延期中
7	日韓FTA	交渉延期中

注：①締結状況については2019年12月現在の状況。
　　②EPAとは日本独自の表現方法であり、関税等にくわえ、政府調達、人の移動、投資等の項目を含んだものを指している。
出所：外務省ホームページ（https://www.mofa.go.jp/mofaj/gaiko/fta/index.html アクセス日：2019年12月15日）より作成

っている。FTAは、近隣の関係国や友好国間で締結する自由貿易協定ではあるが、WTO協定以上の関税撤廃率や市場開放が求められるため、締結国間では、さらに市場開放が進むことになる。また、例外なくISDS（投資家対国家紛争解決）条項が含まれることになる。WTOにおける多角的通商交渉に代わって、2000年代にはこのFTAが貿易・投資の自由化を促進する枠組みとなっており、当初は二国間協定が中心であったが、2010年代には複数国にまたがる地域経済統合へと発展している。

　日本では、WTO発足当初は多角的通商交渉を重視していたが、他の主要国が挙ってFTAの締結を進めるなかで方針転換がなされ、2000年代から本格的なFTA締結交渉が行われるようになり、シンガポールとの協定締結以降、17

ヵ国・地域と協定を締結するようになっている（**図2**）。

　2015年1月に発効した日豪FTAでは、牛肉の輸入関税が段階的に大きく引き下げられることになった。2018年12月に発効したCPTPP（TPP11）では、アメリカが交渉から離脱したことで、知的財産権やISDS条項の運用などについては交渉が凍結されることになったが、コメ、農製品、豚肉、牛肉等の農産物については市場開放がさらに進んでいる[11]。また、2019年2月に発効した日欧FTAは、先進国を含めた本格的な地域経済統合への包摂であり、EU域内産ワインの輸入関税の即時撤廃、チーズの輸入関税の引き下げもあり、国内農業への影響が懸念されている。これにくわえ、公共調達分野では、WTOの政府調達協定をさらに前進され、中核市における一定金額以上の公共調達がEU域内企業にも開放されることになったほか、国内鉄道分野の政府調達についても車両を含む鉄道部品市場がEU域内企業に開放されているのである。

　このように、日米関係や通商交渉、そして通商政策、国内経済のグローバル化プロセスは、第二次世界大戦後、連続性を帯び、また世界経済情勢と連動した形で進展しており、貿易・投資の自由化という一貫した枠組みのもとで進められている。つまり、突然に市場開放や外資系企業の導入、FTA締結などが行われているのではなく、70年以上の歴史をかけて進み、現在ではグローバル経済と地域経済とが直結する形となっており、そこには国内多国籍企業、外資系企業などの思惑が込められている。この流れに対抗し、国内政策の変更を迫ることが困難となっているだけでなく、地方自治体が採用することのできる政策的な選択肢を狭める結果となっている。

(3) 地域経済に浸透するグローバル化

　ここで視点を私たちが日常生活を営む地域経済へと向けてみよう。これまでの地域経済のグローバル化プロセスは、3つの段階を経て進められており、現在では、基礎自治体を含めた地域経済へとグローバル化が深く浸透していると考えられる。

　主に日米貿易摩擦による貿易不均衡の是正と輸出数量制限の実施を第1段階とすると、1980年代後半からの日米構造協議とそれに続く市場開放と規制改革

が第2段階となり、FTAの締結や政府調達分野における市場開放、インバウンドの促進など直接的な地域経済とグローバル経済との直結が第3段階となる。この第3段階では、地域の中小企業にも海外事業展開や輸出促進が促されており、サービス経済化を推進する動きも見られる。さらにサービス貿易黒字の拡大を目的としたインバウンドの促進や地方空港における国際路線の開設、外国クルーズ船の入港推進などの諸政策が実施され、少子高齢化による内需の穴を埋めると同時に、東京一極集中の緩和を目指す政策となっている。

　しかし、それらの政策は、地域住民や中小企業の経営環境を必ずしも改善す

コ ラ ム

進む市場開放と住民生活への直接的影響

　貿易・投資の市場開放はどこまで進むのであろうか。コンピューターや自動車、機械の部品（中間財）、工業製品の関税引き下げから始まった市場開放は、農畜産物にまで広がっている。またサービス分野においても、日米デジタル協定が締結されるなど、市場開放は実体経済に留まらず、バーチャル空間にまで広がっている。

　そのような状況のなかで、市場開放がついに国民生活に直結する領域にまで及んでいる。その一つが国や地方自治体が発注する工事や物品・サービスなどの公共調達分野である。それは当初、国が発注する大型プロジェクト（関西国際空港建設等）に限定されていた。しかし、1995年のWTOの政府調達協定によって、都道府県、政令指定都市の一定金額以上の調達については、外資系企業の入札参加が認められるようになった。そして、日欧EPAによって、人口20万人以上の中核市も対象に加えられている。もちろん、国による調達であるから、国立大学法人等の調達についても同様である。

　市場開放はこれだけではない。2018年12月の水道法改正によって、これまで基礎自治体が運営してきた水道事業に民間企業が参入できるようになったのである。これはコンセッション方式と呼ばれ、施設の運営権を民間事業者に与える手法で行われている。水道事業といえば、国民生活に直結する公共サービスであり、生命を維持にとって最も重要なライフラインである。

　資本主義といえども公共性の高い事業については市場経済化すべきではない。公共調達制度や水道事業への民間参入は私たちの生活基盤を脅かす危険性を有している。この議論を裏付けるように欧州を中心として、一度民営化した上下水道事業を再公営化する動きが強まっている。日本におけるこのような政策は、世界各国から見れば「周回遅れ」の政策であると言える。

るものではなく、市場開放とグローバル化がさらに進むなかで国内外企業との競争が激化される要因ともなっている。また、通商政策の基本姿勢がグローバル化の推進であり、国境を越える取引の拡大や制度の簡略化・統一は引き続き進められている。日本とEUとの間で締結されたFTAでは、特に関税だけでなく、政府調達分野における市場開放がこれまでの国・都道府県・政令指定都市から中核市へと拡大されている。もちろん、国附属の研究機関や国立大学における調達も同様である。これまで地域経済のなかで、租税の再分配機能を担い、地域内経済循環に一定の役割を担ってきた行政や各種機関に対する市場開放は、地域経済に大きな影響を与えることになるだろう。さらに、2018年2月に行われた水道法の改正によって、公共性が極めて高いとされる上下水道事業へ国内外の民間企業が参入する道が開かれている。

　地域経済で今まさに進んでいるグローバル化は、地域経済を豊かにするのではなく、一部の大企業に新たな収益源をもたらすことになる。これは地域住民の利益や所得のすげ替えに他ならないと考えられる。

おわりに：グローバル化と国民生活を再考する

　通商政策の役割は、貿易や投資の制限を撤廃し、自由な経済活動を双方向で実現することを目的としている。ひいてはそれが、世界平和を実現し、国民生活をより豊かにすると考えられていたからである。しかし、1970年代以降、その方向は関税の撤廃から市場開放へとシフトすることにあり、当初の理念であった世界経済の持続的発展と平和の実現は、なおざりにされていく。その結果が、グローバル化を推進しようとする勢力とグローバル化に歯止めをかけようとする勢力との交錯であり、現代世界経済は「両極化の時代」となっている。

　日本経済のグローバル化プロセスは、1980年代以降、経済的にも政治的にも進められたが、それは日本企業の多国籍化と連動しており、国内経済をグローバル経済へと直結し、多国籍企業による事業活動をより容易にするためのものであった。また、国内市場の開放やグローバル化は、主としてアメリカによる対日要求から進め、GATT・WTOにおける多角的通商交渉がグローバルな枠

組みを提供した。そして、FTA締結による地域経済統合の加速によって、自由化や規制緩和の度合いはますます高まっている。その影響は国内の地域へと広く波及し、住民生活や中小企業の経営にも及んでいる。

　通商政策は、本来的には国民生活への影響が大きい場合は政策を見直し、是正措置を採用することも含まれるが、現在では一方的な市場開放が進められている。現在もなお進行中の貿易・投資の自由化や市場開放などの規制改革は、国民生活を豊かにするものではなく、国内外の多国籍企業に新たな活動領域を提供する、国民から企業への所得移転にすぎない。

　現代世界経済のグローバル化は、特定の利害関係者が前面に現われる形で進められており、それが世界経済の不安定化を促す要因の一つとなっている。現在の通商政策に、中小企業や地域の住民、一般国民が意見を反映する機会は極めて少ない。そこには、大企業、多国籍企業が政策へと関与できる制度が組み込まれているのみである。この枠組みは、グローバル化推進への「岩盤」を形成しているのである。

　だが、グローバル化の進展に対する懸念は、すでに1990年代から存在しており、特に貿易と雇用問題は最も需要な論点の1つとなっている（Rodrik 1997）。そして2000年代には「グローバル化」について多くの論争が展開されてきた。過度なグローバル化が引き起こす所得格差の拡大や社会不安の増大への批判は、近年急速に高まっている。

　また、日本国内においても、これらの問題は「対岸の火事」ではなく、現に起こっている問題である。新型コロナウイルス感染拡大により噴出した課題についてもグローバルな視点から、今後検討する必要があるだろう。いまこそ、過度なグローバル化を見直し、持続的な発展を基本とする政策への転換が求められている。

【参考文献】

Rodrik, Dani. (1997) *Has Globalization Gone Too Far?*, Institute for International Economics, Washington, DC, pp.11 - 27.

UNCTAD（1992）*World Investment Report 1992 : Transnational Corporations as Engines of Growth*, United Nations Publication, New York, p.16.

ブランコ・ミラノヴィッチ著　立木勝訳（2017）『大不平等——エレファントカーブが予測する未来——』みすず書房 pp.3 - 9（原著：Branko Milanovic（2016）*Global Inequality: A New Approach for the Age of Globalization*, Harvard University Press, Cambridge, Massachusetts）。

阿部武司編著（2013）『通商産業政策史 2 通商・貿易政策 1980 - 2000』独立行政法人経済産業研究所 pp.79 - 80。

岡田知弘（2005）『地域づくりの経済学入門——地域内再投資力論——』自治体研究社 pp.50 - 56、p.135。

石田修・板木雅彦・櫻井公人・中本悟（2010）『現代世界経済をとらえる　Ver. 5』東洋経済新報社。

国際協調のための経済構造調整研究会（1986）『国際協調のための経済構造調整研究会報告書』pp.3 - 11。

小山大介（2016）「Chap.13 通商政策を考える——グローバル化する貿易・投資と日米関係」岡田知弘・岩佐和幸編（2016）『入門 現代日本の経済政策』法律文化社 p.216、p.221。

杉本昭七編（1980）『現代資本主義の世界構造』大月書店 p.207。

中本悟編（2007）『アメリカン・グローバリズム——水平な競争と拡大する格差——』日本経済評論社 p.8。

日本貿易研究会編　通商産業省通商局監修（1967）『戦後日本の貿易20年史——日本貿易の発展と変貌——』通商産業調査会 pp.5 - 9、p.77。

入札制度問題研究会編著　建設省建設経済局建設業課監修（1996）『公共事業とWTO政府調達協定』㈶建設業適正取引推進機構 pp.7 - 15。

松井清編（1964）『日本貿易読本』東洋経済新報社 p.46、p.136。

第3部

社会保障政策、地域政策を問い直す

第6章 劣化する労働環境と「働き方改革」

中野裕史（関西私大教連）

キーワード：働き方改革、労働時間規制、同一労働同一賃金、過労死・過労自殺、
　　　　　　雇用の非正規化、ブラック企業、日本的雇用慣行

はじめに

　2016年6月2日、日本政府は「ニッポン一億総活躍プラン」を閣議決定した。プランの冒頭において、一億総活躍社会とは「女性も男性も、お年寄りも若者も、一度失敗を経験した方も、障害や難病のある方も、家庭で、職場で、地域で、あらゆる場で、誰もが活躍できる、いわば全員参加型の社会」との説明がなされている。すべての人々の社会参加を促すという政策理念自体は誰もが賛成できるものであり、プランが想定する「成長と分配の好循環メカニズム」というサイクルの回転、その一環としての消費の底上げ・投資の拡大、子育て支援・介護の基盤強化や労働参加率・生産性の向上なども、それが人々にとって真の社会生活の向上に資するものであるのならば、全く否定されるべきものでもない。

　昨今、多様なメディアを通じて市民権を得ることとなった「働き方改革」は同プランの土台に位置する改革であり、一億総活躍社会の実現に向けた重要施策のひとつとされている。働き方改革が日本経済再生に向けての最大のチャレンジと言わしめるほどである。その改革の目玉となるのは、労働時間の是正や非正規雇用で働く人々の待遇改善（同一労働同一賃金）であり、すでにこれらの施策は労働基準法やパート労働法などを含む労働関連法規の大改正によって一定の法的規制が制度化されている。

　上記の施策の効果が表れるのはまだ先だが、重要なことはわが国における

現在の働き方が、一億総活躍社会の実現や日本経済の再生を阻害している一要因であり、それゆえに雇用労働環境の改革が必要だと認識されていることである。その最たる問題は、過労死・過労自殺を生み出すほどの長時間労働であり、増大する非正規労働者と正規労働者の身分差別的ともいうべき格差の存在である。

　そこで本章では、政府の働き方改革における法的規制の内実を論じた上で、わが国の雇用労働環境を悪化させている長時間労働と非正規雇用の実態を明らかにする。その上で、真の働き方改革を推進するために必要な政策課題は何か、若干の問題提起を行いたい。

1．働き方改革の内実

(1) 労働時間規制の「強化」と「緩和」の交錯

　政府は働き方をどのように改革しようとしているのか。2017年3月28日に働き方改革実現会議が公表した「働き方改革実行計画」は、働く人々の仕事ぶりや評価に関する納得感や意欲の醸成、ワークライフバランスの確保、人々のライフスタイルに合わせた多様な選択肢の拡大を謳い、労働法制の大々的な改正を提起した。その後、厚生労働省労働政策審議会で具体的な法令改正に向けた検討が開始され、2018年4月には「働き方改革を推進するための関係法律の整備に関する法律（働き方改革法）」が国会に提出された（6月29日の参議院本会議で可決、成立した）。

　働き方改革法は、労働基準法などを含む計36本の法律を一括改正した法律の束である。まず、働き方改革の重要な柱である労働時間に関わるものとしては、36協定締結時における労働時間の上限規制、年次有給休暇の5日間付与義務化、労働時間の客観的把握義務、勤務間インターバル制度の導入促進、産業医・産業保健機能の強化（産業医の権限強化等）、フレックスタイムの拡大、高度プロフェッショナル制度の導入などがある。

　労働時間規制に関わる最大の政策的目玉は、これまで「青天井」「ザル法」

と揶揄されてきた36協定への法律による規制である。36協定は、労働基準法に
定められている1日8時間、週40時間を超えて事業主が労働者を残業させる場
合に締結が義務付けられている労使協定であり、具体的な上限規制は各職場の
労働者（労働組合や労働者代表）と使用者（事業主）の協議で決定される。し
かし、わが国では一方の締結主体である労働組合や労働者代表が必ずしも十分
な規制力を発揮できていないという問題がある。そのため、しばしば引き起こ
されるのは、労使で定める時間の上限が尋常でないレベルに設定される上に、
協定で定める上限をはるかに超えた労働実態があるなど、協定違反が常態化し
ていることである。企業によっては、休憩を含めれば1日24時間拘束すること
も可能な協定が締結された例もあった。

　今般の改正では、36協定の規制が形骸化しつつある状況に鑑み、法律の中に
具体的な上限時間を明記したことに意義がある。例えば、36協定で締結できる
上限時間は、原則として月45時間、年360時間を限度とする等である。とはい
え、36協定は条件付きでこの限度時間を超える時間外労働の設定も可能である
ため、改正法には36協定で定めた内容に関わらず超えてはならないラインとし
て、休日労働と時間外労働の合計を単月100時間未満に抑えること、2〜6か月
の複数平均で月80時間以内とすることなども盛り込まれた。この上限に違反し
た企業は刑事罰の対象とされる。

　ただし、設定された80時間や100時間という上限の根拠は、脳・心臓疾患の
労災認定基準である「過労死ライン」に基づくものであり、いわば働きすぎで
死亡するリスクが高まる時間外労働の水準である。この基準を「適正」な上限
規制として法の中に埋め込むことが、果たして労働政策のあり方として正しい
かどうかは議論の余地がある[1]。

　他方で、フレックスタイムの拡大と高度プロフェッショナル制度（高プロ）
の導入は、労働時間の規制をむしろ緩和するものである。特に高プロについて
は、国会審議の際に政府が提示した労働統計の不正・不備の問題もあり、「残
業代ゼロ法案」「定額働かせ放題」「過労死促進法」などと労働側から強力な批

1）働き方改革をめぐる政府の動きや労働組合の対応については、森岡（2019）pp.266-271を参照。

判にさらされた[2]。高プロとは、高度の専門知識を持ち職務範囲も明確な労働者を対象としており、一定の年収が保障されていることを担保に、労働基準法に定められた労働時間、休憩、休日及び深夜の割増賃金に関する規定を適用しないという制度である。年収は日本の雇用労働者の平均年収の３倍程度（法制定時は1,075万円）を上回る基準が設定されている。

　同制度は高い収入を条件として労働時間を自己決定する裁量労働的な働き方であるが、その根本は労働時間と賃金の関係性を切り離し、時間ではなく成果を基準とした働き方の仕組みを導入することにある。この場合、労働の単価は労働時間では計算されず、所定の労働時間働いたと「みなされ」、結果として事業主は時間外労働の割増手当＝残業代の支払義務を免れることになる。本来、割増手当は時間外労働を抑制するための仕組として労働基準法に組み込まれている。しかし、例えば事業主が与える仕事量が膨大であったとすれば、労働者は建前の通りに労働時間を自己決定できるのか。長時間労働による健康障害等の危険性が高まる恐れもあるため、制度の導入には慎重な判断が求められるといえよう。

⑵ 同一労働同一賃金の立法化と経営者の対応

　働き方改革法のもう一つの目玉は、正規労働者と非正規労働者の不合理な格差を是正する法改正であり、一連の法制度は「同一労働同一賃金」と呼ばれている[3]。この理念はILO（国際労働機関）第100号条約「同一価値の労働についての男女労働者に対する同一報酬に関する条約」としても規定がある国際的労働基準である。しかし、ILO100号条約が定めているのは同一「価値」労働同一賃金であって、同一労働同一賃金ではない。

　森・浅倉によれば、（男女）同一価値労働同一賃金原則とは、異なる職種・職務であっても、労働の価値が同一または同等であれば、その労働に従事する労働者に、性の違いにかかわらず同一の賃金を支払うことを求める原則と定義される[4]。働き方改革の法政策が国際基準である同一「価値」労働ではない理由

---

2) 今野・島﨑／編（2018）p.2.
3) 同一労働同一労働をめぐる立法過程については水町（2019）を参照。
4) 森・浅倉／編（2010）p. i 。

は、わが国では戦後長らく年齢や勤続年数によって賃金が上昇する年功序列型
の賃金制度（年功賃金）が定着しており、仕事の成果等をベースに労働の価値
を測る仕組みがなかったためである。それゆえ、政府はILOの基準や他国の制
度を踏まえつつも、最終的には日本の働き方に見合った日本独自のルールを法
制度の中に組み込むこととした。

　なお、年功賃金は、終身雇用と並んでこれまで大企業等で働く男性の正規労
働者を中心とした日本的雇用慣行であり、女性や非正規労働者、中小企業の労
働者には適用されない差別的な慣行であると批判されてきた歴史的経緯があ
る[5]。政府の働き方改革が同一労働同一賃金を重点課題に据える背景には、後
にみるように日本的雇用慣行とは無縁で低賃金の非正規労働者が増大したから
にほかならない。

　今般の法改正では、これまで存在していた非正規雇用に関わるいくつかの法
制度が統合され、パートタイム労働者や有期契約の労働者（雇用契約を結ぶ際に
雇用期間に期限を設けられた労働者）の不合理な格差を是正する条項を備えた「パー
ト・有期労働法（短時間労働者及び有期雇用労働者の雇用管理の改善等に関する法律）」
が成立した。また、同過程においては労働者派遣法も改正され、パート・有期
労働法と同様に派遣労働者と正規労働者との不合理な格差を是正する規定が設
けられた。前者のパート・有期労働法に明記された基準によると、法律の要請
は、正規労働者とパート・有期労働者の基本給、賞与（ボーナス）、手当、福利
厚生、教育訓練といったそれぞれ個々の待遇ごとに、その性質や目的、業務内
容や責任、配置転換のあり方等を考慮に入れて比較検討し、不合理と判断でき
るならしかるべき水準に是正せよというものである。ただし、この基準には罰
則規定などの強制力が伴わないため、法の実効性が担保されているかどうか、
やや疑問が残る。

　同法の成立以降、特に経営者団体では同一労働同一賃金の法的対応に関する
危機感が強まった。しかし、その危機感は有期契約労働者の待遇改善を図ると
いう方向ではなく、不合理な格差を合理的なものと説明できるようにする、正

5）同一（価値）労働同一賃金をめぐる議論の動向については、小越（2006）pp.65-70を参照。また、日本的雇用慣行の歴史的起源を踏まえて考察したものとして、野村正實（2007）を参照。

規労働者と非正規労働者の仕事を分離させ同じ仕事をさせない（職務の比較をしにくくする）など、いわば格差を正当化する対応に力が注がれた[6]。働き方改革における格差是正の建前が労働条件の向上にあることを踏まえれば、このような法律の「抜け穴」を利用した経営者団体の対応は、法の趣旨に反するものではないかという疑念を抱かれたとしても、やむをえないところである。

2. 長時間労働の実態

(1) 年間労働時間「1,800時間」の虚構

　働き方改革では、なぜ長時間労働の是正が重要な柱と位置付けられているのだろうか。我が国における労働時間のあり方のどの点に問題があるのか。

　政府が労働時間政策を扱う上でしばしば参照する統計調査は、厚生労働省「毎月勤労統計調査」である。図1には、同調査を用いて、ここ20年の総実労働時間、パートタイム労働者（本調査では短時間労働者）を除いた一般労働者（フルタイム労働者）の総実労働時間の推移を示した。

　パート労働者を含む総実労働時間は日本経済が金融危機へと突入する1997年には1,891時間であったが、その後は減少の一途をたどり、リーマンショックによる経済危機に見舞われた2008年にようやく1,800時間の大台を割った。年間総実労働時間を1,800時間程度まで短縮するという政策目標を謳った1987年の「新前川レポート」（経済審議会建議「構造調整の指針」）の公表に始まり、その後、1992年にはさらに立ち入った時短計画を組み込んだ「生活大国5か年計画」も策定されるなど、労働時間の短縮は1980年代後半以降から重要な政策課題とされてきた。また、こうした政策目標を実現する手段としては、週40時間制の段階的実現を目指した労働基準法の改正（1987年、1993年）、時短促進法の制定（1992年）と矢継ぎ早に法整備が進められてきた経緯がある。とはいえ、その後の労

---

6) 経営者団体の同一労働同一賃金に対する考え方については、日本経済団体連合会（2018）を参照。同報告書は各年度版が発行されており、雇用制度全般に関する経営者団体の考え方の変遷も確認することができる。

図表1　総実労働時間（労働者計）、パートタイム労働者を
除いた一般労働者の総実労働時間の推移

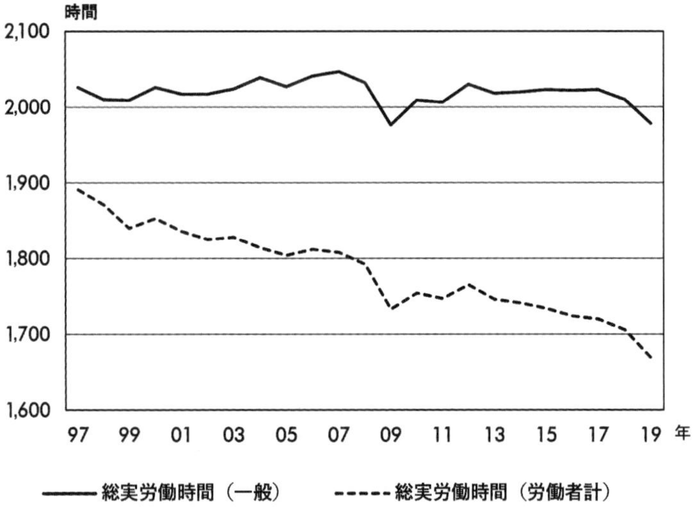

総実労働時間（一般）　　-----総実労働時間（労働者計）

出所：厚生労働省「毎月勤労統計調査」各年版。

働時間の推移をみればわかるように、政府は1980年代後半から一貫して掲げて
きた政策目標の達成までに、実に20年近く時間を費やしたのである。

　総実労働時間は2008年以降も全般的に時短の方向に進み、直近の2019年には
1,669時間まで短縮されている。しかし、このような総実労働時間の短縮は、相
対的に労働時間が短いパート労働者の増加によるものであり、パートを除いた
一般労働者のみを対象とした場合は様相が異なる。一般労働者の総実労働時間
は1997年に2,026時間、その後は緩やかではあるが増加傾向を辿り、リーマンシ
ョック以後の大きな変動と直近の2019年を除けば、総じて2,000時間を下回る
ことはなかった。つまり、短時間労働者を除けば、わが国では「新前川レポー
ト」で示された年間1,800時間の政策目標をいまだ実現できていないということ
になる。

⑵ 長時間労働と過労死・過労自殺

　働き方改革の文脈で長時間労働が問題となるのは、こうした労働時間の高

表1　年間就業日数250日以上かつ週60時間以上雇用者数の推移

	男			性		
	2002年	02-07年 の増減	07-12年 の増減	12-17年 の増減	2017年	02-17年 の増減
年 齢 計	3,834,200	374,600	-587,800	-678,700	2,942,300	-891,900
15～24歳	247,000	-9,000	-71,200	-36,300	130,500	-116,500
25～34歳	1,239,100	-38,000	-312,000	-272,200	616,900	-622,200
35～44歳	1,106,200	159,000	-65,100	-288,400	911,700	-194,500
45～54歳	812,000	61,900	-63,300	-28,000	782,600	-29,400
55～64歳	357,400	164,300	-74,600	-62,300	384,800	27,400
65歳以上	920,000	128,100	8,900	-126,300	930,700	10,700

	女			性		
	2002年	02-07年 の増減	07-12年 の増減	12-17年 の増減	2017年	02-17年 の増減
年 齢 計	588,000	227,400	-76,600	-136,300	602,500	14,500
15～24歳	104,400	17,500	-23,400	-29,400	69,100	-35,300
25～34歳	161,200	44,800	-10,500	-38,500	157,000	-4,200
35～44歳	95,400	36,000	3,600	-24,500	110,500	15,100
45～54歳	114,000	29,300	-7,800	-5,100	130,400	16,400
55～64歳	81,600	66,100	-37,400	-30,000	80,300	-1,300
65歳以上	88,400	43,900	7,200	-19,400	120,100	31,700

出所：総務省「就業構造基本調査」各年版。

止まりという傾向に加え、一部の労働者に過度の長時間労働が集中しているからである。「毎月勤労統計調査」は、調査対象者である事業所が賃金台帳を基に労働時間の調査項目を記入するため、本来違法とされている賃金不払い労働（サービス残業）分の労働時間が含まれていない点で問題がある。より子細に実態を確認するため、労働者個人に対する調査である総務省「就業構造基本調査」を用いて長時間労働の実態をみてみよう。

　表1に、年間就業日数が250日以上で、なおかつ1週間の労働時間が60時間以上の長時間労働者の推移を示した。労働者数は2002年と2017年のみ示し、その間については5年毎の増減数を掲載した（「就業構造基本調査」の調査年が5年毎のため）。まず、第1に注目されるのは、2002年から2007年にかけての週60時間以上労働者の急激な増加である。男性では年齢計で37.5万人、女性では22.7

表2　年間就業日数250日以上の正規雇用者の労働時間 (2017年)

	男　　性			女　　性		
	正規の職員・ 従業員総数 （人）	うち週 60時間以上 （人）	60時間 以上/総数 （％）	正規の職員・ 従業員総数 （人）	うち週 60時間以上 （人）	60時間 以上/総数 （％）
年 齢 計	12,124,800	2,450,500	20.2	5,218,100	474,800	9.1
15～24歳	677,600	118,000	17.4	562,300	61,300	10.9
25～34歳	2,513,700	565,500	22.5	1,335,400	135,900	10.2
35～44歳	3,587,700	801,500	22.3	1,265,000	92,000	7.3
45～54歳	3,333,500	655,000	19.6	1,235,200	103,100	8.3
55～64歳	1,742,600	272,000	15.6	634,700	54,100	8.5
65歳以上	269,500	38,600	14.3	185,400	28,200	15.2

出所：総務省「就業構造基本調査」2017年版。

　万人増加しており、男性の若年層を除いて全般的に長時間労働者が増加傾向にある。この5年間は2002年2月から2018年10月の71カ月に及ぶ景気拡大期と重なる。戦後2番目の長さともいわれる同時期の景気拡大は、まさに時間外労働（残業時間）の増加によって支えられたものとも言えよう。

　そして第2に、この15年間をトータルでみた場合の変化として特徴的なのは、男性の長時間労働者が2002年から2017年にかけて約90万人減少した中で、女性が1.5万人増加したことである。2007年以後の10年間で男性ほどに女性の長時間労働者が減少しなかったという事実は、男性なみに長時間労働を余儀なくされる女性が一定数以上存在し続けていることの証左である。他方で、男性における長時間労働者数の変化をどうみるべきか。確かに、25～34歳の男性若年層ではこの15年間で約62万人減少しており、若年層を中心に男性労働者全体の長時間化に歯止めがかかったとみることもできる。とはいえ、このような変化をもって男性若年労働者の中で急激に時短が進んだと結論付けるには一定の留保が必要である。

　表2は、同じく総務省「就業構造基本調査」を用いて、年間就業日数250日以上の正規労働者に絞って週60時間以上労働者を抽出したものである。みられるように、表1で大幅に長時間労働者が減少した男性25～34歳の年齢層では、250日以上就労する正規労働者のうち22.5％、4～5人に1人は週60時間以上就

図２　脳・心臓疾患および精神障害に係る
労災請求件数の推移

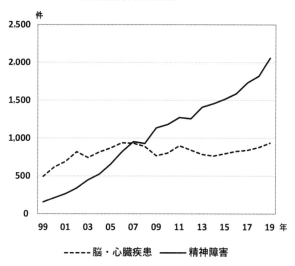

出所：厚生労働省「過労死等の労災補償状況」各年度報告。

労している。また、35～44歳の中堅層でも22.3％となっており、これら２つの年齢階層における長時間労働者が圧倒的に多いという事実を看過すべきではない。

　全般的に労働時間が短縮傾向にある中で、それでも週60時間以上の長時間労働者が一定数いるという実態は、過労死・過労自殺（労働災害）の存在を抜きに語ることはできない[7]。図２は、厚生労働省が年度毎に作成している「過労死等の労災補償状況」を用いて、1999年度から2019年度までの労災（労働災害認定）の請求件数を時系列で示したものである。1999年度から2006年度までは脳・心臓疾患の請求件数が精神障害の件数を上回っていたが、いわゆるリーマンショック前夜となる2007年度に逆転し、以降は精神障害の請求件数がほぼ一貫して増加傾向にある。2007年度から2019年度の間に、精神障害の請求件数は952件から2,060件（2060件のうち自死＝過労自殺の例が202件）となり、まさにこの時

---

7)　過労死・過労自殺の事例を裁判資料や当事者の手記等を用いて研究したものとして、熊沢（2010）、森岡（2013）などがある。

期に過労自殺者ないしは過労自殺予備軍が急増した。

　なお、この厚労省資料に付属する精神障害の発生要因を分析した一覧によれば、精神障害の重大な要因となっているのは「上司とのトラブルがあった」「（ひどい）嫌がらせ、いじめ、又は暴行を受けた」「仕事内容・仕事量の（大きな）変化を生じさせる出来事があった」の3点が圧倒的に多い。仕事内容・仕事量の変化は労働時間の増大によるところが大きいが、その他の2つの要因はまさにハラスメントの事案である。これは長時間労働に加えて人間関係・対人関係等に関わる労働環境の悪化が、リーマンショック以降の時期に広まったことを物語っている。

3．非正規労働者の増大と雇用の劣化

⑴ 女性の非正規化と若年者雇用の構造変化

　働き方改革が非正規労働者の待遇改善を重要な柱と位置付ける理由は、正規と非正規の格差拡大に改善の兆しが見られない上に、非正規労働者の増大傾向に歯止めがかからず、日本経済を支えるはずの国民全体の消費水準に重大な影響を及ぼしているからである。

　まず、非正規雇用の拡大過程をみてみよう。総務省「労働力調査（詳細集計）」によると、2020年の非正規労働者数は2,090万人（男性665万人、女性1,425万人）、役員を除く雇用者に占める非正規労働者比率は37.2％（男性22.2％、女性54.4％）である。非正規雇用の拡大は現在においては男女共通の事象であるとはいえ、依然として非正規労働者の中心は女性である。

　次ページの図3は、同じく総務省「労働力調査」によって1988年から2020年までの年齢別非正規雇用比率を示したものである。共通しているのは、1988年の時点では男性と女性ともに65歳以上での非正規比率が50％前後と高く、その後も上昇の一途をたどっていることである。働き方改革の礎となる一億総活躍の理念には高齢者の就業促進も含まれているが、その高齢者就業は膨大な非正規労働者によって支えられている。

第6章 劣化する労働環境と「働き方改革」 137

図表5　年齢別非正規雇用比率の推移

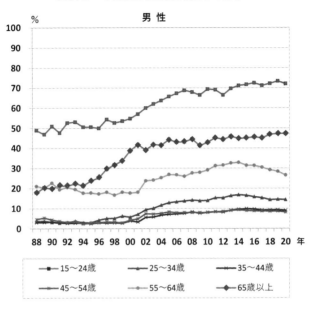

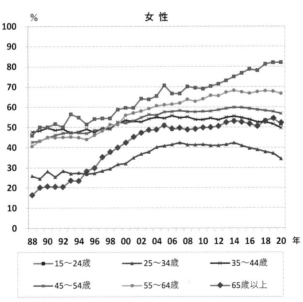

出所：総務省「労働力調査特別調査」2月、「労働力調査詳細集計」年平均。

　しかし、その他の年齢階層では男性と女性の間で多くの異なった特徴が見い
だされる。1988年時点における女性の非正規比率は、若年層を除いて35〜64歳
層の年齢階層のすべてが非正規比率40〜50％と高率であり、その後も全ての年
齢階層で非正規比率が上昇している。その意味では、すでに1980年代後半の時
点で、女性労働者の中での非正規化はかなりの程度進行していたということに
なる。こうした中高年女性の雇用形態の中核はパートタイム労働である。1988
年の女性非正規労働者全体に占めるパート労働者の割合は76.7％、男女計の非
正規労働者総数に占める割合でも55.5％となっており、1980年代後半から1990
年代前半までの非正規雇用の大多数は女性パートであった。

　こうした男女間格差の傾向は1990年代後半以降から新たな様相を見せ、雇用
全体において大きな内部構成の変化が生じる。男女双方で15〜24歳層の非正規
比率が急上昇することによって若年層の非正規化が急速に進行したのである。
もちろん、このうちの一定層は在学中のアルバイト労働者の増加という面から
も説明できるが、同時期はバブル崩壊後の大幅な景気後退と1990年代後半以
降からの金融危機によって高卒労働市場が急激に冷え込んだ就職氷河期と重な
る。1992年に3.08倍と過去最高水準にあった高卒求人倍率は2003年までに0.5
倍まで落ち込んだ。その結果として生じたのは、正規雇用で採用されない若年
労働者の非正規労働市場への進出である。

(2) 人材ビジネスの台頭と格差・貧困社会論

　以上のような1990年代後半以降における雇用の地殻変動を第一の転機とする
と、2000年以降にはまさに雇用の「劣化」ともいうべき雇用構造の第二の転換
が起きる。その雇用劣化の象徴は、2003年に労働者派遣法が改正されたこと
（翌2004年から施行）である。1985年に制定された労働者派遣法は、当初、派遣
の受入れ期間や派遣対象業務が限定されていたが、1999年には派遣禁止業務が
大幅に解禁され（ポジティブリストからネガティブリストへの変更）、2003年改正で受
入れ期間の拡大とともに製造業への労働者派遣が解禁された。この製造業派遣
の導入で、派遣労働は一部の港湾業務等を除いてほぼ全業種で解禁となった。

　人材が必要な企業から見れば、派遣労働は本来ならば支払いが必要な社会保

険料等を負担する必要がなく、必要な時に必要な人材を派遣会社に「発注」することができる。特に製造業の事業主にとって、派遣労働は業務の繁閑や製品の受注のタイミングに応じて労働力を需給調整できる存在であり、納期に合わせた短期間の人材派遣や、場合によっては1日2日のスポット派遣も可能となる。

　そのこともあり、2004年の派遣法施行以降には、派遣労働者を供給する派遣会社（派遣事業者）も乱立した。厚生労働省「労働者派遣事業報告書集計結果」によると、2003年における派遣会社の事業所数は16,804カ所であったが、リーマンショック時の2008年には66,424カ所まで急増した。2008年以降の事業所数のピークが77,956カ所（2016年）であることを踏まえると、いかに短期間で派遣会社が増加したかがわかる。こうした「人材ビジネス」の発展は、企業が直接人を雇うことを原則としてきた雇用の概念が大きく変わる点で、まさに我が国における労働市場の大転換であった[8]。

　2000年以降には、このような情勢を反映して「格差社会」「貧困社会」という用語がメディアを賑わせ、働く貧困層＝ワーキング・プアなる用語も登場した。ここで改めて図3を見ると、2000年以降の変化として男性の25〜34歳層でも徐々に非正規化が進行し始めるという特徴も見いだされる。のちにみるように、派遣労働を含む非正規雇用が問題とされるのは、正規雇用と比較した際に大きな開きがある労働条件（特に賃金）の格差である。「格差社会」「貧困社会」というキーワードが社会を席巻したのは、従来からその多くが低賃金であった女性のさらなる非正規化に加え、比較的に正規雇用が多数を占めていた男性に非正規化の波が押し寄せたことで、雇用の劣化が社会全体での共通認識となったからである。

(3) なぜ企業は非正規労働者を活用するのか？

　非正規雇用を企業が積極的に活用するようになった理由は何か。派遣労働者を企業が活用する理由は、先述したように雇用調整が容易な労働力だからであった。しかし、それは派遣労働に限ったことではない。企業に直接雇用される

---

8) 人材ビジネスと雇用劣化の現状を論じたものとして、伍賀・脇田・森崎編（2016）がある。

図4　雇用形態別にみた年間所得分布 (2017年)

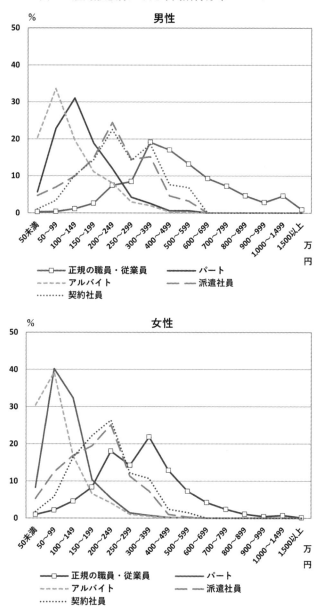

出所：総務省「労働力調査特別調査」2月、「労働力調査詳細集計」年平均。

パート・アルバイトや契約社員の多くも有期契約の労働者が多く、したがって契約期間が到来すれば常に雇止め・解雇の可能性がある。厚生労働省「就業形態の多様化に関する総合実態調査」(2019年) によれば、非正規雇用のうち契約期間の定めがあるのは、パートタイム労働者 (アルバイトを含む) で48.6%、契約社員98.7%、派遣労働者 (登録型) 76.2%、派遣労働者 (常時雇用型) 48.8%となっている。パート労働者については勤続期間が10年や20年の労働者も多く存在するものの、1カ月や3カ月といった短期雇用契約を反復更新しているケースも多く、人員整理を契機に雇止めとされる可能性も多分にありうる。この雇用調整のしやすさが第1の理由である。

　企業が非正規労働者を雇用する第2の理由は、人件費の安さである。図4として、総務省「就業構造基本調査」(2017年調査) を用いて雇用形態別の年間所得分布を示した。みられるように、正規労働者と比較すれば派遣労働者と契約社員の年間所得＝賃金の低さ、そしてさらに下位に集中するパート・アルバイト (職場での呼称による) の賃金の安さは一目瞭然である。加えて、一部の派遣労働者とパート・アルバイトの大多数については、厚生年金の加入要件 (労働時間や収入要件) に該当しなければ企業が健康保険・厚生年金保険等の社会保険料負担を免れるというメリットもある。

　そして第3の理由として、雇用調整のしやすさとは逆説的ではあるが、企業は正規労働者を補完ないしは代替する基幹労働力として、低賃金の非正規労働者を活用することができる。この傾向はパート労働者の多い職域で1990年代頃からすでに進行している。例えばスーパーマーケットでは、パートの量的な戦力化とともに質的な戦力化も深化し、パート労働者が店長などの管理職層の業務やほかのパート労働者への指導を正社員に代わって実施しているという[9]。この傾向は学生アルバイトにも広がり、比較的小規模な店舗が多い居酒屋の店長を大学生が担っているといったケースも聞かれるほどである。

　このように、労働力の需給調整にも対応し、なおかつ低賃金で基幹的な労働力としても活用可能な非正規労働者は、総額人件費を抑制したい企業にとって

---

9)　三山 (2003) pp.19-25。また、同様に基幹労働力化の実態を分析したものして本田 (2007)、基幹労働力化の統計的な労働市場分析として中野 (2012) がある。

不可欠の労働力となっており、非正規労働者の積極的採用と正規労働者の採用抑制、そして正規労働者との置き換え（リプレイスメント）が進むことで、雇用の非正規化が進行したのである。

(4) 正規労働者の受難：ブラック企業の出現と正規雇用の変容

　2008年11月のリーマンショックを発端とする景気後退は日本経済の大きな転換点であった。それと同時に、雇用のあり方もリーマンショックを契機にさらなる転換を遂げる。劣悪な働き方を示す「ブラック」という呼称は、今でこそ若者の中での日常的な言葉として定着したが（あるいは早くも廃れたかもしれないが）、過重労働を強いるブラック企業という用語がメディアに頻繁に登場し始めたのが、まさにリーマンショック後の景気後退（2008年恐慌）の只中であった。2009年にはブラック企業を舞台にIT企業の過重労働を描いた映画が公開され、インターネットの掲示板には自社の働き方の実態を吐露した書き込みも散見されるほど、ブラック企業・ブラックな働き方への不満が社会に噴出した[10]。

　ブラック企業被害対策弁護団によれば、ブラック企業とは、狭義には「新興産業において、若者を大量に採用し、過重労働・違法労働によって使い潰し、次々と離職に追い込む成長大企業」と定義され、より広くは「違法な労働を強い、労働者の心身を危険にさらす企業」を指す[11]。当時、事態を重く見た厚生労働省も実態調査に乗り出すほど、ブラック企業言説は広く社会に浸透した。とくに深刻な課題として認識されたのは、労働条件をめぐる企業のコンプライアンス意識の欠如である。2013年12月に公表された厚生労働省「若者の『使い捨て』が疑われる企業等への重点監督の実施状況」によれば、調査を実施した企業のうち全体の82％にあたる4,189の事業所で法令違反がみうけられ、このうち違法な時間外労働が43.8％、賃金不払い残業が23.9％と続き、さらに過重労働による健康障害防止措置が不十分であった事業所は全体の21.9％であった。

　ここで重要なことは、ブラック企業問題の核心部分は主として正規労働者の

---

10)「ブラック企業」言説やその労働実態については今野（2012）が詳しい。
11)　佐々木亮・新村響子（2017）pp.196-197。

雇用破壊という要素を多分に含んでいるということである。本来、正規雇用とは、無期雇用、直接雇用、フルタイム就労を前提とし、昇給も含め十分に賃金が保障される雇用形態のはずであった。従来、大企業の男性労働者に適用されていた年功賃金を含む手厚い雇用慣行（日本的雇用慣行）は、まさに正規労働者の生活保障としての機能を有していた。しかし、こうした雇用の前提が崩れ、名称は正規雇用でも正規雇用とは言い難い働き方が広まった。伍賀はこうした働き方を「名ばかり正社員」「周辺的正社員」と呼称し、本来の正規雇用と非正規雇用の中間（グレーゾーン）に位置する労働者が増加したと指摘する[12]。非正規労働者の増加は、正規で働く労働者の労働条件を押し下げる錘の役割を果たし、ブラック企業問題を契機にいわば正規雇用の「待遇面での非正規化」も進行したといえよう。

おわりに

政府が働き方改革の実現を政策方針に掲げた背景には、非正規雇用の拡大とともに正規雇用の領域での労働環境の劣化も著しく進行したため、雇用問題を重点的な政策課題として掲げざるをえなかったという事情がある。しかし、政府が進める働き方改革は、果たして本章で分析してきた雇用劣化の状況を改善することができるのだろうか。

政府が働き方改革を実行するための方法は、法制度の改正による規制の強化と取り締まりである。法律そのものが抜け穴だらけでは問題だが、例えどのような厳しい法的規制が存在したとしても実効性が担保されなければ、法制度はただちに機能不全に陥る。かかる状況の打開には、労働基準監督行政に十分な権限を付与すること、具体的には労働基準監督署による各事業所への臨検や指導の強化である。ただし、労働基準行政の問題点として、事業所の数に比して査察を行う労働基準監督官が絶対的に不足しており、違反状況を常態的に監視できる体制になっていないことが指摘されている[13]。その点では、労働基準監

12）伍賀一道（2014）、pp.56-64。
13）全労働省労働組合（2020）を参照。

督官の人員を増やし十分な監督体制を確立できるかどうかが問われている。

　また、企業に規制を課すだけではなく、長時間労働の削減や非正規労働者の待遇改善がメリットとなるような施策も必要となる。例えば、長時間労働の削減については、企業が残業代の支払いを行うよりも人員を増やす方がコスト安になるように、労使折半となる社会保険料（年金保険、健康保険、失業保険料等）を全額政府が負担をするような、社会保険制度の再構築といった観点からのアプローチも重要となろう。

　しかしながら、根本問題の解決にとって最も重要なことは、働き方改革の目的である一億総活躍社会の実現や日本経済の再生を達成するための土台となる基本理念の転換である。いま働き方改革に欠落しているのは「生活者の視点」である。非正規労働者の生活保障は、消費の担い手を増やし消費水準を向上させるという点で、日本経済の活性化に大きく貢献する。即効性のある政策として、例えば最低賃金を1,500円まで引き上げたとしたらどうなるか[14]。最低賃金の引き上げは企業の採用意欲を削ぐという指摘もあるが、他方で非正規労働者の消費のあり方を変え、購買力を上昇させるという見方もできるだろう。

　また、労働時間の短縮については、コロナ禍における消費行動のあり方が大きなヒントになる。コロナ禍では経済成長のスピードが大幅に鈍化した一方で、一部の産業・業種ではむしろ好業績となった企業も多数出現した。その理由のひとつは、「巣ごもり需要」という言葉に象徴されるように、在宅時間＝家庭にいる時間の増加が生活関連用品の消費を大幅に押し上げる要因となったからである。コロナ以前の見解ではあるが、厚生労働省の分析官も、労働時間の短縮（家庭の時間や余暇時間の増加）は消費支出を押し上げるとの分析結果を表明している[15]。さらに、2017年に政府が提唱した「プレミアムフライデー」の取り組みは、まさに労働時間の短縮による個人消費の拡大を狙ったものであった。とはいえ、必要なのは場当たり的な政策ではなく、より広範かつ大胆な労働時間短縮政策である。

　一億総活躍社会の実現や日本経済の再生という目標は、現下の情勢において

14）最低賃金1,500円を提唱するものとして、後藤・中澤・木下・今野編（2018）を参照。
15）戸田・並木（2018）を参照。

はパンデミックからの再生という目標へと変わった。しかし、働き方改革の推進が引き続き重要な政策課題であることに変わりはない。いかにして「生活者の視点」に立った政策を打ち出せるかどうか、政府に課せられた責任は重い。

【参考文献】

小越洋之助（2006）『終身雇用と年功賃金の転換』ミネルヴァ書房。
熊沢誠（2010）『働きすぎに斃れて』岩波書店。
伍賀一道（2014）『「非正規大国」日本の雇用と労働』新日本出版社。
伍賀一道・脇田滋・森崎巌／編（2016）『劣化する雇用』旬報社。
後藤道夫・中澤秀一・木下武男・今野晴貴・福祉国家構想研究会／編（2018）『最低賃金1500円がつくる仕事と暮らし』大月書店。
今野晴貴（2012）『ブラック企業』文春新書。
今野晴貴・島﨑量／編（2018）『裁量労働制はなぜ危険か』岩波書店。
佐々木亮・新村響子（2017）『ブラック企業・セクハラ・パワハラ対策』旬報社。
全労働省労働組合（2020）『労働行政研究』45号。
戸田卓宏・並木佑介（2018）「労働時間、出勤日数又は賃金が消費支出に与える影響」『（厚生労働省）労働経済分析レポート』No.1。
中野裕史（2012）「パートタイム労働者の基幹労働力化と内部構成の変化」『マイノリティ研究』第7号。
日本経済団体連合会（2018）『経営労働政策特別委員会報告』経団連出版。
野村正實（2007）『日本的雇用慣行』ミネルヴァ書房。
本田一成（2007）『チェーンストアのパートタイマー』白桃書房。
水町勇一郎（2019）『「同一労働同一賃金」のすべて（新版）』有斐閣。
三山雅子（2003）「日本における労働力の重層化とジェンダー」『大原社会問題研究所雑誌』No.536。
森岡孝二（2013）『過労死は何を告発しているか』岩波現代文庫。
森岡孝二（2019）『雇用身分社会の出現と労働時間』桜井書店。
森ます美・浅倉むつ子／編（2010）『同一価値労働同一賃金原則の実施システム』有斐閣。

第7章 ベーシック・インカムは社会保障の核となり得るか
──現金給付の意義とは──

瀬野陸見（京都大学）

キーワード：ベーシック・インカム、普遍主義、現金給付、最低生活保障、所得再分配

はじめに

「ベーシック・インカム」（Basic Income　以下BI）[1]と呼ばれる政策構想について、長らく議論が行われてきた。極めて単純にいえば「無条件に現金を配る」という政策案である。それ以上でもそれ以下でもないのだが、この政策構想は、右派からも左派からも、賛否両論の意見がぶつけられており、未だに論争が決着していない。

なぜ「現金を配る」という政策がそれほどまでに議論を巻き起こすことができるのか。社会保障、経済政策の根本を揺さぶる可能性があるから、というのが取りあえずの答えであるが、何を揺さぶるのかについて、この章で検討を行いたい。最終的にBIに賛成であろうと反対であろうと、この検討は社会保障制度、ひいては資本主義経済についての理解を深めるのによい題材だからである。

1．BIとは何か？

そもそもBIとは何か。これは「就労の有無、結婚の有無を問わず、すべての個人（男女や大人子どもを問わず）に対して、ベーシック・ニーズを充足するに

1）Basic Incomeの日本語への訳語は、基礎所得など複数あり定まってはいない。また、「ベーシックインカム」のように、中黒を入れない表記もある。本稿では、原則としてBIと表記することを採用し、カタカナ書きの場合はベーシック・インカムとするが、引用については原文の表記のままとしている。

足る所得（＝BI）を無条件で支給しようという最低所得保障の構想」とされる（小沢［2000］）。例えば、小沢の試算では、1人あたり月額8万円を支給する、というものである。

　極めて単純な構想であるが、BIがBIである条件として、重要な要素は下記の5つである（本田［2019］ならびにBIENのサイト[2]を参照）。

①定期的であること

　つまり、一時的な短期給付でもなく、また多額の現金を一括して配るものではない。例えばコロナ禍における「特別定額給付金」は単発の制度であったが、少なくともこれが毎月給付されるようになるとBIとしてみなされる。これは社会保障としての「最低所得保障」のために必要な要素である。定期給付でなければ最低所得保障としての役割は果たせない。

②現金給付であること

　現物給付（サービス給付）ではなく、現金そのものを給付すること。つまり、現金がもつ「自由度」を最大限に生かせるようにすること、が必要とされる。

③個人単位の給付であること

　日本の社会保障制度の大部分は、世帯単位で給付されるが、そうではなく個人単位で給付する。かつての年金制度における専業主婦の生活保障をどうするか、というような問題を生まないためにも必要な制約である[3]。

④普遍的給付

　生活保護制度に代表される、選別的な給付を行うものではなく、すべての国民に無条件で給付するという、極めて普遍的な給付を求めている。

⑤無条件で給付

　意欲も含めた就労の有無、家族形成の有無など、給付のための条件は設定しないとする。特に重要なのは、就労の有無を問わない、という点である。

　BIは、社会保障制度における、現金給付部分をこれ一本で代行させる制

2）Basic Income Earth Networkの略。BIについての国際的な学術団体である。
　　https://basicincome.org/about-basic-income/　2021年1月4日閲覧。
3）この対応として、1985年の改正によって、第3号被保険者（第2号被保険者の被扶養者）という区分を生み出した。

度である。よって、現行制度でいうならば、年金保険や生活保護制度[4]、児童手当などの社会給付も含めて、すべてBIに切り替えるということになる。現金給付部分のみに関わる政策案である以上、他方である現物給付部分、つまり社会サービスをどのように構成するかどうかは、BIをどのように使わせたいかという考えによって差が生まれてくることになる。

　例えば、社会サービスはすべてBI給付を元に購入出来るようにしてしまえばいい、という論者であれば、社会サービスは全て有料化（バウチャー化）してしまえばいい、ということになる。その一方で、BIの給付はあったとしても、相変わらず社会サービスは重要である、という論者であれば、社会サービスは従来通り、むしろそれ以上に充実させるべきだ、ということになる。この点は非常に混同されやすいので、注意が必要である[5]。

２．なぜBIを入れなくてはならないのか：現行社会保障制度への不満

　なぜわざわざ、BIというものに移行しなくてはならないのか。その理由は様々に論じられるが、大きな括りの一つは、現行社会保障制度への不満、ということになる。

　例えば、現在の最低所得保障制度の中核を成すのは、生活保護制度であろう。日本国憲法25条に書かれた生存権、すなわち「健康で文化的な最低限度の生活」を具体的に保障するための制度である。特に日本は諸外国と比べて、公的扶助制度に該当するのが生活保護という単独制度しかほぼないことが特徴であり、生活保護が上手く機能しなければ、それはすなわち最低所得保障が上手く機能していないことを意味する。しかし、生活保護制度の運用には多数の批

---

4) ただし、厳密にいうならば、生活保護制度を構成する8つの扶助のうち、現金給付である生活扶助部分の代行、ということになろう。医療扶助については、旧来の医療保険を拡大させる等の方策が考えられるが、案外、手間のかかる調整が必要になりそうだということは指摘しておきたい。
5) 前者はいわゆる「新自由主義的BI」と呼ばれるものであり、いわゆる「右派」のBI構想といえよう。「ホリエモン」こと堀江貴文が主張するようなBI論もこちらに属する。これに対し、「左派」のBIは「社会変革的BI」とよばれ、社会主義経済を前提としたBIとなろう。これに加え、現行の資本主義経済・民主主義社会を前提とした、「福祉国家再編の手段としてのBI」が存在する。このあたりの整理は、森（2019）を参照。

判が寄せられている[6]。

　最低生活基準を下回っているのにも関わらず、保護が受けられない人々や、そもそも窓口で申請すらさせられずに追い返される人々が後を絶たない[7]。この原因を、行政が「恣意的に」受給の判断をするからである、とみなすのであれば、そのような恣意的な判断が入る余地のない、無条件給付であるBIは極めて魅力的な代替案となる。

　また、生活保護制度は、就労して「自立」することを強く求める制度である。確かに、短期的に貧困状態に陥るケースは資本主義経済においては十分あり得るのだから、その場合に生活保護給付で食いつなぎ、また別の仕事に就いていく、というのは特に違和感のない、「当然だ」と言われるものかもしれない。しかし、これが長期間になればどうなるであろうか。失業状態から長期にわたって抜け出せない人々は一定程度存在する。かつ、そのような人々に就労圧力をかけ続けると、かえって就労意欲を失う可能性もある。もっといえば、「働きたいのに働けない人々」に対して、生活保護制度は無力である。BIが就労要件を求めないのは、高い就労圧力から生じる問題を緩和させたい、という考えからである。

　生活保護は極めて選別的な制度であるが、多くの国民にとって関心の高い、年金制度に対する不満もある。現行の老齢年金、特に基礎年金だけの給付額では、保険料を満期納めていても、老後の生活保障としては厳しい額である。これをどのように改善する必要があるだろうか。給付額にもよるが、BIの一定金額があれば、老後の生活保障の心配を緩和できるかもしれない。また、年金は保険料未納による無年金・低年金の問題がある。高齢化社会において、老後の生活が不安定な高齢者が増加することは、経済活動においても不安定な要素となる。BIの一律的な給付は、それを緩和させることができるのである。

　後に列挙する多くのBI批判においては、現行の社会保障制度の改善をしないままにBIを求めるとは何ごとか、という指摘が多々見られる。しかし例えば、

6）　本稿では立ち入らないが、生活保護制度の実際の運用の難しさと厳しさ、また福祉事務所のケースワーカーの葛藤を丁寧に描き出したマンガとして、柏木ハルコ『健康で文化的な最低限度の生活』（小学館ビッグコミックス）がある。無意味な感情論を展開する前に、一度目を通していただきたい。
7）　この、窓口で追い返す行政対応のことは、「水際（窓際）作戦」などと呼ばれ、長らく批判されている。

ここまで問題がいろいろと指摘される生活保護制度の運用が改善されず、むしろ生活保護基準の切り下げによる水準悪化が起こるような現状において、もはや現行制度それ自体が「欠陥だ」ということはさほど突飛なものではない。コロナ禍において景気が悪化し、失業者が増加することで生活保護の受給者数は増えると見込まれた。ところが実際には、2020年末の段階ではさほど増加していない。これは各地の社会保障協議会による福祉貸付金などで耐えている、というのもあるが、実際には「福祉の世話にはなりたくない」という恥の気持ち（スティグマ）から、生活保護制度を何があっても使いたくない、という抵抗感の高さの表れでもある。

　だから、厚生労働省は「生活保護の申請は国民の権利です。生活保護を必要とする可能性はどなたにもあるものですので、ためらわずにご相談ください」とWebサイト上に明記するという異例の対応を行い[8]、扶養義務者の扶養は保護に優先するが、それは申請を妨げるものではないとした上で、「住むところがない人でも申請できます」「持ち家がある人でも申請できます」「必要な書類が揃っていなくても申請はできます」とよくある誤解を正す案内をしているのである[9]。このような問題は長らく指摘されてきたものではあるが、それが今でも解決されないということは、システムこそ欠陥があるのだから、BIというオルタナティブを実施するしかないだろう、というのは、ある一面においては違和感のない、自然な発想なのである。

3．BIに対する批判：政府の大きさとその意味

　では、BIについてはどのような批判があるのか、数多くの批判があるが、例えば諸富（2020）の批判をみてみよう。諸富は、BIが就労と生活保障を切り離し、決定権を自らの手に取り戻すことができるとし、スティグマが生じないこともメリットだと評価する。その上でこう述べる。

---

8) https://www.mhlw.go.jp/stf/seisakunitsuite/bunya/hukushi_kaigo/seikatsuhogo/seikatsuhogopage. html　2021年2月1日参照。
9) これらの明記はそのような取り扱いをしようとする各福祉事務所への牽制の意味もあるだろう。すなわち「水際作戦」への牽制ともいえる。

　他方でBIに対しては、理念の面でも政策的・実務的実行可能性の面でも、さまざまな疑問と批判が提起されている。第一の疑問点は、理念や価値規範に関わるものである。勤労と所得を切り離すことは、本当に望ましいことなのだろうか。BI支持者は、勤労中心主義的な価値観からの脱却を主張するが、そうした新しい価値観で社会的合意を形成することは可能であろうか。就労の有無、あるいは就労時間の長短とは無関係に一定の所得が保障される制度が、私たちの公平観念や正義感覚と合致するといえるだろうか。

　第二は、経済的インセンティブの問題である。BIを実行するには、そのための原資（＝税収）が存在していなければならない。税収を生み出す基礎となるのは、一国の経済力である。もし就労の有無即ち、仕事におけるさまざまな努力や創意工夫とは無関係に所得が決定されるのであれば、人々はそれでも勤労への動機づけを維持できるだろうか。いわゆる「モラル・ハザード」や「フリーライド（ただ乗り）」が生じないと言い切れるだろうか。BIが人々の勤労に向けたインセンティブ体系を崩してしまうならば、就労から離れる人々が現れたり、生産性が低下したりすることにより、税収は縮小し、結果としてBIの原資も縮小してしまうのではないだろうか。

　第三は、財政的持続可能性の問題である。よく言及される月額7〜8万円のBIを2019年時点での総人口約1億2,600万人に対して一律に配るとすれば、年間の支出総額は単純計算で約106〜120兆円となる。これに対して、日本の2019年度予算における税収総額は約62兆円である。国債を発行して資金を確保している歳入総額が約101兆円であることを考慮すると、BIに必要な予算規模がどれほど巨大かが分かる。典型的なBIを実施しようとすれば、歳入総額すべてをBIに対してのみ割り当ててもまだ足りないのだ。歳出総額のうち三分の一を占める社会保障経費は総額で約35兆円、BIは単独で、現在の社会保障経費総額の三倍以上の経費を必要とすることになる。もちろんBI支持者がよく主張するように、現行の社会保障制度のすべて、あるいは少なくともその現金給付部分をBIで置き換えることができれば、BI導入による経費の純増分を抑えられるかもしれない。しかし、仮に社会保障制度を

完全にBIで代替できたとしても、残り約70兆円以上を、増税か新たな国債発行で調達しなければならない。これは、財政的に持続可能であろうか。

　第四は、BI実行にともなう行政コストである。もし典型的なBI（一律、普遍的）を想定するなら、たしかに行政コストは最小限で済むだろう。しかし、もし所得制限を付けたり、所得比例部分を導入するなど、財政的にも社会的にも受け入れられやすいBIにすれば、その途端に執行のための行政コストはきわめて大きくなる。手続きは複雑化し、諸外国の給付付き税額控除のように不正受給問題が生じる可能性が高まる。そうなれば、制度そのものに対する不信感が高まり、バッシングや社会的分断が起きかねない。

　以上の疑問点、問題点を考慮すると、巨額の予算を費やしてBIを実行すべきか、疑念がぬぐえない。より大きな問題は、BIが事後的な所得再分配政策としては機能しえても、それがいま起きている資本主義の非物質化という大きな構造変化への積極的な対応策にはなりえないという点である。労働需要の構造変化によって中・低技能職の雇用が縮小した時に、失業者に現金給付を行うことだけが経済政策の役割なのだろうか。政府がなすべきことは、上述のように彼らに教育訓練投資の機会を提供し、新しい経済構造の下で、新しい雇用機会を摑むことができるよう支援することではないだろうか。そして子どもたちには、新しい教育制度を通じて非物質化した経済構造の下で必要となる能力を身につけられるよう政府が基盤整備を行うべきではないだろうか。（引用者注：引用にあたって漢数字のほとんどをアラビア数字に変更）（諸富（2020））

　諸富が指摘することで最も重要なのは、BIという無条件給付は、政府が経済政策として何らかのインセンティブをもたらす制度設計を施す手段を、自ら失ってしまうことにあろう。確かに、BIは政府の役割を（現金給付部分においては）極めて小さくする。その意味で、生活保護制度における恣意的な運用は見られなくなるであろう。しかし一方で、国家が理想として目指す「よい社会」へのインセンティブをもった制度を作り出すことは、少なくとも給付面においては難しくなってくる。

　財政的な実現可能性・持続可能性というのもよく指摘されることである。具体的な数値は引用文内にあるが、要は十分な水準のBI給付を行うには巨大な財源が必要だが、それをどうやって確保するかというのは難題となること、である。仮に力業で短期的に解決させたとしても、それが長期的に安定して確保できるという見通しはない。

　BIの実現は厳しいだろう、ということをこれまでの議論を踏まえて手際よくまとめているのは中田（2020）である。BIの議論の特徴は、「ケインズ経済学の王道をいくミードやトービン、さらに左派のガルブレイスと並んで、新自由主義とシカゴ学派の中心人物であるフリードマンが、同じ再分配政策を支持している」ということである。リベラルな立場を取るトービン、ガルブレイスだけではなく、小さな政府を信条とするフリードマンまでがBIを支持しており、すなわち左派から右派まで幅広く惹きつけてきたアイデアがBIである。しかし、その議論の詳細は論者によって細かい定義が異なっている。定額給付をどの水準で行うか、成人と子どもでは差を付ける・つけないか、移民や海外在住者に対してはどう扱うか、など、同じアイデアとは思えないほど「同床異夢の宴」となっているのである。これはBIの支持者は運動論的な意図でこの差異を無視しているといえるが、BIを現実の政策に落としこんでいこうとするならば、再分配政策全体でBIをどう位置づけるのか、極めて重要な論点となると中田は指摘する。

　中田がBIの実現を声高に唱えることに躊躇する最大の理由は、BIの実現において実際どのようなことが起こるか、という知見が十分に蓄積していないこと、だと述べる。これまで行われてきた実験のかなりの部分は発展途上国におけるものであり、先進国における実証研究の蓄積は十分とはいえない。加えてマクロな視点からの研究は更に乏しく、BIの導入がマクロ経済のパフォーマンスにどう影響するか、そのような分析も少ないからとしている。

　ただ、中田の指摘で興味深いのは、BIが注目された理由それ自体は理解できる、ということである。

　今日、ベーシックインカムがここまでの注目を集めるようになったのは、

既存の社会保障制度や再分配制度が機能不全を起こしていることが、明白になってきたからである。社会保障制度は雇用環境の変化に適合しておらず、また税制も格差の是正に有効な機能を果たしていない。その中で、ベーシックインカムを抜本的改革の梃子にしようとする動機は理解できる。(中田(2020))

しかし、その上でやるべきことはBIの導入ではなく、既存の制度の改善であり、そのための地に足をつけた議論である、としているのである。この点、既存の制度改革をする方が現実的とみるか、制度疲労を起こしている以上、BIのような全く違う制度を導入することこそが現実的とみるか、その違いであるともいえる。

4.　普遍的な現金給付？　サービス給付？

この点、財政学者である井手(2019)も似たような批判を加える。井手は、BIは「巨大な所得再分配である」と認めた上で、その巨大な所得再分配を行うためには十分な額のBI給付が必要であるが、それを行うには巨大な財源が必要であり、かといってあまり増税をともなわないBI給付額になれば、それはもはや「BIではない」と述べる。井手は、同じ普遍的な給付を行うのであれば、「ベーシックサービス(BS)」というサービス給付を行うべきだ、と主張する[10]。より正確に言うのであれば、普遍的な給付を行う必要性そのものは認めつつも、BIよりBSの方がより現実的に可能性が高いと考えているから、ということにもなるだろう。あまり説明せずに使ってしまったが、この場合の「普遍的」という言葉は、多くの人々が対象となる、という意味ぐらいに捉えておくことがよいであろう。ただ、井手のBS論は、それが今までの現物給付とどのように違うのかは、あまり明確には出てこない。その方が納税者の納得感が

---

10)　ただし、本文でも少し述べたように、井手のBS案については、それが子育てなどにかかわるサービス給付のことを示しているのは分かるものの、現行のサービス給付とは何が違うのか、現行制度よりどの点において普遍的であるのかは、あまり判然としない。その点、BIの方が(給付水準の設定を別にすれば)遙かに普遍的だ、という指摘はできよう。なお、諸富が引用文中で指摘した「新しい教育制度」というのも、井手のBSのアイデアに近いものだといえる。

高まるから、というロジックであろうが、それはBSの設計次第ではないか、ともいえる。

　これらと同じようなスタンスで、もう少し理論的に明確なのは権丈の批判だろう。例えば権丈（2018）においては「がんばれ！ベーシック・インカム！ —— 社会保障の正確な理解もよろしく」と題した内容[11]でBIの検討を行っているが、そもそも社会保障という再分配システムにおいては防貧制度（社会保険）と救貧制度（生活保護制度）の2つで成り立っているが、中心的なのは防貧制度の方であることを指摘する[12]。しかし防貧制度として機能するだけの十分なBI給付をするには財源確保が厳しく、かといって（多くのBI論者がそうするように）BIの給付額を下げてしまっては給付水準として不十分なものとなる。

　ここまでの3名の批判に共通するのは、財政的な実現可能性の批判だが、より大きく考えれば、財政民主主義の考え方の下において、それなりの規模のBIを実施することに社会的な合意可能性が得られるとは思えない、ということである。それは納税者の納得感という観点からしても、かなり厳しい問題だということになろう。

5．BIを肯定的に評価できるか：日本なら上手くいくのか？

　ではBIの肯定的な評価はないのか。ノーベル経済学賞を受賞したインド人の経済学者、アマルティア・センは、最近のインタビューで以下のように述べる。

　——政府が全国民に最低限の生活に必要な資金を定期的に支給する「ベーシックインカム」は経済格差の縮小に役立つと思うか。

　「英仏やスウェーデン、オランダなど医療保険や基礎教育などの基盤が整備された西側諸国や日本であれば、ベーシックインカムは間違いではないと思う。しかし、私の祖国のインドなどでは悲惨な結果を招くだろう。なぜな

11）　この表現は、BIの議論は社会保障にまつわる負担や厳しい諸問題、理論的にいえば再分配における諸問題をどう解決させるべきかという「タフでしんどい話題」をBIの議論はしなくて済むから、という、権丈の皮肉が込められている。
12）　この防貧と救貧の違いについて細かく考えたいのであれば、権丈（2020）を参照。

ら、国民皆保険や全国民の義務教育が保証されていないからだ。

　収入の不平等を解決するだけではなく、医療や教育の不平等も是正しなければならない。市場経済は往々にして医療や教育の資源の分配に誤りが生じる。そのような国では、社会公共政策により多くのお金を注ぎ込むことが、単に人々にお金を与えるよりも重要になってくる。そのため、ベーシックインカムの是非は国によりけりだ。

　米国のように医療の質は世界一だが、医療保険を持たない貧しい人が多い国では、格差が是正されるまではベーシックインカムの導入は待ったほうが良いだろう。中国はインドよりは医療や教育面で進んでいるが、それでも待ったほうが良い[13]。

　センは、皆保険体制や義務教育が整備された日本では、BIの導入は上手くいくであろう、と語っている。しかし果たしてその通りなのだろうか。おそらくセンが言いたいことは、現物給付サービスがどれだけ充実しているかが先行して必要なのであり、不平等の是正には直接的には役立たないと考えているようである。しかしながら、BIに期待されるものが最低所得保障であるならば、それ以外の不平等がある程度是正された状態において、更にBIが給付されることに意味はあるのであろうか。言い換えると、井手のいうような、BSが充実した社会において更にBIを給付することは可能なのか、ということになるが、そうなれば財源はいくらあっても足りなくなるだろう。

6．複雑な制度ではダメなのか？

　ところで、BIを導入する理由として、現行社会保障制度の複雑さを解消し、シンプルな制度に作り替えることができるから、というのがある。その結果、行政コストも削減することができる他、制度運用側による恣意的な采配を回避することができる、というのが主な理由ではある。確かに、素朴に考えれば、

---

13)「特集 世界経済総予測2020INTERVIEWアマルティア・セン 米ハーバード大学教授」『週刊エコノミスト』2019年12月31日・2020年1月7日合併号。

制度は分かりやすく、できる限りシンプルであることが大事だとされる。複雑な制度は理解するのが難しい上、それを運用する種々のコストが高くなりやすいからである。

とはいえ、なぜ未だに複雑な制度が維持されているのであろうか。原理的に考えるならば、たとえば次の森岡の指摘が妥当ではないだろうか。

　BIの導入は、ある程度まで、社会保障制度の管理費用、とりわけ資力調査の費用を含む執行費用の軽減をもたらすであろう。しかし、現行の社会保障制度が複雑でわかりにくいものになっている理由は、決して官僚主義や制度の不合理さだけにあるわけではない。福祉は、それが一律の給付にとどまらず、人々の具体的必用に応じようとするものである限り、複雑さと多様性、さらには一定の恣意性を持たざるをえない。ただし、ここでいう恣意性とは、社会保障制度における支援の対象や方法が、一握りの人々の思いつきや専断によって決定されているという意味ではない。民主主義が機能している限り、個々の制度は、合議によって決定され、公式の決定機関の外部にある社会運動もまた、その規模に応じて、この決定に直接的・間接に影響を及ぼす。現実の諸制度が恣意性を含んでいるというのは、それらは、優劣を一義的に判定できない多くの選択肢の中からの政治的な選択の所産であって、何らかの基本原理に基づいて整合的に決定されたものではない、という意味においてである。（森岡（2013））

すなわち、優劣を一義的に判断することが出来ない場面が一定程度ある以上、民主主義の結果として、機械的ではない判断をせざるを得ないのであり、そのためのコストを最後までゼロにすることは難しい、ということになる。この森岡の指摘に近いものは、例えば後藤道夫のものがある。後藤（2012）においては、BIにおいて給付の必要判定が要らなくなる、というBI推進派がよく掲げるメリットそのものが危険である、ということを指摘する。すなわち、各個人がそれぞれの局面において必要になる金額や給付内容というのは、個別具体的に異なるものであり、それがBIの無条件給付という形で「判定しない」と

いうことになれば、その給付水準は極めて大ざっぱとなり、必要が満たされない人々が出てくることが指摘される。一律の金額で全てのニーズを満たすというのはなかなか難しいのである。例えば、コロナ禍において、2021年1月からの緊急事態宣言中に時短営業に協力した飲食店には、1日当たり6万円の協力金が支払われることになっている[14]。しかしながら、自営業による小さな飲食店であれば、通常の売り上げより多いと考える場合もあるが、複数店舗経営の場合や、大手企業であれば、全然足りない、という金額水準である[15]。ただし、この手の話の場合、なぜか「必用判定のいらない現物給付」というのは議論されていないのであり、必用判定がいる・いらないと現物給付・現金給付どちらがよいのか、というのは本質的には区別されるものであるが、なぜかそういう議論はしていないのが不十分ではある。

　実際の政策形成においても、複雑であること自体が、制度の実現可能性の上で妥協せざるを得ないものであったことは言うまでもない。例えば、皆保険体制の成立においては、特に国民健康保険を戦前の制度から引き続き使用した（ただし中身はある程度作り替えたが）理由としては、とにかくいかに、医療保険へ包摂させる制度を成立させるか、という状況下において、旧来からの制度を外延的に使用したというのは、当時の官僚の証言からも明らかになっている（瀬野（2019））。

　制度が単純であることは、理論的には「普遍的な価値」として一般的に高く評価されるものである。しかし、実際の政策現場において、制度の実現可能性を担保する上では、ある程度の複雑さを備えなくてはならないのも事実である。

7．BIの実現した世界は果たして「自由の楽園」か？
：現金給付がもたらす恐怖の側面

　では、仮にBIが実現した社会というのを想定してみるとして、そのような

14）　緊急事態宣言の対象となった各都府県において行われるものであり、具体的な条件設定は都府県によって異なる。
15）　だからといって、給付そのものにスピードが求められるこの制度において、複雑なニーズ判定を行っている余裕はなく、一定額でやるしかなかったとはいえよう。

社会は我々にとって自由で、生きやすい社会なのであろうか。そのような「桃源郷的」なBIの主張もないことはないが、必ずしもそうではない、ということを述べなくてはならない。

1つは、BIという最低所得保障を配る「だけ」ということは、それ以上の指導や細かな対面接触の機会が何も付かないということである。それは余分な就労圧力を生まないという意味ではメリットではあるが、ある意味ほったらかしの「過酷な」制度と化す可能性を持っている。生活保護制度等[16]においては多様な支援制度を設け、また定期的な面会等によってソーシャルワークとして介入する機会を確保している。その質や量が十分かという議論はあってしかるべきだが、今でも存在はしていることが重要である。BIは「単にお金を配る」ということであり、それ以上の介入は行わない。介入による負の側面も当然あるが、介入をしないということは自力で生活を強いることでもあり、それに耐えられるだけの人々が、特に低所得層においてどれぐらい存在するのであろうか。現金給付以外の面で手厚い支援を行えば十分かもしれないが、それはもはや、現状の社会保障制度と何が異なるのであろうか。

もう1つ、あまり指摘されないことではあるが、個人的に最も懸念されることに「血のナショナリズム」が強まることである。労働政策研究・研修機構（JILPT）所長の濱口は、下記のように述べている。

　　最後に、BI論が労働中心主義を排除することによって、無意識的に「"血"のナショナリズム」を増幅させる危険性を指摘しておきたい。給付の根拠を働くことや働こうとすることから切り離してしまったとき、残るのは日本人であるという「"血"の論理」しかないのではなかろうか。まさか、全世界のあらゆる人々に対し、日本に来ればいくらでも寛大にBIを給付しようというのではないであろう（そういう主張は論理的にはありうるが、政治的に実現可能性がないので論ずる必要はない）。もちろん、福祉給付はそもそもネーション共同体のメンバーシップを最終的な根拠としている以上、「"血"の論理」を完全

---

16)　生活困窮者自立支援制度による就労支援等を含めての話である。

に払拭することは不可能だ。しかし、日本人であるがゆえに働く気のない者にもBIを給付する一方で、日本で働いて税金を納めてきたのにBIの給付を、——BI論者の描く未来図においては他の社会保障制度はすべて廃止されているので、唯一の公的給付ということになるが——否定されるのであれば、それはあまりにも人間社会の公正さに反するのではなかろうか。」（濱口桂一郎による『日本の論点　2010年版』への寄稿[17]）

　無条件、といえども、現在の政策枠組みは基本的に国家単位である以上、自国の国民であるかどうか、というのは政策的には重要な基準となる。これを国籍や市民権の有無を問わないとしてしまえば、BI非導入国から導入国への大量の人口移動が起こる可能性もある。その懸念が起こりそうな政策設計を、わざわざ施すようなインセンティブはどの国家にもない[18]。BIの導入はその制度設計を間違えると、極めて酷い民族対立を引き起こす可能性さえある。本当の意味での「普遍的」な制度はどこまで可能だろうか、という問いへの一つの答えでもある。

おわりに：オルタナティブとしてのBIを考えることの意味

　以上、繰り返し表現を変えて述べてきたように、BIそれ自体は現金給付政策の一つとしかなりえず、それ以上でもそれ以下でもない。その意味で、章題の「ベーシック・インカムは社会保障政策の核となり得るか」という問いには「なり得ない」という答えとなるだろう。しかし、なぜそこまで熱く運動が展開されるのか。熱く批判がかわされるのか。「現金を配る」ということが、資本主義経済においてどのような意味と意義を持つのか、BIの検討を通じて考えてみることは、我々の思い込みを根本から揺さぶるために、悪いものではな

---

17)　この文章そのものは濱口のWebサイト上で閲覧可。http://eulabourlaw.cocolog-nifty.com/blog/2017/10/post-76a4.html　2021年2月1日閲覧。
18)　岡野内正などが検討する「グローバル・ベーシック・インカム（GBI）」というアイデアもあるが、この世界情勢においてGBIの導入は、単なるBIの導入以上に非現実な仮定である、としかいいようがない。

い。それをきっかけに、社会保障制度の制度疲労について、具体的に検討が進められるのであればよいのである。

　結局のところ、社会保障を巡る、真面目に考えれば考えるほど頭を抱えたくなるような「難題」について、どうやって向き合っていくべきなのか。その態度次第で、BIについての捉え方も変わってくるのであろう。

【参考文献】

井手英策（2019）「財政とベーシックインカム」佐々木隆治・志賀信夫編著『ベーシックインカムを問いなおす』法律文化社。

小沢修司（2000）「アンチ「福祉国家」の租税=社会保障政策論：ベーシック・インカム構想の新展開」『福祉社会研究』第1巻。

権丈善一（2018）『ちょっと気になる政策思想　社会保障と係わる経済学の系譜』勁草書房。

権丈善一（2020）『ちょっと気になる社会保障　V3』勁草書房。

後藤道夫（2012）「「必用」判定排除の危険——ベーシックインカムについてのメモ」萱野稔人編『ベーシックインカムは究極の社会保障か「競争」と「平等」のセーフティネット』堀之内出版。

瀬野陸見（2019）「皆保険体制の普遍性と安定性」『財政と公共政策』第65号。

本田浩邦（2019）『長期停滞の資本主義　新しい福祉社会とベーシックインカム』大月書店。

森周子（2019）「ベーシックインカムと制度・政策」佐々木隆治・志賀信夫編著『ベーシックインカムを問いなおす』法律文化社。

森岡真史（2013）「ベーシックインカムの機能と規範」『経済科学通信』第133号。

諸富徹（2020）『資本主義の新しい形』岩波書店。

中田大悟（2020）「竹中平蔵氏が提唱する「ベーシックインカム」、いまの日本で絶対に実現すべきでない理由」現代ビジネス　https://gendai.ismedia.jp/articles/-/77117　2021年2月1日閲覧。

第8章 国民皆保険制度は本当に持続的か
――制度危機の処方箋の検討――

瀬野陸見（京都大学）

キーワード：社会保険、医療保険、保険料方式と税方式、医療資源

はじめに

「社会保障」という言葉を聞いて、どのようなことを思い浮かべるであろうか。資本主義経済において、自ら生活の糧を得て、それを元に生活を成り立たせることができるのであれば、社会保障という制度は不要であるといえよう。しかし、それがかつてイギリスでいわれたように「ゆりかごから墓場まで」[1]つまり生まれてから死ぬまで、自分の力、もしくは家族の力だけで達成できるというのは、極めて厳しいといえる。資本主義経済である以上、本人の能力等に関係なく、失業という状況に追い込まれる人々が発生することは不可避である。また、病気になれば、労働からは一時的に離れないといけないし、その治療費も発生する。そして、歳をとれば、大なり小なり身体の自由が効きにくくなり、若い時と同じように働き、賃金を得るということも厳しくなってくる。これらの場面において、人々の生活の支えとして機能するのが社会保障の各制度である。つまり、多くの人々にとって無縁では全くない制度であり、「無くては困る」という制度であるだろう。

　日本の社会保障制度の中核を成すのは、社会保険と呼ばれる制度である。常々話題になる年金保険や医療保険も、社会保険の一部である。では、なぜ社会保険という制度が採用されてきたのか。そして、現代の社会保険の制度的危

1）原文は"From the cradle to the grave"。この標語そのものは、第二次世界大戦後のイギリスにおける福祉政策一般を指したものである。

機とはどのような状態を指し、また危機の処方箋は存在するのであろうか。本章では、皆保険体制、すなわち公的医療保険を中心に取り上げながら、この点を論じたい。

1．社会保険とは何か：そもそも「保険」という技術の意味は何か

　そもそも、皆保険や皆年金体制はどのようなものであるのか。日本の社会保障制度の中核を成すのは、社会保険と呼ばれる制度である。日本の社会保険制度は、医療保険・年金保険・介護保険・雇用保険・労働災害保険の5つである。このうち、「皆保険体制」と一般的に呼ぶ際には、医療保険の皆保険体制のことを差す。また、「皆年金」についてはそのまま、年金保険の制度である。

　社会保険とはなにか。その定義は多種多様であり、共通のキレイな定義があるわけではないが、「保険の要素を持ちつつも、特殊な目的を持ったもの」ということになろう。

　そもそも、民間のものも含めた「保険」とは何であるのか。「保険とは、特定の偶然事故に備えて、多数の経済主体が保険料を拠出して共同の準備財産をつくり、損害を被った者にその財産から保険金を支払う制度である」というのが一つの定義である。(土田 (2015))

　また、以下のように定義されることもある。

　　保険制度である限り、保険の対象となる保険事故＝危険・リスクが設定されるが、社会保険では労働者の労働不能がこれに該当し、通常は、一時的労働不能である傷病・出産・失業、永久的労働不能である身体障害・老齢・死亡（遺族）があげられる。これらによる賃金の喪失に対し、保険給付が手当金、一時金、年金として支給されるが、それぞれの保険事故に応じて社会保険はいくつかの種類に分かれる。傷病・出産について疾病保険（健康保険、医療保険）、失業について失業保険（雇用保険）、障害について障害保険、老齢について老齢保険、死亡について遺族保険がある。前二者は給付期間が短いので短期保険とよばれるが、後三者はそれが長いので長期保険とよばれ、か

つ、給付形態が主として年金によるので、年金保険（障害年金、老齢年金、遺族年金）として一括される[2]。

　さて、この解説文には多数の要素が盛り込まれているが、そもそもの「保険とは何か」という疑問から説明していきたい。保険において最も重要なことは、各々の人生における「不確実性」に対応するための制度であり、そのための再分配制度であるということである。
　保険の技術的な基礎を成すのは、大数の法則、共同準備財産の形成、収支相対の原則、給付・反対給付均等の原則の4つである。
　大数の法則とは、個別的には不安定な事故発生リスクも、一定数集まればその発生率は予測できるようになるということである。これによって、各保険が対応すべきリスクの確率＝危険度がある程度予見できるようになる。
　共同準備財産の形成とは、保険に参加するメンバーが、一定金額を拠出してつくる財産のことである。もし支払いが必要になった際には、ここから支出される。このための拠出金のことを、保険料と呼ぶ。
　収支相対の原則とは、集めたお金と支払ったお金との間に過不足が生じないようにするための原則である。このために、大数の法則を用いて事故の確率を予見し、そこから必要な支払金額を予見する。それを元に、必要な保険料を設定して集めるのである[3]。
　給付・反対給付均等の原則とは、それぞれの事故の確率によって、保険料が変わっていくことである。例えば生命保険の加入の際に、特に持病もなく健康だと認められる人は、保険事故（この場合はガンなどの大病）の発生確率が低いとみなされ、保険料は安くなる。逆に、高齢であったり既往歴がある場合には、事故の確率が高いとして、保険料が高くなる[4]。収支相対の原則が、保険全体のバランスの問題であったのに対し、給付・反対給付均等の原則というのは、

2)『日本大百科全書（ニッポニカ）』より「社会保険」（執筆・佐口卓）JapanKnowledge, https://japanknowledge.com, 2021年2月1日閲覧
3) ただし、ここで相対させるのは、あくまで保険料の総額と支払金の総額であり、そのために必要な各種人件費等は含まれない。これについては、付加保険料という形で徴収する。
4) 当然のことながら、あまりにも事故リスクが高すぎる場合には、そもそも加入が認められない。

各個人の中でのバランスの問題である。

2．社会保険の4要素

　では、これらの一般的な保険の技術に加え、社会保険は民間保険とどのような違いがあるのか。まずは4点である[5]。

　1．国家管理：管理運営者、つまり保険者は国（もしくは地方行政）が管理するのである。ただし、実際の運営は、国そのものではなく公的団体が行っていることは多数ある。年金を管理する日本年金機構や、協会けんぽ、健康保険組合がその例であろう。それでも、究極の責任は国家にあると考える。

　2．国庫負担：管理運営に関する負担は国庫から出される。加えて、保険料の給付そのものについても、各保険の定めに応じて、国庫から負担が出される。

　3．強制加入：加入条件を満たす人々は強制加入となる。たとえば、国民年金は20歳を超えれば加入義務が発生する。なぜこのような扱いをするかについては、複数の理由がある。社会保険の導入時には、貧困で高リスク者であり、社会保険によって積極的に救済すべき人々ほど、生活そのものの苦しさ、また保険に対する知識と理解のなさから、任意加入のままでは入らなかったというのがある。実際、戦前の国民健康保険は任意加入であったが、その際の加入率は極めて低いものであった。また、リスクの低い人々は、高リスクの人々とは違う理由で「保険に入らなくても大丈夫」という考えを持ち、これまた入らない可能性があるが、低リスク者も含めて加入させることで、保険全体のリスクを低減させる働きが期待できる。

　4．雇用主負担：被用者保険においては、保険料の半分もしくはそれ以上を、雇用主が負担する。雇用主に負担させる理由は、人的資本の維持に関する雇用主の責任や、雇用維持や労使関係の安定への寄与、制度運営における雇用主参加への対応などがあげられる。

　これらに加えて、保険の技術的原則が適用されるのだが、社会保険において

5）以下、土田（2015）を参照の上、筆者がまとめたものである。

は、この技術的原則が一部崩されるものがある。

　まず大数の法則については、民間保険も社会保険も変わりはない。社会保険においてもリスクの計算は行われている。共同準備財産の形成も同様である。

　収支相対の原則については、社会保険ではそれが守られているという考えと、守られていないという考え、両方が存在する。つまり、社会保険においては公費負担が存在するが、この公費負担も保険料収入と同じとみなすかどうかで、意見が分かれている（最近は前者が多い）。

　給付・反対給付均等の原則については、守られていない。例えば、医療保険では保険給付と保険料がまったく異なる基準によって定められている。国民健康保険において、保険料を決めるのは所得水準のみである。また、保険料が安いからといって、受けられる医療の内容が変化することもない。負担と給付が正確にバランスはしないのである。むしろ、傾向としては低所得世帯ほど傷病の発生率は高まるため、給付額は高くなるが、だからと言って保険料を上げることはしない、というものである。この点は言い換えれば、保険料公平の原則も維持されていないということになる。

　以上のように、社会保険というものは、保険技術を貫徹させたわけではなく、部分的には「崩す」ことで、単なる一つの「集団」におけるリスク分散から、国家全体の「リスク分散」のための制度へと変貌することが可能となったのである。

　繰り返すが、社会保険といえども、その本質は人生におけるリスクへの対応、すなわち不確実性への備えである、ということは変わらない。だからこそ、社会保障において防貧、すなわち貧困へ陥ることを防ぐ機能を果たすのである。

3．人生における「リスク」の増大：保険制度の宿命

　皆保険体制の持続可能性を考える場合、まず保険が想定したリスクがどのように変化したのか、ということを考える必要があるだろう。公的医療保険に限定するのであれば、超高齢化によって医療ニーズが全体として増加したことに

なる。医療の必要性というのは万人にありえることであり、普遍性が高い皆保険体制で対応することは合理的ではある。では、具体的に考えてみよう。いくら医療技術が発達しようとも、高齢になればある程度の身体の不調は生じるものであり、医療のお世話になることが増える。つまり、高齢者の絶対数が増加することは、医療費の増大をもたらすのである。

　実際、日本の医療費は年々増大している。厚生労働省「国民医療費」のデータによれば、平成30年度の国民医療費は43兆3,949億円、前年度の43兆710億円に比べて3,239億円、0.8％増加している。国内総生産に対する比率でみれば7.91％、国民所得に対する比率でみれば10.73％である。制度区分別国民医療費をみると、公費負担医療給付分のうち、医療保険等給付分は19兆7,291億円（45.8％）であり、後期高齢者医療給付分が15兆576億円（34.3％）、患者等負担分が5兆4,047億円（12.2％）である。75歳以上の高齢者が入る後期高齢者医療の部分だけで34.3％であり、高齢者の医療費が高くなることはこれからもわかるであろう。年齢階級別にみれば、0〜14歳は2兆5,300億円（5.8％）、15〜44歳は5兆2,403億円（12.1％）、45〜64歳は9兆3,417億円（21.5％）、65歳以上は26兆2,828億円（60.6％）である。65歳以上だけで6割を超えていることになる。

　このような医療費の高さをいわゆる過剰診療のせいであると指摘する人もいる。確かに、一部の診療においては、「無駄な治療」をやっていることもゼロとはいえないだろう。また、近年よく問題にされるように、複数の病院に通院している際、薬が必要以上に服用されていることもあり、これは医学的な理由からも問題とされる。

　とはいえ、根本的には、医療を必要とする人々が増加していること、つまり医療のニーズそのものが高まっていることにある。高まっている根本的な理由は、超高齢社会の到来である。

4．社会保険の財源構成

　社会保険の特徴として、税財源が投入されていることは既に述べた。これ

は、どの保険かによって構成割合は全く異なる[6]。

　厚生年金や共済年金、健保組合であれば、それは保険料がほぼ10割である。ただし、これは労使折半、つまり労働者と使用者が半分ずつ負担する構造になっている。公的医療保険においても、協会けんぽは約20％ほど国負担が入っている。

　基礎年金は国負担と保険料負担が半分ずつである。市町村国保においても、市町村負担も加わるが、税と保険料が半分ずつである。このような、税と社会保険料の混合方式を取っているところに、日本の社会保険の特徴がある。特に国保は約半分が税であり、このことを「1/2税方式」と名付ける（久本(2015)、瀬野(2019)）。

　なぜ日本において被用者保険と市町村国保など、複数の公的医療保険が並立するようになったのか。これは歴史的な成立過程の影響だといえよう。戦後、1961年に皆保険体制は成立するが、当時はいかにして医療保険の傘下に入るか、言い換えれば「給付による包摂」を優先させたため、戦前から存在していた旧国保を外延的に拡張する形で、被用者保険がカバーできない穴を埋めることになった。いわば、旧国保の「皮を借りる」形で皆保険体制を成立させたのである。この際、新たな制度を一から構築するのは時間がかかるため、既存の制度を改良する方が早い、という判断をしたということになる。

5．税なのか、社会保険料なのか

　では、現代の問題を考えた時に、負担率を上げないといけないとなった場合において、保険料で取る方式を維持するのか、全額税方式を維持すべきなのだろうか。

　OECD加盟国の国民負担率（税＋社会保険料の国民所得における割合）を比較してみると、2017年においては、45.6％となっており、OECD加盟国35カ国中27番目という低水準である。2020年（令和2年）の見通しでも44.6％になるとされて

6）似たような内容の資料は多数あるが、例えば、内閣府　経済・財政一体改革推進員会　社会保障WG（平成31年4月26日）　第31回資料1-1など。

いる[7]。支出規模からすれば決して小さな財政とは言えないが、それでも徴収水準は低く、このアンバランスな状態をどうやって改善するか、ということが、公的医療保険に限らない、社会保険全体の課題である。

　社会保険料というのは、税理論からすれば一種の「目的税」である。その保険のことにしか使えない、という意味で財源硬直性は高いのであるが、その一方で、この硬直性が故に、独立財源として維持しやすいという特徴がある。確かに、普遍性という意味では税財源で保障した方が担保されやすいのであるが、租税の負担率も高くないなか、皆保険という普遍的な給付を行うには、「1/2税方式」である日本の財源措置は、それなりに合理性をもった制度なのである（瀬野 (2019)）。違う社会保険となるが、コロナ禍において注目された制度の一つに、雇用保険の雇用調整助成金が存在する。厚生労働省がそれを中心とした雇用維持政策を推しだしたのは、当然ながら既存の政策なのでそれを弾力的に運用した方が早いという点はある。加えて、雇用保険二事業に属する雇用調整助成金の元では、使用者が負担する保険料[8]であり、雇用保険料として徴収している以上、他の制度に流れることはないから、積立金という形で貯まっていた。すなわち、コロナ禍によって支払件数が増加したとしても、それに耐えられるだけの余力があったから、というのも大きい。

　このように、保険料のもつ硬直性は保険給付の水準を高いものに保つ上で欠かせないものである。今後の改革の方針を考えなくてはならない。

6. 皆保険体制を揺るがす要因は何か

　さて、公的医療保険も当然ながら金が出入りする制度であり、歳出と歳入のバランスが悪くなればその運営は厳しくなる。日本における「超高齢化」の進展は、そのバランスの悪化に大きな影響をもたらしている。

　医療保険に限らず、社会保険の中心は、現役労働者を中心とした被用者保険

7）財務省HP内、報道発表（令和2年2月26日）から「令和2年度の国民負担率を公表します」https://www.mof.go.jp/budget/topics/futanritsu/20200226.html　2021年2月1日閲覧
8）雇用保険二事業については使用者のみだが、通常の失業等給付にかかわる部分の保険料率は労使折半で負担している。

である。超高齢化の進展は、現役労働者の減少を意味し、保険料収入の減少をもたらす。加えて、高齢になれば何かしら身体の自由が効かなくなることが多くなり、医療の必要性は高まる。すわなち、医療費の支出は増加することになる。歳出は増える上に歳入は減るという状況に置かれることが、皆保険体制の持続可能性を揺るがすことになっているのである。個別の公的医療保険ごとに見るのであれば、高齢者の割合が高く、かつ所得水準が低いため保険料収入も低い、市町村国保をいかにして維持させるかが鍵となることは、どの研究者も異論はないだろう。退職した高齢者の受け皿となっているだけではなく、被用者保険に入れない非正規雇用の労働者の受け皿も市町村国保が担っている。非正規雇用は低賃金であり、高齢者も年金収入が主である以上、所得水準は高くはならない。

　その対応は何がなされているのか。1つは2018年度（平成30年度）から都道府県が財政運営の主体となったことである。すなわち、市町村国保の「財布」は都道府県単位にまとめ、財布の大きさを引き上げることによって、保険財政の安定化を図ろうとしたものである。最終的には各都道府県内での保険料（税）水準の統一も行いたいようだが、その実現への歩みは極めて遅い。

　目下検討中なのは、後期高齢者医療保険制度における自己負担額の引きあげである。75歳以上の後期高齢者については、自己負担額（窓口負担額）は原則として1割（現役並み所得者は3割）に抑えられてきた。これを、低所得層以外は2割負担に引き上げようというものである。負担額が二倍になる対象者がおよそ6割存在することから、コロナ禍の厳しい経済状況の中での引きあげには慎重な意見もみられる[9]。ただ、高齢者であるからといって優遇するという、年齢で負担割合を区別する余裕は無くなってきていることは事実ではある。

　経済学徒の議論においては、どちらかといえば医療費の削減を目指す方針が立てられることが多い。実際の政策においても、診療報酬・薬価基準の改正や、ジェネリック医薬品の推奨を進めることによって、医療費の圧縮を行ってきている。しかし「超高齢化」の進展によって、医療に対する需要それ自体は

9）第135回社会保障審議会医療保険部会（令和2年11月26日）資料1および第134回社会保障審議会医療保険部会令和（2年11月19日）資料1。

増加の一途であり、そのことを止めることができないのであれば、医療費を押さえ込むこと自体は限界があるといえよう。また、予防医療を進展させることによって医療費を抑える案は定期的になされるものの、予防医療によって長生きすることは結局は医療費の支出を先送りしていることにしかならず、1人当たり医療費の総額が減ることには繋がらない[10]。亡くなる直前まで元気に過ごし、コロッと死にたいという「ピンピンコロリ（PPK）」というのは、多くの人が考える一つの理想の生き方ではあるが、そのような医療費支出の少ない生き方は現実にはなかなかできないともいえる。

　ところで、医療費の観点からすると、終末期医療がそもそも無駄ではないか、それをしなければ医療費が削減できるのではないか、という議論は繰り返し行われてきた。比較的最近では、ある「社会学者」が「財務省の友達」と検討した結果、「『最後の一ヶ月間の延命治療はやめませんか?』と提案すればよい」という発言を雑誌に掲載したことが物議を醸した。

　これについては、その最後の1カ月がいつなのか、生きている間は分からないではないか、というのがそもそもの批判であろう。振り返ってから、最後の1カ月は分かるのであり、それが生きている間に分かれば苦労はしない。何より、人間というものは最後までいろいろと手を尽くして生きよう・生きさせようとする人々が多いのであるから、仮に最後の1カ月が分かったとしても、そのような選択肢を取る人は多くないだろう。そのような選択をできなくするわけにもいかないのである[11]。

　さらにいえば、そもそも終末期医療の医療費は高いというデータはない、ということができる。厚生省保険局の2005年7月の発表で、2002年度の「終末期における医療費（死亡前1カ月間にかかった医療費）」は約9000億円とし、同年度の「医科医療費」に占める割合は3.3%に過ぎなかったことを示している。また、

---

10)　予防医療そのものが医療政策として無駄である、という意味ではない。予防医療が医療費削減に効果があるとはいえない、というだけの意味である。
11)　この点にかかわって、医療経済学者である二木立がデータを元に丁寧に反論しているインタビューが、BuzzFeed Japan 上に掲載されている。
　　第1回（2019年1月25日）https://www.buzzfeed.com/jp/naokoiwanaga/ryuniki-1
　　第2回（2019年1月26日）https://www.buzzfeed.com/jp/naokoiwanaga/ryuniki-2
　　第3回（2019年1月27日）https://www.buzzfeed.com/jp/naokoiwanaga/ryuniki-3
　　（全て2021年2月1日閲覧）

鈴木（2015）においても、富山県のレセプトデータを用いた分析において、終末期医療の医療費削減効果はあまり期待できないことを示している。

7．社会保険において「持続可能性」とは何か

　このように考えた場合、社会保険の「持続可能性」とはいったいどうすれば担保できるのであろうか。一言でいえば、給付と負担のバランスをどう考えるか、ということになるであろう。日本の特徴は、対GDP比における国民負担率がそこまで増加していないにもかかわらず、支出額は上昇していることにある。つまり、支出面でみれば決して「小さい」とはいえず、中程度から大規模なものに近いといえるのに、負担率はそれに見合ったサイズになっていないという、アンバランスな状態である。

　保険の技術的原則である「給付・反対給付均等の原則」は確かに、ミクロ的な視点では守られないのであるが、最終的にはマクロ的な規模でどこかでバランスさせなくてはならない。しかし、例えば医療費を現在の半分にすることはできるのかといわれれば、それは不可能であろう。既に述べたとおり、いくら予防医療に努めたとしても、高齢になれば何らかの身体の不調を伴うものであり、高齢化社会において一定程度の医療費は確実に支出されていくことになる。

　そのように考えた場合、結局のところ必要になってくるのは、どのようにして負担を国民に納得できる形で求めるか、ということになるだろう。低所得層に対する緩和策は当然必要だとしても、どうやって国民負担率を上げていくかが問われるのである。

8．コロナ禍において揺らいでいるもの
　　：医療供給体制を整備しなかったツケ

　さて、現在のコロナ禍において、医療の重要度はより増している。とはいえ、日本の医療体制というのはややねじれた構造を持っている。公的医療保

険による診療は「療養の給付」と名付けられ、すなわち現物給付として社会保険上は扱われている。その一方で、実際の保険の構造からすれば、保険料を集め、それを元に医療費を一定割合負担するという装置が公的医療保険の役割であり、医療それ自体をコントロールしているとはいえない。診療報酬や薬価によって「統制価格」を示すことで間接的に医療市場をコントロールはしているものの、医療資源そのものの供給はほとんど民間任せである。

　特に皆保険体制は「給付による包摂」をとにかく早く実現させることを目的として、細かな問題は目をつぶった、もしくは非常に楽観的な見通しによって成立させたという経緯がある。言い換えれば、いかにして医療市場にプレイヤーとして国民を参加させるか、ということを実現させることが最大の目的であり、医療保険は医療という財を適切に供給するシステムとしては整備されなかった、ということの帰結である。

　厚生労働省「令和元 (2019) 年医療施設（動態）調査・病院報告の概況」を見ると、令和元年（2019年）の病院数は8,300施設あるが、そのうち、国が開設しているのは322施設 (3.9％)、公的医療機関は1,202施設 (14.5％)、医療法人は5,720施設 (68.9％) である。すなわち、約7割が民間医療機関であり、行政が医療供給にかかわっている割合は多くない。さらに、「病床の規模別にみた施設数」をみると、病院において最も構成割合の大きいのは50〜99床 (2,058施設、24.8％) であり、病床数の総数においても、病院では152万9,215床であり、前年 (2018年) から1.1％減少している。なお、そのうち感染症病床は1,888床であり、前年から6床 (0.3％) 増加したものの、全体における構成割合は0.1％しか存在していない。コロナ禍において、入院患者数が増加することによる逼迫が各地で生じているが、そもそも感染症病床が少ないことを指摘せねばならない。

　しかも、これまでの医療政策においては、医療費の削減を目的として、病床をいかに削減するか、という方向性で進められてきた。2015年6月に政府は、2025年時点の病床数を、当時の病床数より16万から20万床減らす、という方針を出し、自宅や介護施設での治療に切り替えることによって医療費を削減しようとしていた。これらの一連の計画が「地域医療構想」である。加えて、2019年9月には、診療実績が乏しいと判断した424病院に統廃合を含めた再編の検

討を求めることを決め、その病院名を公表していた。

　どこまでも「効率的な医療資源の活用」を求めていたわけであるが、最大の問題は、緊急時のバッファーが無くなってしまう、ということである。厚生労働省のワーキンググループにおいても、「地域医療構想の病床必要量は、感染症等を対象としておらず、健康危機管理時における病床のバッファーを想定していない。」[12] という意見が出ているぐらいであり、地域医療構想そのものの見直しが迫られている。ただ、全体の病床数においてはOECD諸国で最も多く、平均在院日数は2番目に長い（OECD Health Statistics 2019）。

　さらに指摘すべきは医師の少なさである。同じOECDのデータをみれば、日本の医師数は1,000人当たり2.43人であり、データのある29カ国中の26位である。この点が、欧米諸国より感染者数が少ないにもかかわらず、医療崩壊が危惧される根本的な理由といえよう。普遍的な医療制度を実施している国では、そもそも受診が制限されるか、もしくは「待ち時間」の問題が発生するケースが見られる。またいわゆる「家庭医」によるゲートキーパー機能を働かせることで、全体の医療費を抑えたりしている。日本の医療はフリーアクセスであり、家庭医制度も存在していないが、どこで調整しているかといえば、このような医療資源の削減と高い稼働率でコントロールしていた、ということになろう。

コ ラ ム

ジェネリック医薬品をめぐって

　本文でも述べたとおり、医療費の圧縮のための一つの策として、ジェネリック医薬品を推進する動きがある。新薬の開発には長い年月と莫大な費用がかかり、たとえば中外製薬のWebサイトでは、「ひとつの薬ができるまでに、9〜17年もの歳月を要します。その間にかかる費用は約500億円といわれています。」となっており、更に開発成功率は3万分の1ともいわれる[13]。そのような膨大なコストを経て生み出される以上、新薬はそ

12）第30回　地域医療構想に関するワーキンググループ（2020年12月9日）参考資料2。
13）https://www.chugai-pharm.co.jp/ptn/medicine/create/create001.html　2021年2月1日閲覧

れなりの価格にしなくては、投下したコストは回収できない。そのために特許で保護をするのである。しかし特許はいつか切れる。特許期間が切れてから、3〜4年の開発期間と約1億円の開発費によって生み出される[14]のが、ジェネリック医薬品である。

　ジェネリック医薬品（後発医薬品）は、元々特許を持っていた薬（先発医薬品）と同等・同量の有効成分を持ち、それでいて開発期間と開発費が先発薬より安いため、薬価も先発薬より抑えることができ、自己負担額も保険側の医療費も下げることができるとされているものである。

　ただ、その品質においては疑問視する声も一定程度あり、厚生労働省でも2013年に「後発医薬品のさらなる使用促進のためのロードマップ」を示し、品質向上をうたってきた。また、有効成分が同一なだけで添加物や製法等は異なることが多かったが、今では、「オーソライズド・ジェネリック（AG）」という、新薬メーカーの許可を得て、原薬・添加物や製法が先発薬と同じというジェネリック医薬品も出てきている[15]。

　しかし、ジェネリック医薬品に対する信用が大きく揺らぐ事件となったのが、福井県の「小林化工」の事件であろう[16]。同社はジェネリック医薬品の製造メーカーであるが、製造する爪水虫の薬に睡眠導入剤の成分が混入しており、150名以上が意識消失などの健康被害を訴え、死者も2名出た。原因は、製造時に減少した有効成分を補充しようとした際に、違う成分の容器から補充したことであるが、そもそもこの補充行為は厚生労働省の認めた手順に反している。また社内規定である2人1組での作業、ということさえ守られず、1人で作業していたという。当然、この薬は回収されたが、自主回収はこの4年で5件目になるという。

　この事件によって、再びジェネリック医薬品に対する疑問性が高まったといえるが、製造工程のミス自体は、先発薬の製造メーカーでもありえることではある。この事件がコスト削減を理由に発生したかどうかはまだ分からないが、安易に「安い薬」を求めることは、どこかでひずみをもたらすことはありえるだろう。医療費の圧縮はともすれば生死に関わることだけに、安易に行われることでもなく、また行えるものでもない。医療を支えるのは医療職の技術だけではなく、医薬品や医療器具であり、一定以上の水準が担保されることは絶対条件でもあろう。そのためにはある程度のコスト投下は避けられないのであり、公的医療保険においても、支出を減らすのではなく、どうやって財源を確保するか、という議論をしなくてはならないのである。

14）日本ジェネリック製薬協会Webサイト https://www.jga.gr.jp/general/about.html　2021年2月1日閲覧
15）オーソライズド・ジェネリックの説明は多数あるが、例えば、日医工株式会社のWebサイトなど。https://www.nichiiko.co.jp/medicine/knowledge/0023.php　2021年2月1日閲覧
16）事件の概要については、読売新聞　2020年12月19日朝刊の社説を参照している。

おわりに

　社会保険の持続可能性を考えるのであれば、財政問題も重要ではあるが、より重要であるのは、不確実性への対応、すなわちリスクヘッジとしての防貧機能がどれだけ機能できるのか、ということが常に問われなければならない。個人のリスクを社会全体で引き受けるのが社会保険であるが、それは個人の生活安定を図ることによって、社会全体の安定化を目指すものである。社会全体のリスクは減少する見込みはなく、増大する一方であり、社会保険がそれをある程度引き受けるのであれば、それなりに大きなシステムとして安定して稼働することが必要になるだろう。つまり、社会保険を縮小化させるという選択肢はとれない、ということになる。

　加えてコロナ禍においてよりあぶり出されたのは、医療保険ではなく医療政策として、医療資源をどのように供給すべきか、という問題である。医療保険と医療資源の問題はそこまで深く繋がってはおらず、むしろ医療保険によって資源コントロールができるような構造であった方がよかったのかもしれない。あくまで基本的に「金」を巡る問題しか医療保険は扱えないのである。だからこそ、その財政問題はよりシビアに考える必要が生じてくる。

　第8章で述べたベーシック・インカム（BI）は、その基本原理を貫徹するかぎり、現金給付に関して社会保険方式から税方式への移行を意味する（財源を税で求めるならば）。その意味では第8章は給付の側面に焦点を当てた一方、本章は社会保障の「どうやって集めるか」という部分に対して焦点を当てたものであった。ではBIは社会保険が引き受けてきたリスクに対応できるのであろうか。本稿ではあまり述べなかったが、公的年金という現金給付が果たす防貧機能が、BIならば同水準で機能してくれるのであろうか。それに疑問を持つ論者が多いことは前章で述べた通りである。

　社会保険という制度が今日まで生き残ってきたことの意味と、それが今後どのように展開されるのか、そしてどのように展開「されるべき」なのか。それぞれ異なるものを意味しているが、目の前の短期的な利害に左右されず、ぜひ

長期的な視点で考えていただきたい。その際、「リスク」と「コスト」をどう
考えるか、というのがカギとなるであろう。

【参考文献】

鈴木亘 (2015)「レセプトデータによる終末期医療費の削減可能性に関する統計的考察」『学習院大学経済論集』第52巻第 1 号。
瀬野陸見 (2019)「皆保険体制の普遍性と安定性」『財政と公共政策』第65号。
土田武史 (2015)「社会保険と民間保険」土田武史編著『社会保障論』成文堂。
久本憲夫 (2015)『日本の社会政策　改訂版』ナカニシヤ出版。

第9章 農山村の内発的発展と財政
—— 林業・木材産業をケースに

白石智宙（立教大学）

キーワード：地域内経済循環、地域内再投資力、内発的発展

はじめに

　日本の農山村は、人口の少子化・高齢化と軌を一にする地元事業所の後継者不足と廃業、その総体としての地域産業の衰退や空洞化、そして人口の社会減少と自然減少を併せた総人口の減少に直面している。

　しかし個別の農山村地域に目を向けると、年少人口が増加傾向にある地域や、人口の社会増加を記録している地域、多数の起業や継業により事業所数が増加している地域等が見られる。また、未だこれらの傾向が見られない地域においても持続可能性の獲得に向けた取り組みがなされている地域があり、「諦め[1]」が地域を覆い尽くさない限りは、いずれの地域においてもその可能性は存在していると言える。

　更に、当該地域住民の活動が森林や河川等の自然環境を保全しているという観点からは、農山村の持続可能性は農山村の問題に留まらず、国土保全上の問題でもある。その公益的機能からサービスを享受している都市地域の住民にとっても無関係な問題ではない。では、このような状況下において農山村の内発的発展をどのように考えるのか。本章では、地域経済と財政の相互関係に焦点を当てて見ていく。

---

1) 小田切（2014）は、集落限界化の臨界点として「住民の諦め」を位置付けている。

1．地域経済と財政の相互関係

(1) 地域経済から財政への関係

　内発的発展を通じて持続可能性の獲得を目指す各地域の取り組みは、地域経済の観点から捉えると地域における毎年の生産と生活の再生産の維持・拡大を可能とするような地域内で繰り返しなされる投資の実現に向けた活動とみなすことができる[2)]。この「地域内再投資」は、「民間企業以外に、農家や協同組合、NPOに加え、市町村や第三セクター[3)]」等によって担われ、農山村地域においては、地方自治体による地域内再投資が量的・質的にその比重を高めるとされている[4)]。またここでいう“再”とは、一過性の投資による開発への批判的視座も内包されている。

　そして、地域内再投資力を高めるためには、地域内産業連関の自覚的構築による地域内経済循環の形成が決定的に重要となる[5)]。地域内経済循環とは、「地域の産業が相互に連関をもって有機的に結びつき、さらにそのことが所得の域内循環を生み出し、そこから上がる税収がその地域の自治体に入るような好循環[6)]」として、主として貨幣的側面から捉えられるものである。

　この税収は、地域経済の「担税力」の現れである。これは、地域経済が財政に対して有する関係の重要な一側面である。地域内経済循環の形成は、この担税力の高まりを通じて、生活と生産の再生産にとって不可欠な自治体が担う役割の再生産をも意味している。このような意味において、地域内再投資は「蓄積のための蓄積」とは異なり、地域住民の福祉の向上を究極的目標とするものである。

　しかし地方自治体はその他の主体とは異なり、その地域内再投資は公的主体

---

2) 岡田（2020）。
3) 岡田（2020）P.177。
4) 岡田（2020）P.31。
5) 岡田（2020）P.219。
6) 諸富（2010）。

の経済活動である財政であり、中央政府や地域住民から強く規定される。その
ため、これら規定的要素を踏まえて、財政から地域経済への関係も見なければ
ならない。

(2) 財政から地域経済への関係

　財政とは「公権力をもつ組織の経済活動[7]」である。その経済活動は、公共
財の供給として理解されている。公共財とは、消費における「非排除性」と
「非競合性」という2つの性質をもつ財と定義される。

　しかし現実に、このような性質を有する純粋な公共財[8]はほとんど存在して
おらず、実態としては私的財に近い「準私的財 (quasi-private goods)[9]」ないし
「準公共財 (quasi-public goods)」が大部分であり、完全なる「公」と完全なる
「私」の間の「中間領域[10]」における経済活動が大半を占めており、それは「価
値財 (merit goods)[11]」の供給とも理解することができる。

　日本においては、財政は主として[12]中央政府と地方政府が担っており、地方
政府には広域自治体である都道府県と基礎自治体である市区町村があるため、
三層の政府体系を有している。また地方政府は、国の統治機構における下部機
関の側面に加えて、住民による自治組織としての「地方自治体[13]」という側面
を有しており、地方自治体の財政はこの両面に規定されていると言える。

　図1より、地方自治体の歳入の多くを税収が占めており、地方交付税や国庫
支出金も中央政府の税収に由来し、地方債は将来の税収の前借りであるという
意味においては、歳入のほとんどは税収が占めていると考えることができる。
その税目として、道府県税は住民税と事業税と地方消費税の3つ、市町村税は

---

7)　重森 (2016) P.3。ここには規制を含めた制度構築も含まれる (諸富 (2007) P.94-95)。
8)　例えば国防や警察制度による治安維持等が挙げられる。
9)　Boadway and Shah (2009). pp.137-138。
10)　金澤 (2008)。
11)　価値財とは、価値欲求 (merit wants) に基づいて供給される財 (Musgrave (1987)) であり、「消費者主権に介入してその選好を矯正することが社会的な価値に適うとみなされる場合、政府が供給し、その消費を強制する財」(諸富 (2007) P.120) を意味する。詳しくは森 (2017) 参照。
12)　この他に社会保障基金がある。
13)　本章もこの認識に立脚し、法律用語である「地方公共団体 (local public entity)」や統治主体としての「地方政府 (local government)」ではなく、「地方自治体 (local authority)」という表現を用いる。

図1　地方自治体の歳入内訳（2018年度）

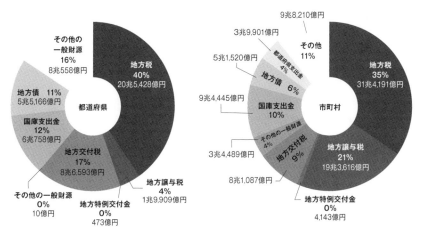

出典：『平成31年版地方財政白書』より筆者作成。

住民税と固定資産税の2つがそれぞれの主たる税収となっている。

　地方自治体は、いわゆる「3割自治」と言われる状態にあり、必要経費に対して一般財源であり自主財源である地方税収がその3割しか賄えていない。一時期4割に回復したが、依然「3割自治」は存続している。しかもこれは平均値であり、3割にすら満たない自治体も数多く存在している。この状態は、いわゆる「三位一体の改革」を経て、国庫支出金と地方交付税の削減を伴った税源移譲後のものである。

　またこの一連の削減に並行して、いわゆる「平成の大合併」が進められたことにも留意する必要がある。つまり、合併をした自治体には地方交付税の算定替特例や合併特例債による優遇措置を取る一方で、合併をしない自治体にはこのような削減が突き付けられたのである。ただし合併を選択した自治体も、特例措置終了後は同様かそれ以下の状況に直面することになる。

　このような量的削減と並行して、地方自治体の職員数の削減も進められた。2004年からの15年間で一般行政職員数は都道府県で17.5％、市町村で11.5％削減された。また農林水産職員については、都道府県で23.5％、市町村で27％削減され、農山村地域の基幹産業である農林水産業にかかわる自治体職員の削減

が顕著である[14]。更に、合併を選択した自治体で周辺部となった地域では、かつての役所跡に支所は設けられるものの、職員数が大幅に削減され、行政サービスの低下が顕著になり、その衰退が明らかにされている[15]。

　残りの「7割」のうち、使途が特定化されない一般財源であるのは、「水平的効果をもった垂直的財政調整[16]」制度である地方交付税交付金である。これらは政府間の財政調整以外に、ナショナル・ミニマムの保障と特定政策を奨励する機能も担っている[17]。

　具体的には、普通交付税と特別交付税から成り、後者は災害等による特別の財政需要に対して交付される。前者の普通交付税は、地方政府が標準的な行政需要に応えるために必要となる歳出額である基準財政需要額を国が算定し、それに対して法定普通税を標準税率で課税した場合の税収見込み額に地方譲与税を加えた基準財政収入額では不足する分[18]を補填するという「差額補填方式」が採られている。なお基準財政収入額のうち地方税収入は75％をかけて算入されており、残りの25％を「留保財源」という。これは、基準財政需要額に反映されない財政需要のための財源確保と、自治体の税源涵養努力を阻害しないように設けられた[18]。その財源は、国税収入の一定割合[19]が割り当てられる。しかし、1990年代以降は恒常的に財源が不足しており、継続的な地方交付税率の引き上げと同時に、「地方財政対策」が採られ、2001年度以降は特例地方債である臨時財政対策債が発行されている。

　島（1951）は、地域間には生産力格差に由来する発展の不均等性と資本・所得の地域的集中、およびそれらに由来する担税力＝課税力格差が存在していることを明らかにした。この「地域経済の不均等発展」は、今日においては東京一極集中として極端な形で現象しており、このような財政調整の制度は極めて重要な役割を担っている。

---

14) 総務省「地方公共団体定員管理調査結果」より。
15) 畠山（2013）、宮川ら（2018）。
16) 神野・小西（2014）P.33。
17) 諸富（2007）P.119。
18) 小西（2017）P.36-37。
19) これを「地方交付税率」と呼び、2020年度現在は、所得税・法人税の33.1％、酒税の50％、消費税の19.5％、地方法人税の全額と定められている。

　ただし当該制度は、「過度の財政調整」との批判を受け、1998年度から人口4,000人未満の自治体の段階補整や財政需要算定額は減額され[20]、また2001年度以降は、地方交付税の総額削減も実施された。

　地方交付税交付金と合わせて政府間補助金を構成しているのが、使途が定められている特定財源である国庫支出金である。国庫支出金は、国庫負担金・国庫委託金・国庫補助金の3つから成る。国庫負担金は、ナショナル・ミニマムと考えられる経費を中央政府が負担するもの、国庫委託金は、地方政府に委託する方が行政効率上望ましい業務の経費を中央政府が負担するもの、国庫補助金は、特定政策の奨励か財政上の特別の必要を認める場合に支出される。

　財政は、「貨幣を通じた統治行為[21]」の側面も有しており、その典型としてこの国庫支出金の存在が指摘されている。一般に「補助金」は、そこに特別減税や低利の財政投融資や公的規制も含めて、「現代の資本主義の政治経済の必然的産物[22]」とされている。補助金はその算定根拠や交付先等を中央政府が決定するため、地方政府に対する統制手段としても機能している。

　そして地方自治体が自ら使途を決定できる一般財源であるはずの地方交付税交付金においてすら、このような特定財源化が明らかにされている。いわゆる「地方交付税の特定補助金化」であり、具体的には次の3つである[23]。第一は「裏負担」であり、「国庫支出金を伴う補助事業の場合、自治体の持ち出しとして地方債ないし一般財源を要するその負担部分が基準財政需要額に算定される」ものである。第二は「交付税措置」であり、「自治体の投資事業に充当される地方債の元利償還費用の一定割合が基準財政需要額の算定で用いられる事業費補正に算入される」ものである。第三は、「合併特例法に基づく合併特例債の高い起債充当率（90％）への交付税措置（70％）」である。

　他にも、上記の基準財政需要額の算定方法による誘導の存在[24]も明らかにされており、「中山間地域の基準財政需要額を過小に算定し、財源の不足を実態

20）　梶田（1999）。
21）　神野（2007）。
22）　宮本（1994）。
23）　莱田（2006）。
24）　中島（2019）。

以上に小さく見せる原因となっている[25]」ことも指摘されている。バブル崩壊後の90年代には、上述した一連の手段を通じて、景気対策として地方単独事業による公共事業の拡大が推進された[26]。

　これら規定的諸要素から影響を受けながら地方自治体は生産と生活の再生産にとって不可欠な役割を担っている。それらは総じて、財政から地域経済への関係を意味している。そしてその役割には、現代資本主義における「人間の生活領域としての地域」と「資本の活動領域としての地域」の空間的乖離[27]の進展を背景として、「行財政が、グローバル化を進める巨大資本のために動員されるのか、あるいは…住民の生活向上のために再配分されるのか[28]」という対抗関係が存在している。

　更にこの場合、地方自治体が画定する行政空間と「生活領域としての地域」は一般的に乖離していることにも留意する必要がある。この乖離は、いわゆる「昭和の大合併」および「平成の大合併」を経た地方自治体においては特に高まっている。人々の「生活領域としての地域」の最小単位をコミュニティであるとすると、それが複数集まって構成されているのが地方自治体であると言える。このようなコミュニティを基層とする「地域の階層性」理解を前提にすると、地方自治体の範囲よりも更に細分化して財政の現象を考える必要があるだろう。

　以上のような地域を舞台にした地域経済と財政の相互関係が存在しているなかにおいて、農山村は持続可能性の獲得に向けた独自の取り組みを展開している。このような地域の内発的発展の実現において、自治体の担う役割が重要となることは上述の通りである。

　なかでも、森林資源が多く賦存している農山村地域にとっては、林業や製材業を含む木材産業は地域内経済循環構築の可能性が大いにある対象である。森林資源の利活用は、当然ながら産業利用以外の方途も検討すべきである。しかし木材生産はその主要な一用途であることは間違いない。そこで次節では、日本の林業と木材産業について見ていく。

25）保母（2013）P.270。
26）宮本・遠藤（1998）P.125。
27）岡田（2020）P.30-31。
28）岡田（2020）P.35。

2．日本の林業と木材産業

(1) 日本の森林資源の現況

　日本の国土の約7割が森林であるが、一様に存在しているわけではない。森林資源現況調査によれば、2017年3月末現在において、日本の森林面積は2,505万haであるが、そのうち人工林の面積は1,018万haと約4割である。森林蓄積では、総蓄積量52.3億㎥のうち人工林の蓄積は33.0億㎥であり約6割である。

　日本は戦中期には国内の森林資源の利用可能な賦存量を使用し尽くしていたと言われている[29]。そのため戦後、拡大造林政策が採られ、針葉樹の造林が全国的に推進された。その結果、上記の森林蓄積の樹種構成では針葉樹が約32.3億㎥と大半を占めており、そのうちスギは19.0億㎥と約58％を占め、ヒノキを加えると約81％となる。

　戦後の拡大造林政策からおよそ60年が過ぎた2020年現在、当時造林した立木が50〜60年生となり始め、短伐期としては伐採適齢期を迎えているとされている。しかし高まる資源蓄積の一方で日本の林業や木材産業は1960年代以降、国内の木材需要の減少と、自由化を契機とした輸入木材との競争により、急速に活力を失ってきた。日本の森林資源の利用は、木材需給表によれば、2017年の国内生産は約3,000万㎥であり、木材利用総需要約8,200万㎥に対して自給率36.1％であった。しかし日本の木材自給率は2000〜05年代の19％台をボトムとして、その後、微増傾向が続いている。ただし、日本の人工林の総蓄積量、特にその毎年の成長量約7,000万㎥に対して、使用量が過少であることが課題であるとされている。

(2) 日本の林業と木材産業の生産と流通

　林業は木材[30]への需要によって供給が左右される「需要主導型」の市場構造

29）山口（2015）。
30）木材とは、用材、しいたけ原木、燃料材から成る。ここでいう用材とは、製材用材やパルプ・チップ用材、合板用材から成る。

をしている[31]ため、木材需要の量的・質的な変化をみなければならない。

　木材自給率の微増傾向の背景には、木材需要と国内生産の2010年代における傾向転換がある。木材需要は2000年の約1億㎥以降、2009年の約6,500万㎥まで低下したが、その後2017年には約8,200万㎥にまで回復している。国内生産は、2002年をボトムとして供給量を徐々に増加させ、2009年の約1,800万㎥以降、2017年には約3,000万㎥まで拡大している。またこの傾向と歩調を合わせるように、輸出も拡大傾向を示しており、2009年には約70万㎥であったが、2017年には約260万㎥に拡大している。

　近年の日本における木材の主たる需要項目は、パルプ・チップ、製材、合板である。しかし2010年代の木材需要増加のなかで一番大きなものは燃料材需要であった。その量は、2009年は約100万㎥であったが、2017年には約780万㎥にまで拡大しており、2009年は国内生産のわずか約0.8％しか占めていなかったが、2017年には約20％にまで拡大している。ここには、固定価格買取制度を受けたバイオマス発電所設立による需要増が背景にある。一方で、2000年代以降、製材用材は総需要の中でシェアを落としている。その背景には、新設住宅の着工戸数と床面積の減少があるが、「新設住宅着工戸数が落ち込む中で木造住宅には根強い需要があり、その国産材需要量は総需要量の55％程度を占める[32]」ことは注目に値する。

　またこの裏では、木材の輸入量の相対的な停滞が観察される。2000年代当初、総供給量に占める輸入量の割合は80％台であったが、2017年には約62％まで低下している。輸入においては、パルプ・チップの占める割合が大きく、2017年には輸入量のうち約52％を占め、これは総供給量のうち約33％にあたり、国内のパルプ・チップ用材需要の約84％にあたる。

　これら木材需要の量的・質的変化は、価格の変化にも現れている。戦後の国産材のスギとヒノキの中丸太の価格は、1980年にピークを迎え、1990年以降は下落を続けている。ところが、製材品の価格と比較すると、製材品の価格よりも中丸太価格や山元立木価格の下落が大きく、製材品は2008年以降下落傾向を

31）柳幸（2006）。
32）立花（2016）。

緩やかにし、2012年以降は上昇傾向もみられる。そしてこれら長期の価格低下は山元立木価格の低下として森林所有者に転嫁されてきた[33]。これは森林所有者の森林管理への関心を失わせ、森林管理放棄の一因となっている。

　続いて林業について。その産出額は、2017年の値で約4,860億円であり、木材生産と栽培きのこ類生産がそれぞれおよそ50%ずつを占めている。そのため森林資源の産業利用において、木材生産のみに着目するのは、その半分しか見ていないことには注意が必要である。うち木材生産額は2000年代前後に大きな落ち込みがあり、2009年には約1,860億円で最低を記録したが、2017年は約2,550億円に拡大している。その要因として、上述した輸出用丸太と燃料用チップの生産拡大があり、前者は2009年にわずか約4億円だったものが2017年には約96億円に、後者はデータがある2011年に約17億円だったものが、2017年には約215億円にまで拡大している。

　次にこれら生産を担う生産者の数について、林業センサスが定義している「林業経営体」を単位としてみた場合、世帯単位で林業を行う「家族林業経営体」数は2005年に約17万8,000であったものが、2015年には約7万8,000に減少しているが、未だ林業経営体数の約9割を占めている。また「組織林業経営体」数は2005年に約2万2,000であったものが、2015年には約9,000に減少している。しかし、1経営体当たりの保有山林面積と素材生産量は拡大傾向にある[34]。

　ただし、この「家族林業経営体」が担う生産の大きさも看過してはならない。2000年代以降の素材生産量の拡大は、「雇用労働力を用いた大規模な組織林業経営体によってではなく、じつは自家労働力を中心とした家族林業経営体によって牽引された[35]」ことが明らかにされている。また2010年農林業センサスの値では、この家族林業経営体の約73%が農業経営体でもあり、農山村における農林複合経営の実態が指摘される。

　国勢調査が定義する「林業就業者」数は、直近の2015年には6.4万人を記録している。就業者総数に占める若年層の割合をみると、回復傾向にある。その

33）立花（2016）。
34）志賀（2020）。
35）佐藤（2014）P.32。

背景には、「緑の雇用事業」による林業への新規就業者数の増加と、それを含め、新規就業者数が2003年以降平均して毎年3,300人いることが指摘される。

　以上の拡大傾向に地域の林業と木材産業がいかに対応していくのかが重要となる。そこでは、組織林業経営体のみならず、農林複合経営を主とする家族林業経営体を排除しないあり方の実現が内発的発展の要点となる。そこにおいて自治体はどのような役割を担いうるのか。次節では、その役割を規定する森林政策の展開を見ていく。

3. 日本の森林・林業政策の展開とその財政現象

(1) 日本の森林・林業政策の展開

　日本の森林は、国が所有する国有林と、そうではない民有林に分けられ、後者は地方自治体が所有する公有林と、私的に所有される私有林がある。森林資源統計によれば、2017年3月末時点の値で日本の森林面積のうち、国有林は約30%、公有林は約12%、私有林は約57%であった。そのうち人工林面積は、国有林の約30%、公有林の約45%、私有林の約46%であり、いずれも天然林が過半を占めている。

　続いて都道府県を単位として森林率と人工林率を比較してみると、森林率では高知県の84%をトップに、80%代2つ、70%代が19ある一方で、30%代が6つあり、千葉県と大阪府が30%で最下位である。また人工林率は異なる分布を有しており、沖縄県が11%で最低である一方、佐賀県が67%でトップである。他にも生産と流通構造については、森林率や人工林率、所有形態の構成とともに、川上から川下にかけて、歴史的に規定されている部分がある。例えば、素材生産業者を含む林業事業体と製材事業体とのネットワークは、地域が戦前からの林業地であるか否かによって、特性を異にしていることが指摘されている[36]。また私有林の所有の特性として、東日本は比較的大規模所有である一方、

---

36) 林ら（2016）。

西日本は零細な小規模所有が多い。

　このように一言に「森林資源」といっても、その存在形態は地域毎に多様である。また管理主体も異なり、国有林については、国有林野事業として国が政策を実施しており、都道府県や市町村が実施主体となるのは、主として民有林である。

　保安林制度と森林計画制度は「日本の林政における…2本柱[37]」と言われている。森林は、その素材生産機能と同時に「多面的機能」の発揮という公益的機能をも有している。そのため、森林の過剰な利用によって公益的機能が損なわれる事態を避けるために、国の介入がされてきた。その最たるものが伐採や開発を制限する保安林制度であり、その転用規制は今日まで効力を発揮し続けている[38]。

　森林計画制度は、森林法に基づいて国が策定した方針や目標、施策を、都道府県、市町村、そして森林所有者に上から下へ順次具体化しながら従わせるトップダウン型の制度である。森林所有者は、これら上からの指示を遵守する義務を負っており、極めて「動員的性格が強い[39]」。その現行制度は、2012年より施行されている森林経営計画制度である。

　日本では、国際競争下で低下してきた木材価格に対して、育林と素材生産におけるコスト高の課題が指摘されている。そのため高性能林業機械の導入とその作業が可能な林道整備による供給コスト低下が必要であるとして、小規模で分散的な所有を克服した、団地化によるより広範で面的な利用の拡大と、高価な高性能林業機械の導入が可能となる事業体の育成が国によって政策的に推進されている。

　2001年の森林・林業基本法の制定および森林法改正による森林施業計画制度の改定によって、「5年以上の長期にわたって森林所有者と施業・経営の受委託契約を結んだ者が森林所有者に代わって森林施業計画の認定を受けることができる[40]」ようになった。これによって森林組合等の林業事業体が森林所有者

37）山本（2016）。
38）古井戸（2016）。
39）柿澤（2018）。
40）藤掛ら（2015）。

と施業管理委託契約を締結するケースが全国的に拡大し[41]、2012年の森林経営計画制度導入以降は、森林組合等の林業事業体の施業・経営の受託者としての役割が増した[42]とされる[43]。

しかしその一方で、上述した家族林業経営体のような小規模生産者は主たる政策対象から外され、資源・産業政策的側面を強めている。特に2000年代後半より国の森林・林業政策の方針は、「木材産業に対する「産業政策」への政策的傾斜と「森林資源の循環的利用」における「木材産業の役割」を強調する傾向が強まった」とされている[44]。森林・林業政策には木材生産以外にも、複数の政策パッケージがあるが、近年は木材生産の活性化を通じた森林の多面的機能の回復・向上と、林業の成長産業化が主唱されている。

それは、2004〜2006年度の「新流通・加工システム」や2006〜2010年度の「新生産システム事業」によって推進された大規模国産材製材業形成にも現れ、特に2009年12月に発表された「森林・林業再生プラン」の下、国産材の利用拡大が目指されている。そのため、とりわけ間伐を促すために、2011年度より「森林管理・環境保全直接支払制度」が導入され、上記の森林経営計画を策定した事業体の間伐に対して補助金を交付している。

ではこれら一連の森林・林業政策は、財政としてどのように現象してきたか。

(2) 日本の森林財政の展開

石崎は一連の研究[45]で、2000年代以降の森林財政の特徴として、地方自治体の林業費支出の約8割を林野公共事業[46]が占めていること、その投資主体として都道府県が占める割合の大きさ、また地方自治体の支出に占める国費投入割合の高さを明らかにしている。現行の森林・林業基本法下において市町村は「地域の諸条件に応じた施策の策定及び実施主体として積極的に位置づけら

---

41) 志賀（2014）。
42) 事実、森林組合は2000年代の合併によりその数を減らしながら、事業規模を拡大させており、植林、下刈、間伐など施業の受託事業を行うことが多く、『平成29年度 森林・林業白書』によれば、全国の施業受託面積のうち主伐を除いて約5割を森林組合が担っている。
43) 藤掛ら（2015）。
44) 志賀（2016）。
45) 石崎（2014）、石崎（2018）、石崎（2019）。
46) 森林・林業政策にかかわる公共事業を意味し、造林事業・林道事業・治山事業を指す。

れ[47]」ているが、依然として都道府県が有する意義は大きい。

　林野公共事業に焦点を当てると、都道府県の林野公共事業には国庫補助を伴う補助事業と伴わない単独事業が、市町村にも同様に国庫もしくは都道府県からの補助が伴う補助事業と伴わない単独事業がある。1990年代を除いて、一般的には補助事業が単独事業の5倍を推移している。都道府県の国庫補助事業においては治山事業が過半を占めており、それに林道事業と造林事業が続いている。林野公共事業は全体的に削減傾向にあるが、造林事業に対しては予算が重点的に措置されてきたという特徴がある。一方で、市町村では林道事業が占める割合が高い。また、1990年代半ばより地方債の発行額が急激に増額している。これは、1980年代後半に国の政策として推進された公共投資拡大の財源として国庫支出金ではなく、都道府県の地方債で賄う構造ができた[48]ためである。

　しかし、その後の公共事業の縮小期に入ると、支出額は急激に縮小している。特に、国有林関係の支出を除いても2008年度以降は林野公共事業の割合は低下を続けており、「非公共シフト」と呼ばれる動きが観察される。

　また森林・林業政策における市町村の役割を拡大させるならば、それを担いうるだけの財源と人材が市町村に必要となることは言うまでもない。しかし、これまでそれらの措置は極めて不十分であった。少なくとも、市町村の林業費支出という量的な側面においては、「市町村の役割強化の動きを読み取ることはできない[49]」。2019年4月より施行された森林環境税・森林環境譲与税はこの財源不足に対する政策的措置として期待されている。しかし、森林の所有者やその境界等を判明させる地籍調査の進捗率は2017年度末時点において、林地については45％に留まっている。またその進捗率は地域間で相違があり、まずはその解消から取り組まなければならない地域が多い。更には、上記の通り林業関係の自治体職員は削減が進み、1,000ha以上の私有林人工林を有する市町村の約1割が林務担当専門の職員が不在であり[50]、配置されている場合も専門

47）石崎（2010）。
48）石崎（2006）。
49）石崎（2010）。
50）林野庁『令和元年度　森林・林業白書』P.62。

ではなく他業務との兼務が多いのが実態である[51]。

　以上、日本林業・木材産業の一般的趨勢と、森林・林業政策の展開、その財政の現われを見てきた。最後に次節では、農山村地域の内発的発展のための自治体の役割について、ケースを見ていく。

4．地域産業政策と農山村の内発的発展

⑴ 岡山県西粟倉村の取り組み

　本節では、森林資源の利活用を通じた地域内経済循環の構築を目指した取り組みに焦点をあてて、岡山県西粟倉村の取り組みを紹介する[52]。

　岡山県の人工林率は県北部地域において高く、樹種としてヒノキが多いという特性を有している。

　岡山県西粟倉村は、県の北東の県境に位置する。国勢調査によると1990年の1,939人以降、人口は減少を続け2015年に1,472人を記録しているが、2005年から2015年にかけて人口の社会増加を実現している。また、2010年から2015年にかけては小学生人口増加率、女性人口増加率が県下で一番高い。

　その背景には、西粟倉村が取り組んできた2つの政策の流れがある。1つは、地域の森林の利活用推進政策である。具体的には、2009年4月から開始された「百年の森林事業」であり、それを構成する「百年の森林創造事業」および「森の学校事業」の2つの事業である。

　「百年の森林創造事業」は、「長期施業委託契約」の締結により地域の森林の集約的な管理を進める事業である。「森の学校事業」は、「百年の森林創造事業」から供給されてきた原木を、2010年4月より事業を開始した第三セクター「株式会社　西粟倉村・森の学校」が一括で買い取って木材に加工し、販売する事業である。この原木販売からの利益は森林所有者と村役場に折半して配分される。

51）鈴木ら（2020）。
52）詳しくは白石（2018）（2020）を参照。

　当該事業の財源を見ると2012年度以降、補助金が常に歳入の3〜4割を占め、残りの6〜7割を自主財源で捻出している。この補助金は、約6〜9割を国の補助金である「森林環境保全直接支援事業」が、残りを岡山県の森林環境税を用いた補助事業が占めている。2017年度には「森林環境保全直接支援事業」による補助がなくなり、支出額は減少している。また当該事業に必要な財源の不足分は一般会計からの繰入金によって賄われている。

　もう1つの政策は、移住者を中心とした起業と就業の支援政策である。2006年7月に最初の起業がなされてから、2017年12月末時点までに、林業に連なるバリュー・チェーン上に10の事業体が、それ以外にも27の事業体が起業され、上記の人口の社会増加にも貢献している。

(2) 農山村の内発的発展とコロナ禍

　内発的発展論は、地域住民を主体とする地域固有の資源を活かした発展方式を追究してきた。それは、地域の資源を利用しながらも、外来資本による開発によって利潤が流出し、時には地域の自然環境や生活環境が破壊されもするような発展方式との対抗関係において捉えられてきた。しかし都市化の進展している農山村にとってそれは完全なる自給自足経済を目指すものではなく、流出価値の地域還元と事業創造を通じた価値創出を目指すものとなる。

　農山村の地域資源として、森林資源の他に、地域に賦存するエネルギーと食、そして人が挙げられる。この場合の「人」は単純な労働力人口を指すものではなく、かつ外部の人も含めた概念として用いている[53]。2000年代後半より、農山村への移住の問い合わせは増加しており、特に20〜40代の若年層の増加が顕著である。この潜在的な担い手は、地域産業振興への貢献も期待されている。ここには専業のみならず、兼業や複合経営が含まれている。

　このような農山村の取り組みにおいて、近年改めて農山村と都市との共生関係に光が当てられている。そしてこのたびのコロナ禍は、過度な集中化の進む都市構造、特に東京一極集中の脆弱性を露呈させ、「密」を強いられる都市的

53）小田切（2018）。

生活から、それとは対照的な農山村の特性を浮かび上がらせた。2020年度より開始された農林水産省の「新しい農村政策の在り方に関する検討会」では、農村の産業と生活の総合的な振興のための農村政策を検討するなかで、このような農村の特性に改めて焦点を当てている。

またコロナ禍で進展したテレワークの経験は、場所を選ばない働き方に対する認識を高め、農山村への転職希望を高めている[54]。特に20〜30代の関心の高まりが特徴的であり[55]、これらを受けての農山村側の主体的な取り組みが求められる。そこにおいて上述した西粟倉村のケースは参考となる。かねてより情報通信技術を活用した農山村での都市的産業の移転が見られた[56]が、その更なる進展が期待される。

同時に農産物直売所の役割に対する評価も高まっており[57]、都市農村共生の具体的方策も提起されつつある。

これらの事態は、農山村の低密度を非効率とみなす見解に対して疑義を呈し、多様なライフスタイルの実現を可能とする場として農山村を捉える視覚を提供している。そのため、コロナ禍を経て、上述した都市から農山村への移住希望を実現させるための様々な支援がこれまで以上に必要となる。

おわりに

冒頭で述べたような持続可能性の危機に直面している農山村は、自覚的な取り組みとして地域内経済循環を構築し、地域内再投資力を高めることが求められている。そこにおいて地方自治体が果たす役割は大きいが、そこには規定的諸要素が影響を及ぼしている。そのため、その影響を踏まえて、政策を実施することが肝要となる。

第4節にて紹介した西粟倉村の取り組みは参考にするべき点を多く含んでお

---

54) 内閣府「経済財政諮問会議 令和2年5月29日資料」より。
55) 内閣府「新型コロナウイルス感染症の影響下における生活意識・行動の変化に関する調査」（令和2年6月21日）。
56) 徳島県神山町など。
57) 農水省「都市農業に関する意向調査」（令和2年）。

り、示唆的である。まずは自治体によるビジョンの策定と、その実現に向けた積極的な投資である。それでいて投資後は支援に徹し、民間の自主性を引き出していることは特筆すべきである。また地域産業政策として、"人への投資"を積極的に行い、地域内での多数の起業を促すことが、地域内経済循環の構築のための政策として有効であることを示している。

　加えて、一連の地域産業政策や移住支援政策の成果は、税収増として自治体にも還元されており、自治体による地域内再投資を行うための財源涵養の側面を有していることも見逃してはならない。

　西粟倉村のケースが、そのまま他地域に応用できないことは言うまでもないが、上述した諸点は、参照するべき内容を含んでいると考える。

【参考文献】

Boadway, Robin and Shah, Anwar（2009）*Fiscal Federalism*, New York: Cambridge University Press.

Musgrave, Richard A.（1987）"Merit Goods", Eatwell, John, Murray Milgate, and Peter Newman (eds,) *The New Palgrave: A Dictionary of Economics*, vol.3, London: Macmillan, pp.452-453.

石崎涼子（2006）「都道府県による森林整備施策と公共投資」日本地方財政学会編『持続可能な社会と地方財政』勁草書房。

石崎涼子（2010）「森林・林業政策における国と地方自治体」『経済科学研究所　紀要』40、97-108。

石崎涼子（2014）「自治体における森林政策と費用負担」岩本純明編『戦後日本の食料・農業・農村　第2巻（Ⅱ）　戦後改革・経済復興期（Ⅱ）』。

石崎涼子（2018）「森林・林業分野の財政と農山村地域」『森林環境2018』森林文化協会、24-33。

石崎涼子（2019）「森林政策におけるナショナル・ミニマムの変遷」門野圭司編著『生活を支える社会の仕組みを考える』日本経済評論社。

岡田知弘（2016）「現代日本の地域経済と地域問題」岡田知弘・川瀬光義・鈴木誠・富樫幸一『国際化時代の地域経済学［第4版］』有斐閣。

岡田知弘（2020）『地域づくりの経済学入門 —— 地域内再投資力論 増補改訂版』自治体研究社。

小田切徳美（2014）『農山村は消滅しない』岩波新書。

小田切徳美編著（2018）『内発的農村発展論：理論と実践』農林統計出版。

柿澤宏昭（2018）『日本の森林管理政策の展開：その内実と限界』日本林業調査会。

梶田真（1999）「地域間所得再配分と縁辺地域 —— 地方交付税の配分構造と政策過程」『経済地理学年報』45(4)、333-349。

金澤史男（2008）『公私分担と公共政策』日本経済評論社。

小西砂千夫（2017）『日本地方財政史：制度の背景と文脈をとらえる』有斐閣。

佐藤宣子（2014）「地域再生のための「自伐林業」論」佐藤宣子・興梠克久・家中茂『林業新時代：「自伐」がひらく農林家の未来』農文協。

志賀和人（2014）「森林管理問題と林業経営体」岩本純明編『戦後日本の食料・農業・農村　第2巻

（Ⅱ）　戦後改革・経済復興期（Ⅱ）』。

志賀和人・志賀薫・早舩真智（2015）「北海道カラマツ人工林の主伐・再造林問題 —— 人工林経営の資金循環と資源保続」『林業経済』68(6)、1-18。

志賀和人（2016）「市場経済と林業経営」志賀和人編著『森林管理制度論』J-FIC。

志賀和人編著（2020）『現代日本の私有林問題』J-FIC。

重森曉（2016）「現代財政の特質と財政民主主義 —— 財政とは何か」植田和弘・諸富徹（2016）『テキストブック現代財政学』有斐閣、3-20。

島恭彦（1951）『現代地方財政論』有斐閣。

白石智宙（2018）「農山村における地域内経済循環の構築過程分析 —— 岡山県西粟倉村を事例に」『財政と公共政策』40(1)、80-92。

白石智宙（2020）「林業・木材産業等の地域内経済循環と財政循環：岡山県西粟倉村をケースとして」『財政研究』16、237-254。

神野直彦（2007）『財政学（改訂版）』有斐閣。

神野直彦・小西砂千夫（2014）『日本の地方財政』有斐閣。

鈴木春彦・柿澤宏昭・枚田邦宏・田村典江（2020）「市町村における森林行政の現状と今後の動向 —— 全国市町村に対するアンケート調査から」『林業経済研究』66(1)、51-60。

立花敏（2016）「基本法林政と日本林業の変遷」岩本純明編『戦後日本の食料・農業・農村　第2巻（Ⅱ）　戦後改革・経済復興期（Ⅱ）』。

中島正博（2019）『「競争の時代」の国・地方財政関係論』自治体研究社。

畠山輝雄（2013）「合併後の市町村における周辺部の過疎化の検証」『地理誌叢』54(2)、16-25。

林雅秀・天野智将（2010）「素材生産業者のネットワークが森林管理に与える影響」『社会学評論』61(1)、2-18。

藤掛一郎・大地俊介（2015）「森林組合への長期施業委託の意義と課題 —— 宮崎県美郷町有林、日向市有林の耳川広域森林組合への委託を事例として —— 」『林業経済』67(10)、17-30。

古井戸宏通（2016）「森林法の展開と公益性」岩本純明編『戦後日本の食料・農業・農村　第2巻（Ⅱ）　戦後改革・経済復興期（Ⅱ）』。

保母武彦（2013）『日本の農山村をどう再生するか』岩波書店。

宮本憲一（1994）「分権化時代における地方財政論の課題」日本地方財政学会編（1994）『分権化時代の地方財政』勁草書房、P.67-83。

宮本憲一・遠藤宏一（1998）『地域経営と内発的発展 —— 農村と都市の共生をもとめて —— 』農山漁村文化協会。

宮川愛由・長川侑平・藤井聡（2018）「自治体の統合が人口分布に及ぼす影響の分析」『都市計画論文集』53(2)、144-151。

森裕之（2017）「地方財政論の共同体主義による再規定 —— メリット財を手がかりとして —— 」『政策科学』24(3)、309-330。

諸富徹（2007）「分権化と地方政府収入」諸富徹・門野圭司（2007）『地方財政システム論』有斐閣。

諸富徹（2010）『地域再生の新戦略』中公叢書。

諸富徹・沼尾波子編（2012）『水と森の財政学』日本経済評論社。

山口明日香（2015）『森林資源の環境経済史：近代日本の産業化と木材』慶応義塾大学出版会。

柳幸広登（2006）『林業立地変動論序説』日本林業調査会。

山本伸幸（2016）「森林資源政策と公益性」岩本純明編『戦後日本の食料・農業・農村　第2巻（Ⅱ）　戦後改革・経済復興期（Ⅱ）』。

第4部

日本の新たなる国内課題と、社会のあるべき「姿」を探る

第10章　経済成長・格差・少子高齢化

金江　亮（桃山学院大学）

キーワード：労働価値説、経済成長、増税、再分配

はじめに

　日本経済、ひいては先進国経済全体が低成長、少子高齢化、デフレ傾向が問題になっている。それに対し、様々な議論がある。どうなるか、どうすればいいか、その一端について私の研究から概観したい。

　私の専門は、数理的な立場からマルクスを研究することである。マルクスの経済理論を、現代のミクロ・マクロ経済学の手法とともに分析するもので、傍目からみればそれほど近代経済学と違いがないように見えるが、主に労働価値説、格差、利潤率の長期低落などの関心に重きを置く点に違いがある。その中でも、私自身は、資本主義の長期動向を探る最適成長論を主として分析している。かつてノーベル経済学賞の候補ともなった、故・森嶋通夫は、マルクスを動学的一般均衡理論の先駆者、ワルラスを静学的一般均衡理論の先駆者と評した。現代の経済成長理論の原点はマルクスの再生産表式にある、と言ってよい。

　この現代的なマルクスの観点から、これからの日本経済の将来についてどのようなことが言えるかを、本章で扱う。マルクスの全体系を述べるのは限られた紙面では到底不可能なので、ここでは先に簡単なエッセンスだけ紹介したい。

1．労働価値説

　労働価値説とは、狭い意味では、商品の価格は、その商品を生産するのに直接間接に必要な投下労働量で決まる、とする学説である。アダム・スミス

（1723-1790）、デイビッド・リカード（1772-1823）、カール・マルクス（1818-1883）と連綿と発展してきた。

　ただし、スミスは「経済学の父」だけあって、その後のありとあらゆる経済学説の大本であるだけに、価値論も効用説、支配労働価値説、投下労働価値説と混在している。また、労働価値説も、未開社会の単純商品生産社会でしか成り立たない、としている。

　単純にいうと、こうなる。

　　Aさんは、ビーバー1匹を捕まえるのに8時間かかった。Bさんは、鹿2頭を捕まえるのに4時間かかった。このとき、

　　　　ビーバー1匹＝鹿2頭

　の比率で交換が行われる。

とするのが労働価値説である。ただし、狩りにも上手下手はあるので、どちらも同程度の力量としておく。上手な人ならば、同じ1時間でも普通の人の2時間分の価値を作り出すことはあり得る。逆に、下手な人は、同じ1時間でも普通の人の30分の価値しかないかもしれない。

　以上の説明で、労働価値説は分かりやすく、正しそうだなと思われるだろう。しかし、問題もある。スミスは、未開社会、資本主義のごく初期にしか成り立たないと考えていた。それは、機械を使うことで、労働投入量と生産物の間の関係が直接結びつかなくなるからである。

　それに対し、リカードは労働価値説に修正が必要となることに気づきつつも、一次近似としては正しい、としていた。俗に、93％労働価値説と呼ばれたりもする。対して、マルクスはもっと徹底し、いわば100％労働価値説という立場である。マルクスの特色は、労働力商品にも労働価値説を適用したことが大きな特色の一つである。

　例えば、日本経済の最低ラインの賃金を月給20万円とする。これは、労働者1人が1カ月に生きていくのに必要な、家賃、食費、などの生活費で、いわば労働者を"生産"するのに20万円かかる、ということを意味している。それに対し、労働者が作り出す価値は、月に20万円より多くなる。その超過分を剰余労働といい、また搾取ともいう。

日給の場合を例として、3つのケースを挙げてみる。

普通の企業のケース

労働者は8時間働き、2万円分の価値を作り出す。そのうち半分の4時間分=1万円だけを給料としてもらう。

$$\text{搾取率 e（剰余価値率）} = \frac{\text{剰余労働（M）}}{\text{必要労働（V）}} = \frac{4\text{時間}}{4\text{時間}} = \frac{1\text{万円}}{1\text{万円}} = 100\%$$

ブラック企業のケース

労働者は8時間働き、4万円分の価値を作り出す。つまり、普通の企業より2倍の労働強度で働かされている（=しんどい）。そのうち4分の1の2時間分=1万円だけを給料としてもらう。

$$\text{搾取率 e（剰余価値率）} = \frac{\text{剰余労働（M）}}{\text{必要労働（V）}} = \frac{6\text{時間}}{4\text{時間}} = \frac{3\text{万円}}{1\text{万円}} = 300\%$$

ホワイト企業のケース

労働者は8時間働き、2万円分の価値を作り出す。そのうち4分の3の6時間分=1.5万円を給料としてもらう。

$$\text{搾取率 e（剰余価値率）} = \frac{\text{剰余労働（M）}}{\text{必要労働（V）}} = \frac{2\text{時間}}{6\text{時間}} = \frac{0.5\text{万円}}{1.5\text{万円}} = \text{約}33\%$$

実際は、ブラック企業はもっと長時間働かせて搾取しようとする（絶対的剰余価値）。

ひとつ重要なことは、どれだけ労働者思いの企業があったとしても、搾取が行われている、ということである。搾取なしでは、企業は成長できないからである。

もう一つ、強調しておきたいのは、マルクスは「搾取＝悪」とも言っていない、ということである。英語の搾取 exploit には、「搾り取る」など倫理的な意味あいを感じさせられるが、必ずしもそうではない。

例えば、全員平等の社会主義社会でも、経済成長しようとするならば、働いて作り出した価値をすべて消費してしまっては、次期の生産に回せない。成長

するためには、生産物の一部を資本（機械）として、次期の生産に回さなくて
はならない。ということは、成長経済では、労働者が作り出した価値と、受け
取る価値には乖離が生じるのである。もっとも、全員平等ならば、搾取があっ
たとしても、いわば「みんなが平等にみんなから搾取している」状況なので、
資本家も労働者もないので、資本主義とは意味合いは異なる。

　さて、道具や機械を使った場合、投下労働量はどのようにして計算すればよ
いだろうか？
　2つのケースを挙げる。

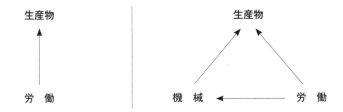

　左図のように、労働のみで生産される場合は、その労働時間そのものが投下
労働量なので明瞭である。しかし、右図の場合は、機械も生産に加わってい
る。後に説明するが、このとき機械も生産に貢献している、という立場で考え
るのが限界生産力説で、この立場では「生産物の価値は、労働・機械のそれぞ
れの生産への貢献分によって決まる」ことになる。これは現在の（近代）経済
学の立場で、労働価値説と対立するように思われているが、実は両立するもの
である。
　しかし、右図をよく見よ。生産に機械が関わる場合でも、その機械自体もま
た、労働で生産される。究極的には労働のみで作られていることが分かる。
「労働は唯一の本源的生産要素」となっている。また、迂回生産となってい
る。この場合、どうやって労働量を計算すればよいだろうか？
　例えば、機械1台を生産するのに10時間の労働が必要であり、生産物を作る
のに機械と労働5時間が必要とする。また、機械は10回使えば壊れる、とする
（減価償却率10%）。このとき、機械の価値は10時間分だが、10回で壊れるので、

１回当たり１時間分の価値が生産物に移転すると考える。

　結局、この場合の生産物の価値は６時間分となる。

　実際は、もっと複雑で、機械の生産にも機械を用いることが一般的である。その場合でも、究極的には労働のみで生産されていると考えられる。というのは、機械自身もそもそも別の機械と労働で生産される。その機械もまた別の機会と労働で生産される。これをずっとさかのぼれば、労働のみで生産されていると考えられる。やはり、労働は、唯一の本源的生産要素になっている。

　土地や石油も本源的生産要素ではないかと思われるかもしれない（古典派経済学では、資本家・労働者・地主の三大階級を考えるのも普通であった）。しかし、農業を行うにも土地を耕さねばならず、いわば労働によって土地をつくらなければならない。また、油田を探したり、採掘するのにも労働を用いており、どんな財も究極的には労働によって生産されると考えられる。

　太陽や水も、事情は同じである。これらが無くては作物は育たないし、そもそも人は生きていけない。その意味では、生産に不可欠な生産要素である。しかし、生産を行う場合には、これらは所与の条件として扱わなければならない。たとえば、作物を育てるとき、太陽がよく照り、水が豊富なところから順番に耕していくが、その選択（＝最適化行動）を行うのは労働である。ミツバチが、蜂の巣を作るのは蜂にとっては労働ではあるが、人にとってはそれを所与の自然条件として、人の立場で労働で測る。労働で測る、というのは、最適化行動と表裏一体である。

　さて、機械の生産に機械と労働が必要な場合の労働量計算の例を考えよう。

　ある機械１台が労働1/3時間と機械2/3台の割合で生産されているとする。そうすると、

　　　機械１台＝労働1/3時間＋機械2/3台

と表せる。しかし、この機械2/3台自体もさらにさかのぼれば、労働と機械で生産されていると考えられる。

　　　機械2/3台＝労働1/3×2/3時間＋機械2/3×2/3台

により、

機械1台＝労働1/3時間＋労働1/3×2/3時間＋機械2/3×2/3台

となる。

しかしこの機械2/3×2/3台自体が、さらに労働と機械で生産されていると考えられるので、結局次々にさかのぼれば、

機械1台

＝労働1/3時間＋機械2/3台

＝労働1/3時間＋労働1/3×2/3時間＋機械2/3×2/3台

＝労働1/3時間＋労働1/3×2/3時間＋労働1/3×2/3×2/3時間＋機械
　2/3×2/3×2/3台

＝労働1/3時間＋労働1/3×2/3時間＋労働1/3×2/3×2/3時間＋労働
　1/3×2/3×2/3×2/3時間＋……

＝労働1時間

となる（初項1/3、公比2/3の無限等比級数）。

　以上で、生産物は究極的には労働のみで生産されることが示されたが、これだけでは不十分なところがある。というのは、生産をするのに複数の生産方法がある場合の選択＝最適化行動が入ってないからである。

2．限界生産力説

　複数の生産方法がある場合に、どれを選択すればよいか。それには限界生産性で判断される。以下の3つのケースを考えてみる。

ケース1
　労働1単位を直接的な生活資料生産にまわすと1単位の生産物が増え
　労働1単位を迂回生産で行うと、1×2＝2単位の生産物が増える。

ケース2
　労働1単位を直接的な生産物生産にまわすと1単位の生産物が増え
　労働1単位を迂回生産で行うと、1×1＝1単位の生産物が増える。

<u>ケース3</u>
　　労働1単位を直接的な生産物生産にまわすと1単位の生産物が増え

　　労働1単位を迂回生産で行うと、1×0.5＝0.5単位の生産物が増える。

　いうまでもなく、このとき、合理的経済主体はケース1の場合には、迂回生産の限界生産性が高いためにより多くの労働を迂回生産に回すこととなり、ケース3の場合には、逆に直接生産の方向に労働をシフトする。この意味で、生産の「迂回生産」への依存は、その適切な「比率」というものがあり、機械のみに依存した生産に社会が無限に進んではいかない。つまり、資本主義が目的とする資本蓄積にもある終着点（最適資本量）があり、そこに到着すればもうそれ以上の蓄積は（減価償却分の補填を除いて）不要になる、「資本主義」の歴史的使命はこの地点で終了し、もしそれ以上に蓄積を進めるならそれは非合理的な「過剰蓄積」をしていることになる。

　（実はもう一つ注意点がある。上のケースだけ見ると、労働量が最小になるように技術が選択されるように見えるが、時間選好率というのを考慮にいれると、必ずしもそうはならない。これはベーム・バヴェルクのマルクス批判にある。マルクスにはない観点である。ここから搾取の源泉は時間選好にある、とか、ピケティの r ＞ g の左辺と右辺の左は時間選好であるなど、興味深い論点も出てくるのだが、ここでは簡単に、大体労働価値説は正しいけど、少し「ズレ」るくらいに思えばよい。この「ズレ」が、時間選好率である。）

3．経済成長

以上を図で表すと、次ページの図のようになる。

　この図は、縦軸は資本労働比率となっているが、一人当たりGDPと思ってもよい。一人当たりというのも重要で、例えば現在、中国のGDPは日本の3倍くらいあるが、人口は日本の10倍あるので、一人当たりで見れば、まだまだ日本より経済発展が遅れている。逆に言えば、中国はまだ当分は経済成長できる、ということでもある。

図1　経済成長の時間経過

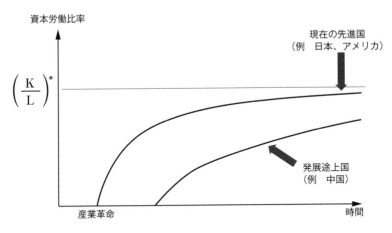

出所：筆者作成。

　アメリカは、現在でも年間に経済成長率が3％くらいある。うらやましく思うかもしれないが、実はアメリカは先進国で珍しく人口が増えている国なのである。経済成長率には、人口が増える効果も加味されている。純粋に、一人当たり実質GDP成長率で見れば、実は2000年以後、日本もアメリカも1％程度しか成長できていないのである。つまり、もう十分に成長していて、もうあまり成長の余地がない、ということでもある。

　これとは少し角度が異なるところはあるが、これに似た議論は、経済学者のローレン・サマーズや日本だと広井良典や水野和夫なども世界史や金利の視点で多くの著書で述べられている。「成熟社会」「ゼロ成長社会」「定常社会」などと呼ばれることもある。

　ただ、厳密に言えば「ゼロ成長」と、「1％成長」は異なると言えば異なる。複利の効果で、「1％成長」も70年経てば2倍になる（1.0170≒2）。とはいえ、1％成長をゼロ成長と呼んでも、そうおかしくもないだろう。また、GDPはあくまで数値上のもので、財の中身は変わってもよいことにも注意が必要である。たとえば、20〜30年前はVHSのビデオデッキは10万円くらいした。今は、10万円出せば立派なBlu-rayレコーダー W録画など豪華なものが買える。同じ10万

円という価格でも、中身の商品の品質が良くなっているかもしれない。とすると、ゼロ成長社会でもそう悪くはないものだ、とも言えるだろう。

4．格　差

　さて、前ページの図では、先進国と発展途上国との格差が縮まりつつある、同じ経済水準に収束することが分かる。現実には、勤勉な国民と、余暇を大切にする国民とか、国民性・民族性の違いもあり、そう単純でもないのであるが、それなりのリアリティがあるのは、お隣の韓国・中国の経済発展を見ても分かるだろう。2020年時点で、韓国は、一人当たりGDPが日本に追いついたとか追い越したくらいにまでなっている。私が小学生の頃は、考えられなかったことである。まして、中国がこれほど経済発展するとは30年前にはみんな思わなかったのではないだろうか？

　「産業的に発展した国は,発展のおくれた国にたいして,ほかならぬそれ自身の将来の姿をしめす」(マルクス『資本論』第1版序文) という有名な言葉がある。上図はまさにそれを示しているともいえる。

　国同士では、格差が縮まる、というのは理解しやすい。では、1国の中の、経済格差についてはどうだろうか。同様に考えて良いならば、先ほどの図のように、格差は縮まるはずである。

　実は、私も最近まで、そのように考えていた。現実には、貧富の差はなかなかなくならないけど、少なくとも理論上は市場経済に任せておけば縮まるはずだと。「富める者が富めば、貧しい者にも自然に富が滴り落ちる（トリクルダウンする）」。

　ただ、よくよく考えると、理論上は格差は縮まらないことが分かる。正確に言うと、富者も貧者も経済成長で豊かになるが、格差は残る、ということである。理論上格差がどうなるかといえば、初期の資産格差の比率が永続することになる。

　例えばAさんは年収600万円、Bさんは年収300万円とすると、経済成長の結果、それぞれAさんは年収1000万円とBさんは年収500万円になる。この場合

2：1の比率のまま、両者ともに豊かになっており、そのこと自体は望ましいことであるが、格差は残っている。

　もっと極端なケースだと、Aさんが年収500万円、Bさんが年収0だと、Aさんだけが年収が増えていき、Bさんは年収0のままである。もともと0では、貯蓄もできないからである。

　国同士では格差は縮まるのに、1国内での格差はなぜ縮まらないのか？はそれ自身、興味深い問題である。

　このような場合に、格差を縮めるには、税を課してAさんからBさんへ所得移転するしかない。

　Aさん、Bさんに格差がありながらも、どちらも所得が増えているときには、格差はそれほど問題にはならない。格差があっても、自身の生活が毎年豊かになっているならば、許容できるからである。しかし、ゼロ成長社会になると、Aさん、Bさんの所得はずっと変わらない。この場合には、BさんはAさんに不満を抱きやすくなる。この原稿を執筆中に、アメリカの民主党大統領候補でサンダースが善戦しているが、社会主義を名乗っている。サンダースは民主党大統領候補に選ばれなかったが、ともかくあの社会主義アレルギーの非常に強いアメリカでも、公然と社会主義を訴える候補が善戦したことは確かで、これはアメリカでさえもゼロ成長社会に近づきつつあることの、一つの表れである。

5．少子高齢化

　さらに、少子高齢化は、日本で急速に進展している。「高齢化」というのは、長寿が実現しているということで、本来は喜ばしいことである。しかし、定年で退役したお年寄りを支えるのは勤労者の若者である。「少子」で大丈夫だろうか？

　昔は高齢者（65歳）1人を神輿で担ぐに11人で支えられていたのが、現在では2.3人、2050年には1.3人となるから大変だ、という説明がよく見受けられる。これを見聞きすると不安になる。だけれども、この説明は誤解を生みかねない要素がある。高齢者を担ぎ上げるのが、まるで若者だけ、のように仮定されて

いる。また、担ぎ上げられるのが高齢者だけ、というのも不自然である。小中高の未成年者、障害者、失業者も担ぎ上げられる側だし、また逆に、元気なお年寄りは支える側に回っているはずである。つい数年前に、医師の日野原重明さんが105歳で亡くなられたが、それまでずっと働いて税金も納めていたわけだから、支える側に回っていたのである。

　それらをすべて加味した、非就業者／就業者の比率は、実は昔から変わっていない。一昔前は、定年は55歳であった。それが60歳になり、政府は65歳まで引き上げることを義務化しようとしている。私も、それは正しい方向性だと考える。実は、1900年ごろの日本は、平均寿命が50歳を切っていた。それがこの100年で、急激に伸びたのである。栄養、公衆衛生、医療が発達した現在では、人生50年どころか、人生80年、さらに日野原先生のように100歳を越えても働ける時代になっているのである。

　だから、少子高齢化は、みんなが思うほど心配することでもない。ただし、子どもを産みたいのに収入が低くて産めない、保育所が足りないから産めない、などの環境はもちろん大問題である。先ほどの、「格差」が永続するという話ともつながる。

6．移民問題

　少子高齢化が進むと、人が足りないなら移民が必要では、との政策提言もなされる。実際、自民党や経団連の中には、移民1000万人という提言もある。アメリカは先進国で唯一、人口が増えていると先ほど触れたが、実はアメリカでも出生率は1.8程度で、2を割っている。つまり、移民を受けているから人口が増えて、それに伴いアメリカのGDPが伸びているのである。アメリカは歴史的に、移民を多く受け入れているが、ヨーロッパのイギリス、フランス、ドイツでも人口の1割が移民となっているほどである。先進国各国はのきなみ出生率が落ちており、それを補うために移民を受け入れている。

　資本の側からすれば、利潤を稼げるならば、労働者は別に日本人だろうが移民だろうが、能力ある人を雇えればいいわけである。労働人口が多ければ、そ

れだけ多くの求人があり、より能力の高い労働者をより安く雇えるので、移民を引き入れるインセンティブがある。ただし、移民を引き入れるならば、言語や文化の違いから軋轢はあるし、何より日本での労働環境に適応するためには学校教育、その他社会保障支出も当然膨らむ。

　一方、労働者の側からは、競争相手が増えることになり、賃下げの圧力になり得るが、一方では福祉や介護の現場での人手不足を補ってもらったり、地方での人口減を補えるメリットもある。

　1人当たりGDPでだけ見るならば、移民を入れても・入れなくても、大して変わらない可能性はある。ただ、1国のGDP全体は、人口に連動してその分増えるので、国の政策としては移民引き入れの方向に向かうだろうし、何より産業のグローバル化が進む現在、日本人が中国で働いたり、逆に中国人が日本に働きに来るのが当たり前になりつつある。

　だから、移民賛成すべきなのか、と言われれば、まず第一には、賛成・反対がどうであれ、移民は増えていくのが歴史の必然であり、それを前提に考えなければならない、ということと、第二に、移民賛成・反対のそれぞれにそれ相応の理由がある、ということを踏まえなければならない。

　移民といっても、人という資源である。移民を引き入れるということは、その移民の本国からの人材流出でもあり、もし日本に来なければ本国で貴重な働きをしたかもしれない。普通、移民というと貧しいというイメージがあるかもしれないが、優秀な人材を奪うという意味では、搾取とも言える。アメリカが、世界をリードする大国であるのは、世界各国から優秀な人材を集めている点も大きい。また、近年では外国人実習生が最低賃金を割り込む時給で長時間働かされていることが問題となっている。

　労働者の立場としては、排外主義の立場での移民反対に与せないが、こういう視点での移民反対には耳を傾けなければならない。

　少し異なるが、リカードやマルクスが穀物法に反対したことと似ているかもしれない。穀物法とは、19世紀のイギリスの、地主を守るため外国からの小麦の輸入を制限するために存在した法律である。労働者からすれば、輸入自由化で安く小麦が買えればうれしいが、資本家は、労働者が安く小麦を買えるなら

賃金を下げやすい。結果としては、輸入自由化だろうと輸入制限だろうと、実質賃金は変わらないかもしれないが、それでも自由化は歴史の必然であった。移民問題も、移民を入れようと入れまいと、労働者の生活はそんなには変わらないかもしれないが、移民受け入れは、多かれ少なかれ歴史の必然であろう。

7. 格差解消には？

　格差を完全になくすのは無理、もしくはインセンティブの面から弊害があるとしても、やはりありすぎるのは問題だろう。特に、子どもが、親の収入状況で、将来の進路が限定される状況はよくない。可能性は誰しもある程度平等に保障する・されなければならない。

　そうするには、例えばいま政府が検討している、教育無償化もその一つだろう。贈与型奨学金を増やす、授業料免除を拡大する、保育所の増設なども含まれる。ただ、財源が必要になる。そのためには、嫌でも増税が必要になることは理解しておかなければならない。

　例えば、デンマークは消費税25%である。その代わり、学費は無料、医療費も安い、など福祉が充実している。消費税増税は、日々の買い物でもいつもかかるし嫌なものであるが、例えば増税される代わりに、子どもの医療費が無料、保育所無料、高校・大学の学費が無料、なら「それならよいかも」と思わないだろうか？　これらを全て実現するには、消費税が20%くらいいるかもしれない。しかしそこまででなくても、慶応大学の井手英策教授は、消費税率15%ならば、国立大学無償化や私学助成充実、保育充実しつつ財政再建できるとの試算を出されている。ちなみに、EUでは加盟国は最低でも消費税率15%にすることを指針としている。

　いまは、消費税をもとにした増税を例にしたが、もちろん所得税、法人税、相続税などいろいろ財源はある。また、金融緩和のマネーを再分配に使え、という意見もある。また、それとのつながりで最近はMMT（Modern Monetary Theory、現代貨幣理論）という非主流の経済学も話題を集めている。

　反緊縮という政策提言もなされているが、注意が必要である。というのは、

増税は緊縮、というわけでは必ずしもないからである。増税と言っても、財政再建のための増税と、財政支出のための増税では異なる。前者は、緊縮になるが、後者は緊縮ではない。増税して再分配するならば、お金をとって配っているから意味が無い、と思われるかもしれないが、そうではない。累進的な所得税、相続税はもちろんのこと、一見すると逆進的な消費税で集めた税収でも、たとえば国民に均等額を配れば、差し引きで見ると累進的になる。

　例を挙げてみよう。現在、日本の消費税は8％から10％に増税された際に軽減税率が導入されて計算が複雑になったが、軽減税率なしの場合には、ざっと1％で2.5兆円の税収になる。仮に消費税20％とすると、50兆円で、それを赤ちゃんからお年寄りまで含めた日本国民約1億人で均等配分すると、50万円となる。一世帯父・母・子2人の4人家族なら、年間200万円である。

　①消費税0％と、②消費税20％の代わりに一世帯毎年200万円もらえます、の2つのケースの場合、後者の方を選ぶ人の方が多いのではなかろうか。実際、消費税20％で200万円分支払うには、年間1,000万円の支出が必要である。この場合、非常におおざっぱに見て、世帯収入1,000万円未満の人には消費税20％の方が得になる。約9割の世帯にとっては再分配になる。もしデンマークと同じ消費税25％ならこれが1,250万円未満の世帯となり、約95％の世帯にとって再分配になる。

　北欧諸国が、重税でも国民の幸福度が高いのは、この理由による。低負担・低福祉VS高負担・高福祉のトレードオフであって、低負担・高福祉はあり得ない。実際の経済政策の現場では、これらをミックスしたものになるだろう。

　ただし、財政再建のために増税分が回ってしまうならば、負担増に見合った給付が得られず、国民からは不満が出る。日本の強い増税忌避感はそのためであるが、一方では、そもそも社会保障支出が膨らむのに増税できないから財政が悪化したのも確かで、本来であれば消費税に限らず、増税という負担と社会保障や教育無償化といった給付はセットで行なっていれば、そうはならなかったであろう。

　消費税以上に逆進性が強い社会保険料の引き上げには、それほど強い忌避感が出ないのは、給与からの天引きのためもあるが、将来もらえる年金額や、医

療費と強いリンクがあることが分かりやすいためである。

おわりに

　高成長率の時代は、いろいろな社会問題も、みんな豊かになっていたので問題として浮上してこなかった。しかし、これからの時代、ゼロ成長ないし1％程度の低成長率を前提として、少子高齢化社会に向き合わなければならない。しかしそう悲観することはない。そもそも高齢化自体は、日本の医療・社会保障がうまく機能しているということである。健康で働ける人には高齢でも働いてもらい、社会を支える側に回ってもらえばよい。

【参考文献】

井手英策（2018）『幸福の増税論　財政はだれのために』岩波新書。
大西広（2015）『マルクス経済学 第2版』慶應義塾大学出版会。
大西広（2005）「市場と資本主義の関係についての史的唯物論的理解について」季刊経済理論42巻1号P. 4 -11。
権丈善一（2020）『ちょっと気になる社会保障 V 3』勁草書房。
広井良典（2001）『定常型社会　新しい「豊かさ」の構想』岩波新書。

第11章 民間非営利組織の営利化、営利組織の非営利化

—NPO、社会的企業、CSR、ESG投資のゆくえ—

梶原太一（高知県立大学）

キーワード：非営利組織、NPO、営利組織、株式会社、事業収益、社会的支援収益、社会的企業、CSR、SDGs、ESG投資

はじめに

日本では、1998年の特定非営利活動促進法（NPO法）の制定により、市民が主体的に携わる民間の非営利組織に法人格を付与し、その組織が自由に展開する非営利的活動の基盤を整えるためのしくみが導入された。これは、従来の民間非営利領域の活動が、民間と名乗りながらも行政主導の強力な関与の下で担われてきたという慣習、いわゆる「公益国家独占[1]」という体制に対し、真の意味で民間の市民が非営利セクターを担うための力量の形成と発揮の機会を作り出すものとして、歴史的契機であったといえる。

その後、現在にいたるまで20余年が経過したが、政府部門の再編成の余波も受けながら、非営利領域の活動をめぐる構造は、再び大きく変容しつつある。この変容をもたらしているのは、主に2方面からの動きであると考えられる[2]。

1つは、非営利領域に対して、株式会社などの営利組織のビジネスの手法や慣行（とりわけ、貨幣数値に換算した数値目標の設定や業績評価の導入など）を導入することによる、非営利領域への資本の包摂や、経済合理性に律された市場化・商品化の展開、という変容である。

---

1) 今田（2014）p.231参照。かつての日本で、公益国家独占を成立させていたものは、"公益は国家が担当すべき"とする、主体性を放棄した他人任せの観念の存在であった、といえる。
2) 斎藤（2004）pp.49-82参照。これらの変容は、"ビジネスの社会化"と"NPOのビジネス化"として整理されている。

　他方のもう1つは、営利組織（株式会社）が「CSR」(corporate social responsibility)の遂行や「SDGs」(sustainable development goals) の達成、「ESG」(environment、social、governance) の重視、といったキーワードを掲げて、その名のもとに、環境保護や地域社会との連携、人権保護などの社会貢献活動を模索し、企業に直接的な金銭的利益をもたらすものではない非営利的な活動領域にも自らの経営資源を振り向けてくるようになった、という向きの変容である。

　NPO（特定非営利活動法人）に代表される民間非営利組織の営利化（あるいはビジネス化）、そして、会社に代表される営利企業の非営利化（あるいは社会化）という2つの潮目の中の合流点として、現代社会では、両者の性質を止揚しようとする「ソーシャル・ビジネス」（社会的企業、社会的起業）や、ローカルな地域の問題に住民主体の事業活動で対処しようとする「コミュニティ・ビジネス」といった第3、第4の企業形態に対する期待も膨らみつつある。

　本章では、このような非営利領域・営利領域の双方の現状への理解を深める中で、2030年、2040年へと向かう新しい企業活動の姿を見つめ、将来の課題と展望を探りたい。

1．この20年間で民間非営利セクターは進化したか

(1) 特定非営利活動促進法 (1998年) 制定後の経過

　日本に存在する各種の民間非営利組織（広義のNPO）には、行政が主導する厳しい管理の下に置かれた制約の中で非営利的活動を展開する組織（典型的な例として、文部科学省等の監督を受ける学校法人、厚生労働省等の監督を受ける医療法人、社会福祉法人、各官庁や自治体の監督を受ける独立行政法人、公益法人など）がある一方で、真の意味での民間の自由な立場から創意工夫を用いて非営利的な社会貢献活動を担う存在として登場した「特定非営利活動法人」（狭義のNPO）のような組織もある。

　日本の文脈では、単にNPOと言った場合、各種の非営利法人の中でも、特定非営利活動法人のみのことを指すという用語の使い方が行われている。この

特定非営利活動法人は、1998年に議員立法によって成立した特定非営利活動促進法に基づいて設立される法人のしくみである。

　特定非営利活動促進法が必要とされるようになった背景には、1995年の阪神・淡路大震災における全国的なボランティア活動の盛り上がりがある[3]。災害の復興の過程では、それらを社会全体としてどのように支援していくかが課題となる中で、政府や自治体による復興支援だけではなく、民間の自発的な復興支援活動に対する期待も高まっていった。しかし、民間の自発的な活動は、個々人が得手勝手にバラバラになされるものであるという特徴を有していることに加えて、活動の基盤がもろいことに課題を抱えていた。

　これらの多様な活動を大きな力としてまとめていくための受け皿となる団体の存在の重要性が社会的に認識されるようになる中で、市民団体、行政、政界、経済界などの各分野の関係者を巻き込んだ議論が行われ、1998年3月の特定非営利活動促進法の成立へと結び付く。この法律の制定は、真の意味での「民間」のボランティア団体に法人格を付与するという点で、従来には無かった市民活動の主体ないし受け入れ組織となる存在を社会に登場させるものとなり、画期的な進歩であった。

　その後、制度導入の1998年からすでに20年余りが経過した。この間、全国各地で多数の特定非営利活動法人が設立され、あるいは、解散してきた。図1は、特定非営利活動法人の活動団体数の推移が、どのような経過を辿ってきたのかを見たものである。

　認証数は、所轄庁（都道府県政令市）によって設立が認証された団体数から、解散した団体数を差し引いた値である。2015年頃から団体数の増加は横ばいとなり、その後2017年〜2018年頃をピークに特定非営利活動法人としての活動数も徐々に下降のトレンドに転じている。その背景には、1998年の法律の制定時にはなかった、会社の設立の規制緩和（2005年）、ならびに、一般社団法人・一般財団法人の設立に関する規制緩和（2008年）といった、他の企業形態に関する制度や規制等の環境変化が影響を与えているものと推測される。

3）1990年代のボランティア活動の状況については、川野（2004）pp.33-37参照。

図1　特定非営利活動法人の活動団体数の推移

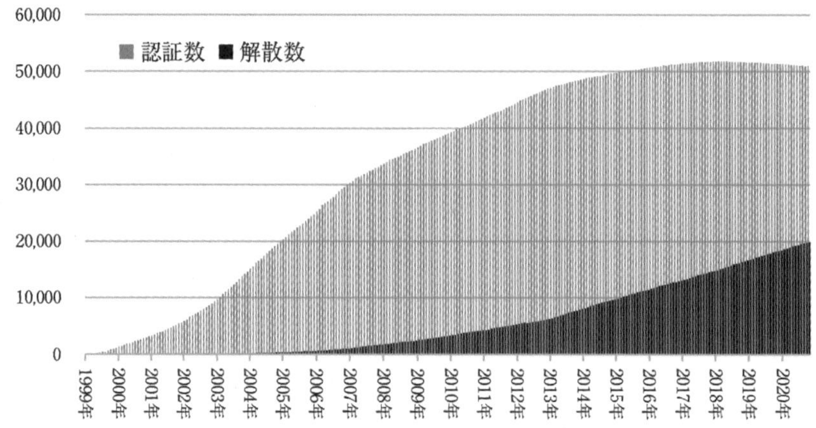

https://www.npo-homepage.go.jp/about/toukei-info/ninshou-zyuri参照。
出所：内閣府NPOホームページ「認証申請受理数・認証数（所轄庁別）」

　表1は、団体数がピークであった2018年3月から、その後2020年に至るまでの3年間に、活動分野別の団体数がどのように増減してきたのかを見たものである。表中の左端の第1号から第20号は、特定非営利活動促進法の別表に掲げられている特定非営利活動にあたる20種類の活動分野を意味する[4]。それぞれの行の上段の値は団体数、下段の値は半年前と比べた増減率であり、右端の列にはこの3年間の増減数と増減率を示している。

　この3年間で10％を上回る割合で大きく増えたのは、第4号「観光の振興」（33.6％増）、第5号「農山漁村又は中山間地域の振興」（27.0％増）、第20号「各都道府県・指定都市が条例で定める活動」（17.9％増）の3つの活動分野である。多様な活動分野が内訳に含まれる第20号は別として、特に第4号と第5号では、

4）それぞれの活動は次のとおり。第1号「保健、医療又は福祉の増進」、第2号「社会教育の推進」、第3号「まちづくりの推進」、第4号「観光の振興」、第5号「農山漁村又は中山間地域の振興」、第6号「学術、文化、芸術又はスポーツの振興」、第7号「環境の保全」、第8号「災害救援」、第9号「地域安全」、第10号「人権の擁護又は平和の推進」、第11号「国際協力」、第12号「男女共同参画社会の形成の促進」、第13号「子どもの健全育成」、第14号「情報化社会の発展」、第15号「科学技術の振興」、第16号「経済活動の活性化」、第17号「職業能力の開発又は雇用機会の拡充を支援」、第18号「消費者の保護」、第19号「前各号に掲げる活動を行う団体の運営又は活動に関する連絡、助言又は援助」、第20号「前各号で掲げる活動に準ずる活動として都道府県又は指定都市の条例で定める活動」。

表1　20種類の活動分野別の団体数の推移および増減率

	2018/3	2018/9	2019/3	2019/9	2020/3	2020/9	18-20年
第1号	30,524	30,469	30,232	29,844	30,013	29,896	-628
	0.5%	-0.2%	-0.8%	-1.3%	0.6%	-0.4%	-2.1%
第2号	25,172	25,182	24,816	24,267	24,766	24,742	-430
	0.5%	0.0%	-1.5%	-2.2%	2.1%	-0.1%	-1.7%
第3号	23,107	23,099	22,737	22,281	22,659	22,627	-480
	0.6%	-0.0%	-1.6%	-2.0%	1.7%	-0.1%	-2.1%
第4号	2,726	3,299	2,915	2,964	3,072	3,643	917
	5.8%	21.0%	-11.6%	1.7%	3.6%	18.6%	33.6%
第5号	2,320	2,697	2,465	2,523	2,618	2,947	627
	4.7%	16.3%	-8.6%	2.4%	3.8%	12.6%	27.0%
第6号	18,635	18,226	18,349	18,088	18,318	17,855	-780
	0.5%	-2.2%	0.7%	-1.4%	1.3%	-2.5%	-4.2%
第7号	14,093	13,819	13,680	13,366	13,488	13,269	-824
	-0.2%	-1.9%	-1.0%	-2.3%	0.9%	-1.6%	-5.8%
第8号	4,264	4,445	4,178	4,118	4,179	4,403	139
	1.1%	4.2%	-6.0%	-1.4%	1.5%	5.4%	3.3%
第9号	6,305	6,350	6,185	6,075	6,201	6,248	-57
	1.0%	0.7%	-2.6%	-1.8%	2.1%	0.8%	-0.9%
第10号	8,856	8,724	8,689	8,570	8,749	8,609	-247
	0.9%	-1.5%	-0.4%	-1.4%	2.1%	-1.6%	-2.8%
第11号	9,602	10,089	9,365	9,185	9,310	9,835	233
	0.1%	5.1%	-7.2%	-1.9%	1.4%	5.6%	2.4%
第12号	4,877	4,805	4,780	4,698	4,786	4,729	-148
	1.0%	-1.5%	-0.5%	-1.7%	1.9%	-1.2%	-3.0%
第13号	24,243	23,671	24,058	23,665	24,193	23,516	-727
	0.9%	-2.4%	1.6%	-1.6%	2.2%	-2.8%	-3.0%
第14号	5,827	5,879	5,728	5,618	5,681	5,757	-70
	0.1%	0.9%	-2.6%	-1.9%	1.1%	1.3%	-1.2%
第15号	2,892	3,160	2,825	2,764	2,807	3,081	189
	-0.2%	9.3%	-10.6%	-2.2%	1.6%	9.8%	6.5%
第16号	9,281	9,161	9,097	8,946	9,044	8,917	-364
	0.5%	-1.3%	-0.7%	-1.7%	1.1%	-1.4%	-3.9%
第17号	13,046	13,330	12,871	12,636	12,881	13,167	121
	0.6%	2.2%	-3.4%	-1.8%	1.9%	2.2%	0.9%
第18号	3,173	3,110	3,072	2,986	3,020	2,957	-216
	-0.2%	-2.0%	-1.2%	-2.8%	1.1%	-2.1%	-6.8%
第19号	24,598	23,991	23,987	23,530	23,962	23,282	-1,316
	0.6%	-2.5%	-0.0%	-1.9%	1.8%	-2.8%	-5.4%
第20号	240	245	262	269	278	283	43
	3.0%	2.1%	6.9%	2.7%	3.3%	1.8%	17.9%

https://www.npo-homepage.go.jp/about/toukei-info/ninshou-bunyabetsu参照。
出所：内閣府NPOホームページ「認証数（活動分野別）」

COVID-19（新型コロナウイルス感染症）により社会経済が影響を受ける状況にあった最中の2020年においても増加し続けている点が特徴である。

逆に、5％を超える割合で減少しているのは、「環境の保全」(5.8％減)、第18号「消費者の保護」(6.8％減)、第19号「中間支援組織」(5.4％減) といった活動分野である。現実を省みると、活動が立ち行かなくなり、縮小均衡の方向をたどる組織も少なくはない。

2010年代後半から2020年代にかけて観察される特定非営利活動法人数の減少といったこのトレンドは、社会全体の中において特定非営利活動法人が果たす役割の低下や、あるいは、社会貢献活動の低調化といった現象を意味している、というように考えてよいのであろうか。

(2) NPOが果たしている3つの社会的機能

そこで、まずは、社会全体の中において民間非営利組織（とりわけ、市民の自由な社会貢献活動を担う存在である「狭義のNPO」としての特定非営利活動法人）が果たす役割について、社会という大きなシステムの中の1つのサブシステムとしてどのような機能を発揮している社会装置であるのかという点を、以下の3つの側面から特徴付けておくことにしたい。

①社会貢献的財・サービス提供機能

NPOが社会の中で発揮している1つ目の機能は、「社会貢献的財・サービス提供機能」である。この機能は、NPOが国や自治体などの行政が提供できない財やサービス、あるいは営利組織である会社が提供しない財やサービスを提供する担い手になる、というものである。

NPOが社会貢献的財・サービス提供機能を発揮している様子を観察すると、財・サービスの補完、改善、そして、創出、という3つの段階があることが分かる。すなわち、NPOは、単に、従来の組織が提供しようとしても提供できなかった財やサービスを補完する、というだけの存在ではなく、今ある財やサービスを改善したり、これまでになかった新しい財やサービスを創出したりしながら提供する存在になりえる。したがって、NPOは、政府の活動と会社

の活動から抜け落ちた隙間を埋めるための補完的な消極的存在ではなく、むしろ、政府も会社も思いつかなかった新しい財やサービスを生み出す、という主体的かつ積極的な独自の意義を認めることのできる存在である。

　もっとも、NPOが提供する財やサービスの中には、政府や会社、他の法人形態や任意団体の手によっても提供可能なものも数多く含まれている。典型的なものとして、介護保険事業がある。介護保険事業の場合は、社会福祉法人、医療法人、株式会社、社団法人といった様々な形態の事業主が存在しており、お互いに競合し合う関係にあるからである。

　ただし、そのような競合する財やサービスであってもNPOが担い手となって提供されることに、独自の意義を認めることが可能である。たとえば、NPOによって提供される財やサービスは、しばしば市場の適正な価格よりも低廉な価格や無償の価格で提供されるが、その財やサービスの品質を見てみると、政府や会社が価値に見合った相応の価格を対価として要求しながら提供する場合に比べて劣っているという場合がある。しかし、NPOの提供する商品では、品質が劣っていながらでも消費者に利用されたり、購入されたりするといった現象が起こる。このことは、通常の一般的な市場原理のしくみでは競争の中で淘汰されてしまうために存在することが認められない財やサービスであっても、NPOがそれらの財・サービスの提供の担い手となることによって世の中に登場し、利用者や消費者が手に入れることができるようになることを意味する。

②資源活用機能

　NPOが果たしている2つ目の機能は、「資源活用機能」である。資源の活用の対象となるヒト、モノ、カネの3つの資源は、NPO以外の組織においても活用されているが、とりわけ、NPOの場合には、政府や会社とは違った形での独自の活用方法が見られる。

　カネの活用という側面を見ると、NPOが社会からの寄附などの資金提供の受け皿となる役割を果たしていることが分かる。自らの資金の使い途として、納税や証券への投資ではなく、地域や社会のために納得できる使い方をしたい

と考える人にとって、NPOへの資金提供は自らの価値観に基づく資金の使い
途を実現するための有力な選択肢となりえる。

　NPOが得意としているような社会の改善や環境への貢献など、非金銭的な
見返りの追求に関心を持つ資金提供活動は、1990年代後半から2000年代にかけ
て「社会的責任投資」（social responsibility investment、SRI）、2010年代では社会的
インパクト投資（social impact investment）といった形で展開しており、それら
の倫理的な投資、すなわち、金銭的な見返り以外の何らかの社会貢献的な見返
りを要求することを志向する社会的投資家やインパクト投資家といった存在の
想いを受け止める組織として、これらの資金の受け皿となるNPOという選択
肢が浮上してきている[5]。

　また、モノの活用という側面をみると、たとえば、会社や官公庁、個人によ
って使用されていた設備や備品などが、単に廃棄や売却によって処分されるの
ではなく、贈与や寄附という形でNPOに提供されることを通じて再び活用さ
れる、という取り組みもみられる[6]。このしくみは、会社や官公庁が物品を処
分する際の再利用の受け皿にNPOがなるという点に加えて、社会貢献活動に
意欲のある営利企業が、自らのできる範囲で無理のない社会貢献を行っていく
ための工夫として位置づけることもできる。

　それはこういうことである。会社間や官公庁間では、まだ使えそうな物的な
資源の無償での譲り合いという行為が起こりにくい、という状況にある。まだ
使える資源を他の会社に無償譲渡すると、他社の経費削減を支援し、収益力を
強化させ、自らのビジネスの競合相手を利することになるからである。また、
官公庁の廃棄資源の分配にあたっては、市民間で公平性の問題も生じる。他方
で、NPOは、会社のビジネス上の競争相手になりにくく無償譲渡も心理的な
抵抗感が無く行えることに加えて、一定の公益性も有しているため、他の市民
が行政に抱く不公平感や優遇への批判も少なくなると考えられる。

　最後の、ヒトの活用という側面は、NPOが、有給の職員の雇用を創出した

5）社会的インパクト投資については、Salamon（2014）／小林訳（2016）pp.25-29参照。
6）たとえば、高知県ボランティア・NPOセンターの運営する「企業・NPO資源循環システム」
　（https://www.pippikochi.or.jp/recycling.html）は、企業で不要となった事務用品や備品に関する情報
　と、それらを必要とするNPOの情報を集約して、物的資源の有効活用を促すしくみとなっている。

り、ボランティアを受け入れたりする機能を果たすというものである。会社や政府では採用試験を受けて選抜された者しか働く機会を得ることはできないが、NPOではそこで働いてみたいと希望する多くの人が、採用にあたっての選別を受けずに働く機会を得ることができる。特に、退職者層など、働く意思と能力があるにもかかわらず、定年制度や任用期間終了などによって社会から労働力として疎外された存在となった人を受け入れて活用する機能は、他の組織には無いNPOの大きな特徴である。また、普段は、会社や官公庁で働いている労働者も、そこで働く普段の自分と一定の距離を置き、NPOでの社会貢献活動の世界に足を踏み入れることで、一つの職場の中にいては気づかなかった新しい自分と遭遇する機会を得られるかもしれない[7]。

　人間が複数の所属先や準拠集団を手に入れることを支援するという機能は、ひいては、NPOが、経済学者アマルティア・センの唱える"アイデンティティの複数性"の獲得にも貢献しているというようにも考えることができる[8]。会社や政府で、自分が思い付いた社会貢献のアイデアを提案したけれども却下されてしまった時に、NPOであれば、その案を再度検討する機会が訪れ、実現させていく可能性が生まれる。このように、NPOには、労働者に潜在能力の開花の機会を提供し、会社や政府では受け入れられなかった発想を実現化できる場所を提供する、といった意義がある。

③社会的紐帯機能

　NPOが果たす3つ目の機能は、社会的紐帯機能である。紐帯とは結び目のことであり、NPOの活動に参画することを通じて、そこに参加する人々の間に連帯感や地域とのつながりが生み出される効果が期待される。NPOの活動に参画する人は、社会の現状に対する何らかの問題意識を抱えており、同じ問題意識を共有する人が集まる場所としてNPOが機能することによって、より良い社会を作るための運動や規範が生まれることもある。

　NPOがもたらす人と人との結び付きは、会社や官公庁で見られるような縦

---

7) NPOにおける働き方の特徴については、玄田（2005）pp.45-92参照。
8) Sen（2007）／大門監訳（2011）pp.2-5参照。

型の階層関係を持つ結び付きとは異なり、横型で上下関係が無く水平的に結び付くフラットな関係として現れる。このため、NPOの活動の中では、年齢、性別、職業、肩書きなどの違いを超えて、活動に参加するそれぞれが対等な立場で、緩やかに結び付いていくことが可能となっている。

　また、社会的紐帯機能には、異なる利害を有する組織同士を結び付け、協働を可能とするという機能がある。たとえば、ある会社が地域での社会貢献活動を他の会社に呼びかけて実施しようとする際、周りからはその会社の儲けのための事業ではないかと邪な疑念を抱かれることになりがちである。このとき、多数の会社を会員とするNPOを設立し、そこが主体となって社会貢献活動を呼びかけるようにすると、他の会社も競争関係や利害を乗り超えてその活動に参画しやすくなる。これは、NPOが多様な主体の乗り入れを可能とするプラットフォームとしての性質を有することで可能になる機能に、他ならない[9]。

　以上の3つの機能は、いずれも、社会にある他のしくみにその発揮を委ねているままであると、淘汰され、消滅してしまうような機能であり、それらを失

コラム　労働者協同組合

　労働者協同組合 (worker cooperative) は、その組織の組合員が、資金提供を行う出資者となり、また、組織の方針の意思決定や業務執行、監督を担う経営者になるとともに、その事業に従事して労働を提供する労働者にもなる、という企業形態である。2020年に議員立法により全会一致で成立した「労働者協同組合法」では、"労働する組合員は労働契約を締結すること (労働者性の確保)"、"剰余金の配当は労働の割合に応じること (従事分量配当)"、"地域の課題を解決する事業を促進すること (コミュニティ・ビジネス)"、という点が特徴となっている。

　類似する他の非営利法人制度である特定非営利活動法人 (NPO) と比較すると、出資者の持分がある (NPOは出資者なし)、労働契約が前提である (NPOでは契約の曖昧なボランティアを活用)、準則主義のため設立が容易である (NPOは設立時に行政と市民による確認を要求する「認証主義」)、といった違いがある。

---

9) 田尾・吉田（2009）pp.164-165参照。

図２　民間非営利組織の営利化、営利組織の非営利化という変容の全体像

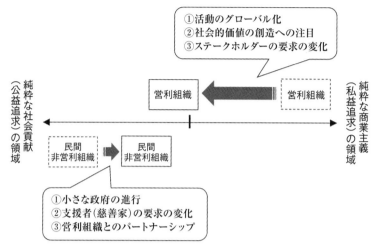

出所：筆者作成。

わせないために包摂しようとする機能が、NPOの本源的な機能であるといえるだろう。言い換えると、NPOの存在意義は、そのままでは陽が当たらず社会から消えてしまったかもしれない事柄に光を当てて輝かせる、という点にある。NPOが社会の中でこのような役割を有していると理解しておくことは、市民の参加のもとでより良い社会を作っていく工夫や手段の１つとしてNPOを活用していく際に導きの糸となる視点になるはずである。

2.　民間非営利組織の営利化、ならびに、営利組織の非営利化

　ここまで、特定非営利活動法人が果たしている機能、ないし、求められる期待、といった内容を整理してきた。本節では、21世紀初頭の日本社会において生じた民間非営利組織と営利組織の変容を、営利化と非営利化という２つの方向から来ている現象として整理してみたい。

　図２は、この最近20年で民間非営利組織が営利化してきた様子と、一方で、営利組織が非営利化してきた姿を図示したものである。

　横軸の右側は、私的な金銭的利益の追求を組織の活動目的とする、純粋な商業主義の領域の端を表している。他方、左側は、不特定多数の者の利益（非金銭的な利益も含む）の追求を組織の活動目的とする、純粋な社会貢献の領域の端を指している。かつては、それぞれが両端に位置し、各々の属する領域でのみ活動を展開していたが、そこから徐々にお互いを接近させるようないくつかの社会の変化が生じた結果、それぞれに組織の性質が重複していくものとなり、ひいては融合へと向かっている、という点が、この図の意図するところである。

　この図の中では、各組織形態における変容が何処から来ているのかという原因が、それぞれ3つの項目にまとめられている。それらの内容を説明しておくと、次のとおりである。

(1) 民間非営利組織を商業主義（私益追求）に向かわせる力

　民間非営利組織の商業主義化をもたらした1つ目の原因は、これらの社会貢献分野への公的な財政支出の削減、すなわち、小さな政府を是とする政策の進行である。民間非営利組織が担う活動分野として割合の大きな社会福祉や地域づくり関連の政府予算が削減された結果、各団体はその削減の代わりを自主的な財源で賄うことを目指し、自らが提供する財やサービスの見返りに顧客から代金を受け取る収益事業の領域を拡大する、という方策を取らざるを得なくなった[10]。

　図3は、日本の特定非営利活動法人の収入源の内訳を見たものである[11]。民間非営利組織の活動資金の収入源には、大きく分けて2種類がある。1つは、その組織が生み出した財やサービスを提供する見返りの対価という性質を持つ事業収益であり、もう1つは、財やサービスを提供する見返りの対価という性質を持たない社会的支援収益である。

　事業収益は、その組織が提供する財・サービスの対価として得られる収入源であり、この点で、営利組織である会社がビジネスを通じて獲得している売上高と変わることはない。NPOの収入源のうち、事業収益が約70〜80％という

10）政府の財政支出削減がNPOの行動に及ぼす影響については、田中（2008）pp.61-62参照。
11）NPOの収入構造のより詳細な分析については、馬場（2013）pp.32-44参照。

図3　特定非営利活動法人の収入源の内訳

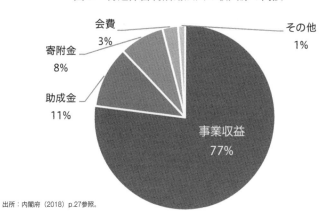

出所：内閣府（2018）p.27参照。

最も大きな割合を占めているということは、その組織の運営の多くの場面において営利組織と同じ行動の原理が見られることになる、ということを意味している。しばしば、"NPOで働く人がもらう給料は、どこから出ているのか？"という素朴な問いかけを目にすることがあるが、答えは"組織が生み出す商品・サービスを販売して受け取った代金から出ている"ということであり、営利組織と同様である。

　このように財やサービスの提供の見返りとして獲得される事業収益は、営利企業と同じ土俵において、顧客の獲得を巡る競争に曝される収入源であるという特徴を持つ。そのため、競争相手である営利組織のビジネス手法が模倣されて非営利組織の内部でも導入されていく、ということになる。

　次いで、民間非営利組織の商業主義化をもたらした2つ目の原因は、支援者の要求の変化である。NPOでは、財やサービスの提供にあたってその利用者から受け取る代金を無償にしたり、あるいは、営利組織に比べて低廉な代金しか受け取らないようにしたりすることがある。このような社会貢献活動の実践を正当な根拠として、寄附金などの善意の資金や、助成金や補助金といった公共的な支援の実施に対する市民からの理解や信用が得られやすいという点は、非営利組織にとって、営利組織に対する優位性となっている[12]。

12）営利組織に対する優位性については、田尾・吉田（2009）pp.88-90参照。

　しかしながら、近年では、これらの慈善的な資金提供の担い手である支援者の行動原理にも変化が見られるようになった。すなわち、社会貢献活動への資金提供について、何も見返りを求めない寄附を行う慈善家としての段階に留まらず、幅広く非金銭的な見返り（リターン）を要求する社会的投資家（social investor、impact investor）と呼ばれる経済主体の登場である[13]。

　これらの社会的投資家は、自らの資金提供と引き換えに、自らの資金が社会にどのようなプラスのインパクトや非金銭的な見返り（たとえば、事業の実施により恩恵を受けた受益者の数など）を生み出したのかという点について、資金提供者が数量的に測定して説明する義務、すなわち、会計責任（accountability）を果たすことを求めることになる。会計責任を果たすためには、非営利組織においても活動を計数的に把握し、事前の目標を立案し、事後的に検証し改善するといった、営利組織でツール化され標準化されたビジネス手法を実施することが不可欠となるだろう。投資家として、資金提供先である非営利組織に（非金銭的なものであれ）成果を期待するということは、その活動が営利組織の事業活動と同じく経済合理性や資源活用の効率性という側面を有するビジネスの1つとしてみなされている、ということを意味する。

　民間非営利組織に商業主義化をもたらす3つ目の原因は、営利組織との間で共通の目的を掲げて、パートナーシップを組んで活動する機会が頻繁に訪れるようになったことである。これは、営利組織の側からすれば、社会貢献の領域に進出する際の足がかりとして、すでにその方面で実績を積んでいるNPOを手足として上手く利用する、という性格を持つものである。他方でNPOは、営利組織側のそのような思惑を受け止めながらも、自身の価値観や社会貢献の規模を広げていくための契機として協働へと足を踏み入れていくことになる。

　ここで、企業が協働の相手として選ぶNPOの条件には、組織内部で統制の取れた運営が実施できている堅実な団体である、といった信用を得ることが含まれる[14]。さらに、協働して問題解決にあたる際に、それらの現状を的確に把握し記述するために、営利組織ですでに実施されている各種の経営手法が共通

13）社会的投資家の登場については、梶原（2013）pp.16-20参照。
14）企業とNPOの協働については、伊佐（2005）p.136参照。

のコミュニケーション手段となる。結果として、民間非営利組織の運営の場面においても、営利組織と同様の重要業績指標（KPI）の採用やインセンティブ構造を有する人的資源管理、サービス開発のためのマーケティングといった、商業主義的な領域の実践の中で形式知として蓄積されたビジネス・スキルが、似通った形で採用され広まっていくことになる。

(2) 営利組織を社会貢献（公益追求）に向かわせる力

　次いで、営利組織の領域における変容の様子を見ておきたい。営利組織を非営利化（社会貢献化）に向かわせようとする動きをもたらした1つ目の原因となったのは、企業活動のグローバル化である。

　今日、営利組織が行う社会貢献活動は、CSRの名のもとに展開されることが多くみられる。日本において企業の「社会的責任論」が注目されたのは、1970年代の公害の時代、ならびに、1990年代の企業不祥事の多発という時代を契機としたものであるが、2000年代以降今日に至る中で、それらの側面は「CSR」という英語の概念に包摂されて表現されるようになったことからも分かるように、企業活動のグローバル化という潮流の中で研ぎ澄まされてきたという経緯がある[15]。

　すなわち、国境を超えて人々がボーダレスに活動する中で、地球規模の問題の解決にあたるローカルな政府の力は相対的に低下し、その代わりに諸問題の解決の担い手として、いまや国家を上回る経済的規模を持つに至ったグローバルな多国籍企業への期待が集まるようになり、社会的影響力を持つ経済活動の自由の行使と引き換えに、地球社会の持続可能な発展に向けた責任ある行動が求められるようになった、ということである[16]。

　現在では、国連の掲げるSDGsの中に、従来の営利組織においてCSRとして実施されてきた主たる取り組みを包摂する内容が含まれていることからも分かるように、各企業が自らのこれまでの取り組みの実績や目標を、SDGsのそれぞれの目標のロゴと紐付けて、それらを社会一般に向けて報告する、といった

15）日本における1970年代から2010年代にかけてのCSRの歴史的展開については、関（2012）pp.7-12参照。
16）斎藤（2004）pp.50-60参照。

事例も増えている[17]。

　営利組織の社会貢献化をもたらした2つ目の原因は、社会的責任を果たすことが経済的な利益の獲得を目指す経営戦略の中で、積極的に位置付けられるようになった点である。すなわち、企業がCSRを果たすために行う様々な取り組みは、単に公害などの外部不経済の免罪符としてコストを負担するだけのものであって、本来の企業活動とは別の副次的で消極的な周辺的な活動に過ぎない、という皮相な見解をする段階を乗り越えて、現在では、社会貢献活動それ自体も企業が経済的な価値を生み出す本業とは切り離せない不可欠な活動であり、本来のビジネスにとっての核を成すものとする思考が広がってきたことによる。

　今日このようなアプローチは、社会的価値を創造することで経済的価値も創造されるとする命題を持つ「CSV」（creating shared value、共有価値の創造）と名付けられ、企業の競争戦略を考察する上でのビジネス・フレームワークとして展開されるに至った[18]。この論理のもとでは、すべての企業は、利己的な経済的利益を追求するためにも、利他的な社会的利益を追求すべきである、という状況にあることが描かれることになる。言い換えると、もはや純粋な商業主義のみの私益の追求だけに邁進する営利組織というものは、存在が正当化されないということである。

　最後に、営利組織の社会貢献化をもたらした3つ目の原因は、企業を取り巻くステークホルダー（利害関係者）の期待の変化である[19]。とりわけ、資金提供の担い手である投資家の行動原理の変容が、企業の社会貢献化、公益追求の促進に大きな影響を与えている。

　株式会社では、資金提供を行った投資家は株主としての立場を有する。これ

17）SDGsに関する情報開示の指針としては、ロンドンに本部を置く国際統合報告委員会（IIRC）等が2020年1月に取りまとめた *Sustainable Development Goals Disclosure (SDGD) Recommendations* がある。

18）CSVは経営学者のMichael Porterの提唱した概念である。CSVとCSRとの関係については、塚本（2012）pp.44-53参照。

19）本章では十分に言及できなかったが、企業のステークホルダーとしての消費者が、"エシカル消費"や"フェア・トレード"などの運動を通して企業の活動を制御する主体としての機能を発揮していくことは、今後、ますます重要になると思われる。消費者の変化が企業の行動に与える影響については、Gerzema and D'Antonio（2010）／有賀（2011）pp.338-366参照。

表2　主な公的機関投資家による国内株式への資産運用額

	2016年	2017年	2018年	2019年	2020年
日銀ETF	9,769	15,842	21,651	27,469	34,186
GPIF	28,515	38,185	43,565	39,026	41,501
地方公務員共済	4,923	6,151	6,494	5,820	5,482
国家公務員共済	1,065	1,428	1,649	1,583	1,752
私立学校共済	685	898	981	880	957
上記公的機関合計	44,957	62,504	74,340	74,778	84,237
東証時価総額	507,604	643,103	701,534	619,674	640,750
上記公的機関比率	8.9%	9.7%	10.6%	12.1%	13.1%

出所：各団体の運用状況等の公表資料に基づく。　注：毎年9月末の時価。金額の単位：十億円。

　らの株主が企業活動を制御するための取り組みの歴史を遡ると、古くは1930年代の大不況下のアメリカを嚆矢として、1960年代の社会問題への企業の責任を問う株主運動、1970年代の機関投資家による議決権行使への取り組み、1990年代から2000年代にかけての社会的責任投資（socially responsible investment、SRI）の勃興、といった形で展開してきたものである[20]。とりわけ2000年代には、SRIの考え方とCSRの考え方とが一対となった存在となり、社会的責任を果たす企業が選別され資金提供が行われることが、資本市場における企業の資金調達の優位性を高め、結果的に利己的な企業に社会的責任を果たすことを誘因付ける、という好循環のメカニズムが機能することが期待されるようになった[21]。

　その後、社会性を全面に展開したSRIの手法は、2010年代から2020年代の現在にかけて、経済的なリターンの追求を基礎となる土台として据えた上で、その上部に環境・社会・統治の最適なバランスを追求していこうとする手法であるESG投資へと変貌を遂げた。ESG投資は、現代の投資家、特に機関投資家の行動指針になるとともに、これらの投資家と対話し株式市場から資金を調達しようとする企業自身の経営を規律付ける発想として、定着しつつある。

　とりわけ、株式市場において巨大な運用規模を持つ政府系の機関投資家が、

20）森岡（2005）pp.117-126参照。
21）SRIが企業の行動に対してどのような影響を及ぼすのかという論点については、Vogel（2005）／小松・村上・田村（2007）pp.113-132参照。

ESG投資の手法を全面的に採用するようになったことは、各企業の商業主義的で近視眼的な私益の追求姿勢を抑制させ、自らの社会的責任に自覚を促し、長期的な視点から経済的な価値の創造とともに公益に貢献する経営を積極的に進めていくための駆動力となったといえる。

　たとえば、公的な機関投資家として特に運用資産の規模が大きいGPIF（年金積立金管理運用独立行政法人）の株式の残高は2020年9月末時点で約41兆円、日本銀行のETF（上場投資信託）の残高は約34兆円となっている（**表2**）。また、GPIFに次ぐ規模の公的年金の運用を担う主な機関投資家としての地方公務員共済組合連合会、国家公務員共済組合連合会、日本私立学校振興・共済事業団などを含めた株式投資額を確認してみると、この間一貫して増加し続けており、2020年9月末時点で東京証券取引所に上場する全ての株式の時価総額である640兆円に対して84兆円と、およそ13％超を占めるに至っている。

　日銀やGPIF等の公的な機関投資家は、いずれも、単に経済的なリターンの大小のみを選別材料とするのではなく、各株式の発行企業のESGの要素を考慮に入れることを、それぞれの運用方針となる文書の中で言及している。実際にこれまでの買い入れ対象を見てみると、従業員への還元や設備投資に積極的な企業や、女性管理職比率や男女の勤続年数差などを開示しダイバーシティ経営に積極的な企業、役員の3分の1以上を独立した社外取締役としている企業などを組み入れた投資信託の購入が実行されている。

　日銀やGPIFによる株式買い入れそれ自体は、株式市場の"官製相場化"や"上場企業株式の政府保有比率の上昇＝国有企業化"といった批判や懸念が常に付きまとう現象である。しかし、それらの公的な機関投資家が今日におけるESG投資の実践の強力な推進主体となることを通して、投資家の要求に呼応する立場にある企業の社会貢献化に対する姿勢が、一層規律付けられるものになる、という点を疎んずるべきではない。

おわりに：営利・非営利の境界と包摂を超えて

　本章では、民間非営利組織の領域が営利化に進む一方で、営利組織の領域が

非営利化・社会化してきている、という見方を紹介してきた。

　先に掲げた図２では、民間非営利組織と営利組織のお互いがそれぞれの真ん中の中心に歩み寄って融合するという姿ではなく、左側の社会貢献の極に軸足を置いた傾斜的な収斂の様子が描き出されている。これは、社会的価値と経済的価値の相互追求の優位さを説くCSVのようなアプローチも登場した今日では、純粋な商業主義だけの領域は経済社会の中で存在感を失いつつある、ということを意味している。今日、「社会的企業」という奇妙な用語が引き立てられているが、その言葉の是非も併せてここで主張しておくと、“本来、すべての企業は社会的でなければならない”、ということである[22]。

　営利組織サイドにあっては、今後も、環境・社会・統治というESGを経済的利益の追求とともに重視する動きは、拡大しこそすれ、縮小することはない[23]。社会問題の解決にノウハウを有する民間非営利組織と、資金調達や人材調達の面で優位性を持つ営利組織が協働する機会も、これまで以上に増えていくだろう[24]。加えて、2020年12月には、労働者協同組合という、労働者と出資者と経営者という人格を融合させる新しい枠組みの非営利法人制度も導入された。それらの協働のあり方が組織の境界をどのように超えていき、そこに集う人間の潜在能力をどのように発達させていくのか、という点にぜひ今後とも注目されたいと思う。

　かつて、未来社会における企業形態の社会的選択への展望を描いた的場（2010）は、「①企業形態はランダムに変化するだけでなく協同組合と株式会社の間で循環している、②企業は社会制度への依存を強めており、社会制度のあり方を別にして企業形態だけを議論しても意味がない、③社会制度の役割が大きくなればなるほど個別企業の役割は小さくなっており、社会に開かれている企業形態ほど社会的効率性が高くなる、④企業形態はランダムに変化するので、経路依存性に規定された現行の協同組合か株式会社かという企業形態の二

---

22)「社会的企業」という用語法に対する問題提起として、橋本（2013）p.215、角瀬（2005）p.180参照。
23)　企業の将来像については、Henderson（2020）／高遠訳（2020）pp.299-301参照。
24)　今日、複数の組織の境界を超えた協働の営みがもたらす効果は、collective impact（集合的なインパクト）として概念化されている。collective impact の歴史的展開については、SSIR Editors（2020）参照。

分法自体が意味をなさなくなる可能性がある。[25]」と分析した。

　営利か、非営利か、といった二項対立の議論を相対化し、組織の置かれた社会的環境によって組織の性質が規定されるとするこの思考は、今に至るも卓見であり、ここでも強く支持したい。「営利vs非営利」や「利己的な私益追求vs利他的な公益追求」といった二項対立を前提とする見方は、これらを巡る現代社会の動きを2つの中心点を持つ異質のものと切り離して見る思考であり、お互いに融合可能で補完関係にあるものとするもう1つの理解を遠ざけてしまうものである。

　本章を終えるにあたり、いま1つの試みとして、それぞれの組織の立ち位置を、社会貢献に対する距離感覚という文脈の中で再構成する見方を提示しておきたい。すなわち、「民間非営利組織の営利化」という言葉は、より正確に表現すると「社会貢献以外のことも真剣に考えるようになった」という意味であり、同じく「営利組織の非営利化」という言葉の正確な表現は「社会貢献のことも真剣に考えるようになった」と置き換えることが可能である。このような解釈の方がより的確な含意や処方箋が得られるはずである。二項対立の向こう側に新たな第3の企業形態の登場を渇望するよりも、既製の組織や今この瞬間も自発的に社会貢献活動を展開する当事者の営みを基礎にして、それらすべてを包含する道筋を練り上げることが求められている[26]。

【参考文献】

Gerzema, John and Michael D'Antonio (2010) *Spend Shift: How the Post-Crisis Values Revolution Is Changing the Way We Buy, Sell, and Live,* Jossey-Bass.（有賀裕子訳（2011）『スペンド・シフト──＜希望＞をもたらす消費──』プレジデント社）。

Henderson, Rebecca (2020) *Reimagining Capitalism in a World on Fire,* PublicAffairs.（高遠裕子訳（2020）『資本主義の再構築──公正で持続可能な世界をどう実現するか──』日本経済新聞出版）。

Salamon, Lester M. (2014) *Leverage for Good: An Introduction to the New Frontiers of Philanthropy and Social Investment,* Oxford University Press.（小林立明訳（2016）『フィランソロピーのニューフロ

25）的場（2010）p.146。
26）真に問われるべきことは、NPOか、会社か、社会的企業か、協同組合か、といった区別そのものではなく、市民自らが社会の課題と向き合い解決に取り組む「協同の当事者になれるかどうか」にあるといえるかもしれない。馬頭（2009）p.238参照。

ンティア —— 社会的インパクト投資の新たな手法と課題 ——』ミネルヴァ書房）。

Sen, Amartya（2007）*Identity And Violence: The Illusion of Destiny*, Penguin.（大門毅監訳（2011）『アイデンティティと暴力: 運命は幻想である』勁草書房）。

SSIR Editors（2020）"SSIR Guide to Collective Impact, 10 Years Later", *Stanford Social Innovation Review*, December 21, 2020,（https://ssir.org/articles/entry/ssir_guide_to_collective_impact_10_years_later）.

Vogel, David（2005）, *The Market for Virtue: The Potential and Limits of Corporate Social Responsibility*, The Brookings Institution.（小松由紀子・村上美智子・田村勝省訳（2007）『企業の社会的責任の徹底研究：利益の追求と美徳のバランス—その事例による検証』オーム社）。

伊佐淳（2005）「企業、NPO、CB —— 民間組織による地域づくりの視点 ——」松尾匡・西川芳昭・伊佐淳編『市民参加のまちづくり【戦略編】—— 参加とリーダーシップ・自立とパートナーシップ ——』創成社、pp.129-142。

今田忠（2014）『概説 市民社会論』関西学院大学出版会。

角瀬保雄（2005）『企業とは何か —— 企業統治と企業の社会的責任を考える ——』学習の友社。

梶原太一（2013）「非営利組織における資源提供者の期待と資本コスト —— 寄附者が課した拘束と社会的投資利益率（SROI）の関係 ——」『社会科学論集』第103号、pp.1-27。

川野裕二（2004）「わが国の『ボランティア』、『NPO』、『NGO』」田尾雅夫・川野裕二編『ボランティア・NPOの組織論 —— 非営利の経営を考える ——』学陽書房、pp.25-41。

玄田有史（2005）「NPOで働くということ」本間正明・金子郁容・山内直人・大沢真知子・玄田有史『コミュニティ・ビジネスの時代』岩波書店、pp.46-92。

斎藤槙（2004）『社会起業家 —— 社会責任ビジネスの新しい潮流 ——』岩波新書。

関正雄（2012）「グローバル化するCSR —— ISO26000と進化するCSR ——」塚本一郎・関正雄編『社会貢献によるビジネス・イノベーション ——「CSR」を超えて ——』丸善出版、pp.3-28。

田尾雅夫・吉田忠彦（2009）『非営利組織論』有斐閣。

田中弥生（2008）『NPO新時代 —— 市民性創造のために ——』明石書店。

塚本一郎（2012）「CSRを超えて —— マイケル・ポーターのCSVにみるCSRのイノベーション・アプローチ ——」塚本一郎・関正雄編『社会貢献によるビジネス・イノベーション ——「CSR」を超えて ——』丸善出版、pp.29-59。

内閣府（2018）「平成29年度 特定非営利活動法人に関する実態調査」pp.1-108。

橋本理（2013）『非営利組織研究の基本視角』法律文化社。

馬頭忠治（2009）「NPO・社会的企業とソーシャルチェンジ」馬頭忠治・藤原隆信編『NPOと社会的企業の経営学 —— 新たな公共デザインと社会創造 ——』ミネルヴァ書房、pp.221-243。

馬場英朗（2013）『非営利組織のソーシャル・アカウンティング —— 社会価値会計・社会性評価のフレームワーク構築に向けて ——』日本評論社。

的場信樹（2010）「企業形態論からみた協同組合と株式会社 —— 社会制度の進化についての一考察 ——」基礎経済科学研究所編『未来社会を展望する —— 甦るマルクス ——』大月書店、pp.123-150。

森岡孝二（2005）「CSR時代の株主運動と企業改革」池上惇・二宮厚美編『人間発達と公共性の経済学』桜井書店、pp.113-136。

第12章 情報化、IoT時代がもたらす未来社会の「姿」
──GAFAで変わる市民生活と企業活動──

小山大介（宮崎大学）

キーワード：情報化社会、IT革命、IoT、GAFA（ガーファ）、BATH（バス）

はじめに：インターネットのない社会を想像する

　バーチャル空間には情報があふれている。私たちは日常的にインターネットへとアクセスし、オンライン・ショップ、SNS、各種ホームページを閲覧することで情報を得ている。生活・学習・娯楽・経済活動において、情報通信技術がなくては、日常生活を満足に送ることも不可能となっている。

　インターネットのない社会を想像してみよう。家族や友人と連絡を取る際、スマートフォンやSNSを利用することはできない。公衆電話や自宅の固定電話、FAXを活用するか、手紙を書いたり、電報を打ったりすることになる。もちろん、カタログ通信販売は可能だが、「ワン・クリック」で商品を購入したり、膨大な商品リストにアクセスすることもできないので、カタログの索引を検索することになる。自宅あるいは職場から鉄道や飛行機のチケット購入もすることができず、旅行代理店や航空会社・鉄道会社の窓口で購入することになるだろう。その際、決済は、実店舗での現金決済が中心となる。

　インターネットに代表される情報通信技術は、今や企業、個人、大学などあらゆる経済活動の基盤をなし、国境を越える人・モノ・カネ・情報のやり取りに不可欠な存在となっている。一度、この情報通信環境に不備が生じれば、全世界の経済活動は瞬時に停止してしまうことだろう。

　情報化社会の進展は、国民生活を劇的に変え、経済活動の効率化、高付加価値化に寄与しているが、そのなかで社会・経済・政治をめぐる課題や対立が起

こっている。グローバルに事業を展開する巨大IT企業と各国政府との国際課税[1]や個人情報保護についての意見対立[2]、広告事業や新規事業の囲い込みと独占禁止法適用をめぐる対立[3]、次世代通信技術「5G」と米中貿易戦争[4]の深刻化は、その代表例の1つである。そしてこれらの出来事は、国内外の経済や社会が急速に情報化しており、その流れに制度や個人が追い付いてないことを物語っている。

　そこで本章では、情報化と未来社会の「姿」を現状から分析するため、これまでの情報化、IT革命の流れを概観したのち、大手IT企業として世界経済で大きな影響力を有するGAFA（Google〈グーグル〉、Amazon〈アマゾン〉、Facebook〈フェイスブック〉、Apple〈アップル〉）、そして中国版GAFAであるBATH（Baidu〈バイドゥ〉、Alibaba〈アリババ〉、Tencent〈テンセント〉、Huawei〈ファーウェイ〉）に着目し、その力の源を探る。そして、IoT（Internet of Things）が進むことで私たちの生活や企業活動はどのように変容するのかについて検討したい。

1．IT革命の進展と情報通信技術の発展

(1) アメリカ発のIT革命と情報通信技術の発展

　現在のような情報化社会、デジタル社会は、何も突然出現したわけではない。経済的・社会的土台と制度設計、法整備のもとで実現している。その起点をつくったのが、アメリカにおける新たな成長戦略の模索であり、インターネット、GPS（Global Positioning System）に代表されるIT技術は、軍事技術の民間

---

1) 各国の課税制度においては、事業活動を行う企業、事業所、工場などが立地している場合に法人税等を課すことができるが、国境を横断するサービス取引を行っているIT企業については、国際課税に関する明確なルールが定められていなかった。だが、OECD（経済開発協力機構）では、デジタル化に伴う国際課税問題を解決すべく交渉が続けられている（OECD 2020）。
2) EU（欧州連合）では、2018年よりGDPR（一般データ保護規則）が適用され、個人情報保護強化、データ管理体制の強化にくわえ、データの消去を要求する権利が盛り込まれている（European Union 2016）。
3) 米テキサス州など10州は、グーグルによるネット広告寡占について、反トラスト法（独占禁止法）違反の容疑で同企業を提訴している。また、競争回避についてのフェイスブックとの「密約」についても追及する方針である（日本経済新聞、2020年12月18日付、朝刊）。
4) 米中における通商摩擦については、USTR（米国通商代表部）が毎年公表している報告書を参照（USTR 2020）。

転用に他ならなかった。

　1980年代のアメリカは、日本や西ドイツ（当時）の激しい追い上げ、日本企業の台頭と対米ビジネスの拡大、アメリカ国内における産業空洞化が同時に発生し、貿易収支赤字と財政収支赤字という、いわゆる「双子の赤字」の増加に悩まされていた。これらの問題を解決するためにも次世代の産業育成が急務であった。さらに、進みつつあったサービス経済化をいかにアメリカの経済発展へと結びつけるのかということも課題であった。

　そこで、当時のレーガン政権の諮問機関であった産業競争力委員会（President's Commission on Industrial Competitiveness）は、アメリカの産業活性化策を提言した。それは、同委員会の委員長の名前をとって「ヤングレポート（Global Competition: The New Reality）と呼ばれている。この報告書のなかでは、アメリカにおいては高い軍事技術の商業化が遅れていると指摘し、研究開発の促進、知的所有権の保護強化や規制の緩和が提言されている（The President's Commission on Industrial Competitiveness 1985）。これらの提言のなかで、アメリカの高度な軍事技術の民間利用に向けた機運が高まることになった。

　そのなかで1970年代から軍事部門と大学間の学術用として利用されてきたインターネット[5]が、1990年に民間へと開放されることになり、商業用としてのインターネットサービスが世界中へと波及することになる。くわえて、アメリカのGPSが1993年に民間開放され、カーナビゲーションシステムや個人の位置情報サービスなどのサービスが提供されるようになっていく。

　インターネットの商用・個人利用の急速な拡大を支えたのは、IBM社におけるPC/AT互換機の発表、そしてマイクロソフト（Microsoft）によるOS（オペレーションシステム）のWindow、インターネットブラウザであるInternet Exploreの開発である。また、同時並行的にMPU（Micro Processor Unit）やDRAMと呼ばれるメモリー技術の急速な発展によるPC（Personal Computer）の演算速度の飛躍的発展がPCやインターネットの急速な普及を後押しした[6]。政策面におい

---

[5]　アメリカ軍によって運用されていたインターネット技術は、当時ARPANETと呼ばれていた。
[6]　特定の産業に特化し、なおかつ自社工場を持たず研究開発（R&D）に経営資源を集中し、生産を外部委託している、MPU設計のIntel、オペレーションシステム開発のMicrosoft、Sun Microsystems、ネットワーク機器開発のCiscoなどの企業は「専業企業」と呼ばれ、こうした水平

図1　グローバルなデータ通信量の推移

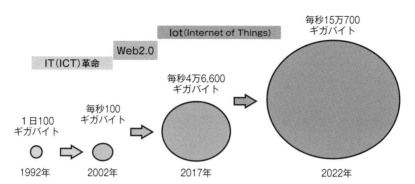

注：1ギガバイトは10億7,374万1,824バイトとなる。
出所：UNCTAD, Digital Economic Report 2019: *Value Creation and Capture: Implicatrions for Developing Countries*, United Nation, p.2より作成。

ては、クリントン政権下で副大統領を務めたアル・ゴアが「情報ハイウェイ構想」を打ち出し、知的財産権保護強化と情報通信ネットワークの拡充を行ったほか、日本では1994年に当時の郵政省の電気通信審議会答申「21世紀の知的社会への変革に向けた」において、光ファイバー網の全国整備目標を2010年に設定し、これを踏まえて光ファイバー網整備のための特別融資制度が創設されている（総務省 2015）。その結果として、グローバルなデータ通信量は、1992年には1日100ギガバイトであったが2002年には毎秒100ギガバイト、そして2022年には毎秒15万700ギガバイトまで拡大すると予想されている（図1）。

　そして、情報通信用端末は、PCからノートPC（ラップトップPC）、タブレット端末、スマートフォンへと小型化、軽量化が進んでいる。

　1990年代以降に起こったこの一連の変革は、IT（ICT）革命と呼ばれており、この現象を定義づけするとすれば、以下のようになる。すなわち、IT（ICT）革命とは、「情報・通信技術の発展にともなう経済・社会・政治領域における継続的な変革」のことを指し、それはハードウェア、ソフトウェア両面におけるデジタル技術を土台にしているといえるだろう。

　　的な企業間分業の産業組織の在り方は「Wintelism」という言葉で表現されている（森原 2017）。

⑵ IT企業の勃興と経済的影響力の拡大

　情報通信技術の発展・普及、そして政府による市場開放と規制緩和、投資促進策は、世界全体にデジタルエコノミーに関する巨大市場を生み出し、グローバルな領域で一大「IT産業」を形成することになった。この「IT産業」については、OECD（経済協力開発機構）、UNCTAD（国連貿易開発会議）、U.S. Department of Commerce（アメリカ商務省）などが定義づけを行っているが、アメリカ商務省が発表した「Digital Economy 2003」で比較的分かりやすい説明がなされている。これによると、「IT関連産業」は、ハードウェア製造部門とサービス産業部門に大別され、ハードウェア製造部門は、「ハードウェア産業」と「情報通信産業」に分類される。またサービス産業部門は「ソフトウェア・サービス産業」、「コミュニケーションサービス産業」に分類されている（Economic and Statistics Administration 2003）。これらの産業では、ともに特許や著作権などの知的財産権が利益確保の面からも重要となっている。

　これらIT産業関連企業は、従来までのグローバル企業の概念を打ち破るとともに、1990年代以降、ベンチャー企業として勃興し、その社会的・経済的影響力を増大させてきた。これらの企業は、これまでの各国主要産業であった自動車、家電、鉄鋼、機械、電機産業から企業活動の主導権を奪い、ビジネスモデルを変革する主体へと成長している。

　例えば、世界全体で企業の売上高上位500社（2019年業績）を業種別に並べると、IT関連企業数、売上高は、「コンピューター・ソフトウェア」3社（売上高1,961億8ドル）、「コンピューター・事務機器」9社（売上高6,173億ドル）、「ITサービス」4社（1,843億ドル）、「電信・電話」16社（1兆1,931億ドル）に達する。もちろん、このなかにはアメリカ企業だけでなく、日本企業や中国企業などが含まれている[7]。

7）世界の売上高上位500社については、「Fortune Global 500」2020年（2019年度決算）データ（Fortune 2020）を活用している。

表1　2017年におけるe-commerce市場規模上位10カ国

		e-commerce全売上		B to B ビジネス		B to C ビジネス	利用者1人当たりの平均購入額
		10億ドル	対GDP比	10億ドル	構成比	10億ドル	
1	アメリカ	8,883	46	8,129	90	753	3,851
2	日本	2,975	61	2,828	95	147	3,248
3	中国	1,931	16	869	49	1,062	2,574
4	ドイツ	1,503	41	1,414	92	88	1,668
5	韓国	1,290	84	1,220	95	69	2,983
6	イギリス	755	29	548	74	206	4,658
7	フランス	734	28	642	87	92	2,577
8	カナダ	512	31	452	90	60	3,130
9	インド	400	15	369	91	31	1,130
10	イタリア	333	17	310	93	23	1,493
	10か国合計	19,315	36	16,782	87	2,533	2,904
	全世界	29,367		25,516		3,851	

注：e-commerceとは「電子商取引」とも呼ばれ、コンピューター・ネットワーク上を介した情報通信によって財・サービスの取引が行われる仕組みを指す。

出所：UNCTAD, Digital Economic Report 2019: *Value Creation and Capture: Implicatrions for Developing Countries*, United Nation, p.15より作成。

(3) 経済・社会の変革とグローバル化の急拡大

　情報通信技術の発展は、経済・社会・政治領域において広範な変革をもたらし、グローバル化を加速させる要因ともなっている。この情報技術の変革は「ハードウェア」と「ソフトウェア」の同時的な変革によってもたらされ、当初は一方向への情報の配信が中心であったが、通信技術の進歩によって、SNS（ソーシャル・ネットワーク）や検索システムの充実などによって、誰もが情報を双方的にやり取りできるようになっている。これはしばしば「Web2.0」と呼ばれているが、2010年代以降においては、ビッグデータの活用やAIを利用したデータ分析、すべての財・サービスがインターネットと直結するIoT技術がさらに発展することになっている。そのため、主要国では情報通信技術の発展を国家の発展戦略の柱の1つとして位置付けている[8]。

8）日本においては、内閣府がIoT、AI技術等を活用した社会を「Society5.0」として提唱し、ドイツにおいては国家プロジェクトとしていち早くIoT技術に着目し、「Industy4.0戦略」を打ち出すなど、各国の産業政策の柱の1つとなっている。

　また、情報通信技術の飛躍的な発展は、各国・地域間の時間的・空間的な距離を縮め、グローバル化を加速させる要因となっている。結果として、多くの国・地域において、人々は同一の情報、財・サービスを享受することによって、消費行動、価値観などの同質化や類似化が進むことになった。くわえて、各国の消費市場にも大きな変革をもたらしている。これまで、対面販売が中心であったものが、ネットショッピングへと取ってかわり、紙媒体が中心であった新聞・雑誌・書籍は電子化された。これまでCDやDVDを購入し視聴していた音楽や映画は、定額制のダウンロードやストリーミングによってPCやスマートフォンでも視聴可能となり、より手軽で身近なものになっている。そのため、各国ともインターネットを通じた財やサービスの購入を指す「e-commerce」市場が急拡大しており、2020年以降の新型コロナウイルスの感染拡大によって、「e-commerce」市場の拡大が加速している。表1（前ページ）が示すように2017年には、世界全体で約30兆ドルの市場が形成されており、今後も消費市場のバーチャル化が進むものと考えられる。

　だが、そのなかで、ものづくりを中心とした「ハードウェア」生産ではなく、「ソフトウェア」開発、コンテンツ、特許など知的財産権（知財）が重視されるようになり、これら技術情報、顧客データ、アフターサービス、コンテンツなどの「情報」を保有（支配）している知識資本の影響力が高まることになっている（関下他編著 2004）。これらの企業は現在、私たちの生活に欠かせない基礎的なインフラを提供する「プラットフォーマー」と呼ばれており、これらの技術や知的財産権を保有している企業は、アメリカに集中している。そして、中国がアメリカを追いかける構図となっている。

　日本企業は、1990年代までハードウェアを中心とした高い技術を有し、現在においても情報通信技術の発展に無くてはならない存在ではあるが、グローバルな領域において知的財産権や情報を「支配」する存在とはなっておらず、国内経済、企業活動、私生活いずれの領域においてもアメリカ企業の影響力が際立っている。それらがアメリカにおける「GAFA (Google〈グーグル〉、Amazon〈アマゾン〉、Facebook〈フェイスブック〉、Apple〈アップル〉)」、中国における「BATH (Baidu〈バイドゥ〉、Alibaba〈アリババ〉、Tencent〈テンセント〉、Huawei〈ファーウェ

イ》)」と呼ばれる企業群なのである[9]。

2．IT企業群の台頭と巨大プラットフォーマー「GAFA」と「BATH」

(1)「GAFA」と「BATH」：情報化社会の基盤構築企業

　では「GAFA」や「BATH」と呼ばれる企業群は、どのような事業を展開し、私たちの生活や企業活動に深く浸透しているのであろうか。特に「GAFA」の財務データを分析し検討してみよう。図2（次ページ）は、各社がアメリカ証券取引委員会（U.S. Securities and Exchange Commission：SEC）に毎年提出している有価証券報告書（Form10-K）の記載内容をもとに作成した「GAFA」の企業情報や事業内容である。グーグル（Alphabet）、アマゾン、フェイスブック、アップルの順に説明していきたい。

　まず、**グーグル（Google）**は世界最大の検索サイトを運営しており、インターネットを利用したことにある者であれば、誰もが一度は利用したことがあるだろう。このグーグルは2015年に持株会社であるAlphabet Incの傘下に入っているが、Alphabet Incの主要事業体はグーグルということになる。同企業の事業内容は、①検索サイトの管理運営、②ネット広告事業、③クラウド・サービス事業である。メールサービス事業であるGmailやクラウド・サービス事業であるGoogle Cloudは一般ユーザー向けには無料提供されている。また、個人・企業向け動画共有サイトユーチューブ（YouTube）も同社が運営している。売上の中心は、ネット広告事業であり、2019年には1,348億ドルに達している。次いで収益を上げている事業は、クラウド・サービス事業であるが、売上高は約89億ドルに留まっている。つまり、ネット広告事業で得た収益によって、無料の検索サイト、メールサービス、クラウド・サービスを運営するビジネスモデルとなっている。また、研究開発としてAI事業への注力も見られる。

---

[9]　もちろん、日本企業のなかには情報通信事業を行っている企業が多く存在しており、NTTデータ、NEC、富士通、日立製作所、ソフトバンクなどの企業はシステム構築やソフトウェア開発などを行っており、また携帯電話事業も情報通信関連企業である。だが、グローバル市場では、アメリカ、中国、韓国などの企業の後塵を拝しているのも事実である。

図2　GAFAの基本的な企業情報

企 業 名	Google (Alphabet Inc.)	AMAZON. COM, INC	Facebook, Inc.	Apple Inc.
本　　社 所 在 地	マウンテンビュー (カリフォルニア州)	シアトル (ワシントン州)	メンローパーク (カリフォルニア州)	クパチーノ (カリフォルニア州)
創　　業	1998年	1994年	2004年	1976年
従業員数	11万8,899人 (2019年12月31日)	79万8,000人 (2019年12月31日)	4万4,942人 (2019年12月31日)	13万7,000人 (2019年9月28日)
子会社数	国内4社、海外1社	国内5社	国内19社、海外11社	国内2社、海外12社
売 上 高	1,618億5,700万ドル	2,805億2,200万ドル	706億9,700万ドル	2,601億7,400万ドル
経常利益	343億4,300万ドル	115億8,800万ドル	184億8,500万ドル	552億5,600万ドル
事業内容	①検索サイトの管理 　運営 ②ネット広告事業 ③クラウド・サービス 　事業 (Google Cloud) ※2019年度決算において は、広告収入が売上高全 体の83.9%を占めてい る。	①オンライン・スト 　アの運営 ②実店舗の運営 ③Third-party seller 　へのサービス 　(Amazon・マーケット 　・プレイス) の運営 ④会員向けサービス 　(Amazon Prime) ⑤クラウド・コンピ 　ューティング・サー 　ビス (AWS) の運営 ※アマゾンにおいて、最も 収益性の高い事業は、クラ ウド・コンピューティン グ・サービスとなっ ている。	①Facebookの管理 　・運営 ②Instagramの管理 　・運営 ③Facebook 　Messengerの管 　理・運営 ④WhatsAppの提供 ⑤VRに特化したハ 　ード・ソフトウェ 　アの開発・販売 (　Oculus) ⑥AI技術の研究・開 　発 ※フェイスブックの収益 は、ほぼすべて広告収 入から得ている。	①iPhone、Mac、 　iPad (ハードウェア) 　の開発・販売 ②ソフトウェアの開発 　・販売 ③デジタルコンテン 　ツの販売・ストリ 　ーミングサービス ④クラウド・サービ 　ス (iCloud) の提供 ⑤キャッシュレスサ 　ービスの提供 ※iPhoneに代表される ハードウェア販売が収 益の柱となっているが、 自社内では生産設備を 持たないファブレス企 業である。

注：売上高、経常利益については、2019年度決算の情報を記載。
出所：各社の財務データであるForm-10K (https://www.sec.gov/edgar/searchedgar/companysearch.html
　　　アクセス日：2020年6月15日) より作成。

　次にアマゾン (AMAZON.COM, INC) は、世界最大のオンライン・ストア
「Amazon」を運営する企業である。同企業の売上高は2019年度決算において
2,805億2,200万ドルであり、世界最大の流通業者であるウォルマート・スト
アーズに次ぐ規模となっており、日本国内でもオンライン・ストア「Amazon.
co.jp」を運営している。同社の特徴は、自社が仕入れた商品を自社のオンラ
イン・ストアで販売するだけでなく、Amazon・マーケット・プレイスとい
う「Third-party seller」向けサービスを提供し、取扱商品を飛躍的に拡大し
ているという点である。また、会員向けサービスとして「Amazon Prime」を
提供し、オンライン上での書籍、音楽、動画などの配信事業を展開している。

日本国内での売上高は、2019年度で160億ドルに達しており、国内最大手でもある[10]。くわえて、企業向けクラウド・コンピューティング・サービス（AWS）の運営を手掛けており、この事業が最も収益性の高い事業となっている。

　フェイスブック（Facebook, Inc.）は、世界最大のソーシャル・ネットワークサービス企業であり、主要事業は①Facebookの運営、②Instagramの運営、③Facebook Messengerの管理運営である。また、VR（ヴァーチャル・リアリティ）やAI技術の研究開発も手掛けている。収益は、グーグル同様に広告収入から得ている。

　最後にアップル（Apple Inc.）だが、創業は1976年と、他の企業に比べると古く、IT企業のなかでは「老舗」企業となる。事業の中心は、①iPhone、Mac、iPad（ハードウェア）の開発・販売、②ソフトウェアの開発・販売、③デジタルコンテンツの販売・ストリーミングサービス、④クラウド・サービス（iCloud）の提供、⑤キャッシュレスサービスの提供だが、スマートフォンやPCなどハードウェアの販売が収益の柱の１つを構成している。とはいえ、アップルが自社工場を有しているわけではなく、生産工場を持たず、研究・開発（R&D）に特化したファブレス企業となっている。ハードウェアからソフトウェア、コンテンツ配信、アフターサービスまでを手掛けていることが特徴である。

　アメリカに本拠を置くGAFAに対抗する存在として、注目されているのが中国のBATHである。中国におけるネット検索最大手のBaidu（バイドゥ：百度）、オンライン・ショッピング最大手のAlibaba（アリババ：阿里巴巴）、ソーシャル・ネットワークサービスを提供しているTencent（テンセント：騰訊）、情報通信設備、スマートフォンを生産するHuawei（ファーウェイ：華為）が、グーグル、アマゾン、フェイスブック、アップルと対応している。

　米中のこれらの企業は、中国国内はもとより、一部の先進国、新興国市場へと深く浸透しており、情報通信技術やサービスの基盤を構築する主体となっている。現在、世界は「GAFA」が提供する情報通信環境によってサービスが提

10）日本国内でオンライン・ショッピング（e-commerce）事業を展開する楽天グループの2019年度の売上高は、1兆2,639億3,200万円であり、また、ヤフーショッピング、アスクルなどの事業を展開するZホールディングスの売上高は、2019年度で1兆529億4,300万円となっている。

供されているアメリカ、欧州、日本などの地域と「BATH」によってサービスが提供されている中国などの地域との間で、2つのプラットフォームが併存している状態にある。

⑵　GAFAによる生活・経済活動の囲い込み

　GAFAなど情報通信関連企業が提供するオンラインサービスは、今や私たちの生活だけでなく、企業活動にも無くてはならない社会基盤となりつつある。家族や友人との情報交換にはSNSが広く利用され、教育現場やビジネスでは無料のメールサービスやオンラインストレージが活用され、グーグルのクラウド・サービスを採用する学校や企業も多く存在している。さらに、オンライン・ショッピング、キャッシュレス決済がより身近となり、PCやスマートフォンから好きな時にアクセスでき、在庫が豊富にありかつ安価で、わざわざ実店舗に赴く必要のないオンライン・ショッピングの利便性は多くの人々が実感するところである。また、Amazonが提供するオンライン・ショッピングのプラットフォームを利用し、自社の商品を販売する小規模な企業や小売店が多く存在しているのも事実である。そして、インターネットへとアクセスする端末や通信設備、ソフトウェアの多くもGAFAが提供しており、それは私生活から企業活動の領域にまで広く普及している。

　それは一方では、情報通信技術の飛躍的な進歩を象徴する事態であり、我々は巨大IT企業群が提供するプラットフォームによって便利で快適な日常生活を享受している。企業活動においても、取引の円滑化、在庫管理、顧客情報管理、情報共有などあらゆる面で、IT技術の依存性が高まっている。だが他方では、GAFAと呼ばれる巨大IT企業群に生活・経済活動、行政サービス、教育サービスのすべてが囲い込まれ、その技術やサービスがなければ、商品の価格一つ調べることができなくなったり、取引先との連絡すら取らなくなったりする事態が発生しかねない状況となっている。

　IT技術は、生活スタイルや企業活動を劇的に変容させているが、社会全体がIT技術、巨大IT企業への依存性や従属性を高めているとも考えられる。

３．未来社会に向けた課題と深まる米中の覇権争い

⑴ 監視社会と個人情報保護：IoT社会の弊害

　情報化、IoT技術の発展から未来社会を思い描く時、問題となるのが個人情報をいかに管理していくのかということである。インターネットを使い情報収集を行っていると、ブラウザの閲覧履歴に従って、ジャンルの近い書籍・雑誌、閲覧履歴と関連した商品やサービスの広告が登場することは、誰しもが経験していることだろう。これは、消費者の閲覧履歴を参考にAIが類似の商品やサービスを探し出して提案したり、広告契約を結んでいる企業の商品やサービスをブラウザ上に示すことによって行われる。消費者（閲覧者）が広告の商品やサービスをクリックする、あるいは商品やサービスを購入すると、広告収入を得ることのできる契約も存在している。

　今後到来すると予想されているIoT時代では、すべての商品やサービスはインターネットと紐づけされ、そこから得られた個人情報は、ビッグデータとしてAI等によって分析される。それによって、企業は消費者の趣味嗜好や消費者行動を把握し、経営戦略に役立てるというものである。つまり、購入履歴、オンライン決済、さらには商品やサービスの利用状況が逐次、情報管理会社へともたらされる。消費者は利便性を手にする替わりに、企業へと個人情報を提供するのであり、監視社会と表裏一体となる危険性が存在する。

　オンラインによるキャッシュレス決済においても同様のことを指摘することができる。紙幣（現金）による決済であれば、商品・サービスと紙幣（現金）を受け渡しした段階で取引が成立し、個人の秘匿性が保障されている。だが、オンラインによるキャッシュレス決済では、個人がどこで、どのように、いつ、どのような商品やサービスを購入したのか履歴が残ることになる。この行動自体が民間企業に対して、個人情報を提供する行為となるのである。

　そのためEU域内では、2016年に一般データ保護規定（GDPR：General Data Protection Regulation）を制定し、個人情報の保護、国境を横断する個人データ

のやり取りについての規制を強化している。同規則の17条では「忘れられる権利」が明記されている[11]。だが、日本を含めたアメリカやイギリス等の国々では、国境を横断する情報移転に関する制限を規制する方向へと舵が切られている[12]。「情報」をめぐる各国のスタンスは大きく異なっている。

　企業活動においても、GAFAなど情報通信技術の社会基盤を提供し、膨大な情報を有する企業と、その社会基盤を活用し事業を展開している企業との間で情報格差が拡大し、一部の民間企業による情報の独占が加速し、これまで以上に、企業間関係が重層化・階層化すると予想される。

⑵ デジタル・デバイド（情報格差）の問題

　情報通信技術を利用するためには、一定のコストとシステムへの適応が求められる。インターネットへのアクセス料や通信費用はゼロではなく、毎年あるいは毎月、データの使用量によって料金を支払うことになる。また、インターネット上に存在する各種コンテンツや情報を入手するためにも、一定の料金を支払わなければならない。また、スマートフォンやPC、タブレット端末などインターネットへとアクセルするためには、ハードウェア（端末）が必要であり、これらを購入し使い方を学ぶ必要がある。そのため、低所得層や高齢者を中心として、情報へのアクセスが制限されてしまう可能性がある。

　これは「デジタル・デバイド（情報格差）」と呼ばれており、特に高齢者や低所得層では、インターネット上に存在している各種情報へのアクセスが難しいために、十分な行政サービスや消費者としての利益を得ることができなくなる可能性が存在する。これらの社会問題を解決するには、国や自治体による支援だけでなく、企業側からの取り組みも必要となっている。

---

11) EUにおける一般データ保護規則（GDPR）の条文については、欧州連合のウェブサイトを参照（https://eur-lex.europa.eu/eli/reg/2016/679/oj アクセス日：2021年1月7日）。
12) 2021年1月1日に発効した日英FTA（自由貿易協定）では、協定書第8条サービスの貿易、投資の自由化及び電子商取引において、情報の越境移転の制限の禁止が盛り込まれている。また日米デジタル貿易協定にも同様の規定が存在する。

(3) 米中経済摩擦と日本との関係

　最後に指摘しておかなければならないことは、新技術・産業をめぐる主要国に主導権争いである。特に、アメリカと中国は、次世代通信技術である5Gや知的財産権をめぐる対立から「米中貿易戦争」と呼ばれる状況に陥っている。2010年代に先鋭化した対立関係は、単なる経済問題を通り越し、両国による世界経済における主導権や覇権争いへと拡大しつつある。

コ ラ ム

知的財産権はどこまで保護すべきか

　IT（ICT）技術が発展し、情報化社会が進むなかで、知的財産や個人・企業が持つ無形資産の重要性が高まっている。このような知的財産権は、実物の商品とは異なり、一度開発してしまうと、インターネットを通じて、長期にわたって何度でも販売することが可能であり、複製は極めて容易である。またデジタル情報によって保存されているため、商品としての価値が劣化することがない。映画やアニメ、小説、漫画、ゲーム、映像、音楽などのコンテンツは、最も身近な知的財産といってよいだろう。

　この知的財産（知財）に含まれている知的財産権を保護しているのが著作権法である。この著作権法は1899年に制定され、知的財産権保護意識の高まりや情報技術の発展とあわせて改正が繰り返され、2020年6月5日に現在の改正著作権法が成立しており、2021年1月1日から運用が開始されている。

　著作権法は、国際関係とも深く関わっているが、海賊版対策や違法ダウンロードの罰則強化に軸足が置かれた改正となっている。この改正は、著作権者の権利を保護するとともに、創作活動の活発化を促す目的で行われているが、他方で、同人誌に代表される創作活動を抑制するのではないかとの意見も存在している。

　また著作権保護期間の延長も続いている。日本国内においてもTPP11（CPTPP）が2018年12月30日に発効したことを受け、著作権の保護期間が著作者の死後50年から70年へと延長されている。アメリカの著作権法では、法人が著作権を保有している場合、最大でコンテンツ制作後120年まで著作権が保護されることになっている。

　著作権法は、創作者の権利を適切に保護し、よって文化の発展に寄与することが目的とされている。また知的財産は人類共通の公共財であり、人類のあらゆる発展に貢献してこそ、その真価が発揮される。知的財産権の保護と開放をめぐる議論は今後も続く。

　そのため、日本を含めた現在の世界経済では、アメリカ（企業）と中国（企業）のITプラットフォームが併存する格好となっており、一部の通信技術については、中国企業の技術を採用する動きも広がっている。そのなかで、IT技術のみならず次世代の環境技術で後れを取っている日本企業の世界経済における影響力が低下することが懸念されている。また、米中対立のなかで、両国と深い経済関係を持つ日本の立ち位置が危ぶまれている。

おわりに

　本章では、情報通信技術の発展による住民生活や企業活動の変容について、巨大プラットフォーマーであるGAFAの事業内容を紹介しつつ論じてきた。インターネットの利用やIoT技術は、私たちの生活を劇的に変化し、オンラインでの財・サービスの購入手法や決済手段が変化するだけでなく、企業による事業活動の在り方を大きく変革させるものとなっている。新型コロナウイルスの感染拡大が続く今日において、日常生活や行政サービス、企業活動が維持されているのは、IT化や情報化が進んだ成果であろう。

　だが、経済活動の効率化や利便性の向上は、個人情報保護や国境を越えるデータの往来など新たな課題を突きつけており、アメリカや中国による次世代技術や世界経済の覇権をめぐる対立は、EUや日本を巻き込みながら先鋭化、深刻化している。また、すべての財やサービスがインターネットで繋がることは、情報を管理している民間企業へと個人情報や企業活動に関する情報が集中することを意味しており、個人間・企業間における情報格差を生み出すだけでなく、世界全体が監視社会へと変貌を遂げてしまう可能性も存在する。

　巨大IT企業は、社会生活や経済活動に無くてならない技術や情報を提供しているが、利益や情報の独占が進んでおり、各国では巨大IT企業による経済活動を規制する動きが強まっている。

【参考文献】

Economic and Statistics Administration（2003）*Digital Economy 2003*, U.S. Department of Commerce, p.10.

European Union（2016）*On the Protection of Natural Persons with Regard to the Processing of Personal Data and on the Free Movement of Such Data, and Repealing Directive 95/46/EC (General Data Protection Regulation)*, Official Journal of the European Union.

Fortune（2020）Fortune, Number 8, pp.F1-F10.

OECD（2020）International community renews commitment to address tax challenges from digitalisation of the economy, (http://www.oecd.org/tax/international-community-renews-commitment-to-address-tax-challenges-from-digitalisation-of-the-economy.htm).

The President's Commission on Industrial Competitiveness（1985）*Global Competition: The New Reality : the Report of the President's Commission on Industrial Competitiveness*, Government Printing Office, pp.51-53.

USTR（2020）*2020 National Trade Estimate Report on Foreign Trade Barriers*, United States Trade Representative, pp.99-124.

総務省（2015）『情報通信白書 ICT白書』日経印刷、pp.8-9。

森原康仁（2017）『アメリカIT産業のサービス化 ── ウィンテル支配とIBMの事業変革』日本経済評論社、pp.12-13。

関下稔・中川涼司編著（2004）『ITの国際政治経済学 ── 交錯する先進国・途上国関係 ──』晃洋書房、pp.34-36。

終章 転換期にある日本経済
——グローバル化と自由主義の先へ

小山大介（京都橘大学）

1.「惨事便乗型」グローバル化の展開

　本書が執筆されていた2020年春から2021年夏にかけて、世界はまさにコロナ禍の真っただ中にあった。日本国内についても同様に、とくに2021年には東京オリンピック・パラリンピック開催を前後して感染者が急増し、ワクチン接種が進んでいない若い世代を中心として、感染リスクが飛躍的に高まった。そして感染拡大は、乳幼児や小学生にまで広がった。さらに感染拡大は、東京や大阪といった大都市だけでなく、各地へと波及し、感染リスクが間近に迫っているとの危機感や医療体制への負担が大きく高まった。

　この人類史上に残る大災害は、世界、日本の経済や社会、そして地域経済に激震を与えており、日本経済や社会は不安定性を高めている。現段階では、「収束」という言葉を発することが難しく、今後の行方を見通すことは極めて困難である。このような事態は、国内外での国境を横断する取引や人の往来が加速した、いわばグローバル化の結果であるといえよう。

　「惨事便乗」という言葉がある。経済危機や大災害などの危機を利用して、あるいは危機に乗じて、行財政改革、規制緩和を進めたり、立場を強化したりする行為である。日本経済や世界経済を問わず、好況が続き安定した時期である「平時」には大きな出来事が発生することは少なく、経済や社会が混乱した「有事」にこそ大きく変容してきた。

　第二次世界大戦後の動向を見ても、1971年のニクソン・ショックでは、主要国通貨が変動相場制へと移行されるなかで、金融取引の活発化と金融資本主義化が加速することになり、新自由主義的政策が全世界的に採用されるようになった。日本国内では、1985年のプラザ合意から続く円高によって、大手製造企

業を中心として海外事業転換が加速し、産業空洞化と地域経済の活力低下が大きな社会問題となっていった。そしてそれは、ヒト・モノ・カネ・情報の東京一極集中を進め、現在にもつながる日本経済の構造的課題を投げかけている。さらに、国鉄、NTT、JTの民営化が行われ、自由化や規制緩和への足掛かりがつくられた。

　1991年は、日本においてバブル経済が崩壊した年として記憶に留められているが、世界経済ではソビエト社会主義体制が崩壊し、1989年の東西ドイツ統一と合わせて、冷戦構造が解体した年として記憶されている。それ以降のグローバル化の進展は、各国経済の融合を進めるとともに、先進国だけでなく、新興国や発展途上国との国際政策協調によって、グローバル化の名のもとに、国内市場開放や規制緩和が急進的に実施された。日本では外資系流通企業や外資系保険会社の進出が相次いだ時期であり、各国との経済関係やグローバル化が地域経済や中小企業にも深く影響を与えるようになり始めた時期でもある。

　1997年のアジア通貨危機、2001年のアメリカITバブルの崩壊は、現在にも続く新自由主義的政策を国内で強硬に推し進める機会となった。小泉構造改革は、就職氷河期と膨大な非正規雇用を生み、郵政民営化が断行された。労働者と企業の所得分配構造を変容させ、経営者や大手企業優位の環境を作り出した。輸出主導型経済成長のため、円安政策が採られ、地方自治体では行財政改革、市町村合併によって住民サービスにおける質が劣化することにつながっている。サブプライム・ローン問題から端を発した2008年のリーマン・ショックにおいても、経済成長や大手企業重視の政策が貫徹されている。

　そして、2020年からの新型コロナウイルスの感染拡大は、監視社会、キャッシュレス経済、IoT（Internet of Things）を推進するきっかけをつくり、国内外の社会関係は大きく変わろうとしている。

　このように、日本経済、世界経済は、金融危機や経済危機、国際的な外交・通商枠組みの構築を起点として、異なる社会関係、経済関係へと変容している。1990年代以降におけるこれらの変容過程では、グローバル化とICT化が同時並行的に進められた。だが、新型コロナウイルスの感染拡大は、人為的な経済危機、政治危機ではなく、一種の災害であり、人知を超えた場所に危機が存

在しており、これまでの危機とは様相が大きく異なっている。そのような情勢にあっても、主要国や大手（多国籍）企業は、この機会に乗じて、改革を断行し、利益の極大化を進めており、住民生活や持続的な発展についての優先順位は、低いままとなっている。国際社会では、各国間の協調が呼びかけられているが、人類史に残る危機のなかにあっても、各国間の対立や主導権争いが続いている。くわえて、国家による経済活動の制限は、自由や民主主義をめぐる対立を拡大させている。新型コロナウイルスの感染拡大は、社会的分断、所得格差の拡大を通じた対立を国内外で先鋭化の方向へと誘っているといってよいだろう。

2．時代の転換点を見る視点

　このように国内外の社会や経済の不確実性が高まるなかでの専門書執筆は、難しさがある反面、研究者冥利に尽きる取り組みでもある。

　本書を執筆している研究者は、2021年9月現在、20から40歳代であり、グローバル化と新自由主義的政策が進められた社会で生まれ、学び、研究を行ってきた。もちろん、研究者である以上、原稿執筆では実証分析をもとにした情報が組み込まれているが、経済構造や社会構造が大きく変わっていく時代を生きているという事実や経験は、本書の内容にも反映されており、グローバル化の進展や現在国内で実施されている経済政策や社会政策、地域政策への批判的検討が加えられている。

　さて、本書の内容は、日本全体を取り巻く情勢、そしてグローバル化と日本経済との関係をより広い視点で分析したのち、現代的課題として、金融・キャッシュレス、グローバル化、構造変化、医療・福祉の制度改革、地域経済の衰退、非営利組織（NPO）の役割強化など、個別課題に接近していく内容となっている。日本経済を語る時、歴史的発展過程に着目することが多いが、ここでは、より新しい課題であり、IoT（Internet of Things）やベーシック・インカム、地域経済などにも着目するとともに、新型コロナウイルスに感染拡大による経済的・社会的変容についても、議論を投げかける内容となっており、各章とも多くの論点が込められている。その点からも、第1章からの輪読に留まら

ず、それぞれの章について個別に着目し、議論を深めることも可能となっているだけでなく、若い研究者が批判を恐れず、日本経済の現代的課題に取り組んだ成果が凝縮されている。

1990年代以降の低成長時代における日本経済や社会を振り返ってみると、第二次世界大戦以後、構築されてきた日本の発展モデルへの批判の連続であった。労使協調体制の崩壊、所得再分配構造の見直し、グローバル化と産業空洞化による地域経済の衰退、自由化・市場開放による公的部門の解体、社会福祉制度の見直しなど、これまでの日本経済や社会のあり方を根底から覆す構造変化や制度改革が行われてきた。その結果として、国内では所得格差の拡大、賃金水準の伸び悩み、大企業の収益拡大が進み、経済的活力や社会的協調性が失われる結果となり、先進各国からは取り残され、新興国・発展途上国からは激しい追い上げを受けている。これら国内外で発生している現象の原因を一言で表すとすれば、グローバル化の進展ということになるが、国際協調が進むなかかで、外交政策、通商政策、多国籍企業による海外事業展開など、いずれの面でも日本が世界経済における主導的立場を確保することはできてない。グローバル化やICT化への対応がしきりに叫ばれ続けた。30年の間に、日本経済や社会は大きく変容し、経済活動の面でも、地域経済振興の面でも、外交・通商政策の面でも、舵取り役を失っている。

そして、今、世界はコロナ禍の渦になかにある。国内経済は、これまでに存在していた情勢変化の流れと、コロナ禍によって加速した経済や社会の流れのなかで、新たな局面を迎えている。そして、ただ一つ確かなことは、まさに世界経済、そして日本経済が時代の転換的にあるということである。日本経済は、1990年代以降の30年の延長線上のなかで構造変容を進めていくのか、あるいは新たな価値観、新たな国際協調のもとで、これまでの30年とは色彩の異なる変容が進むのかの曲がり角に差しかかっている。そのようななかで、私たちがどのような方向に進んでいけばよいのか。そのヒントが各章のなかにも眠っている。

　第1章では、これまでの資本主義のあり方を批判する反グローバル化の動き

にくわえ、その原因となっている格差拡大についても論じられており、**第2章**では1990年代以降の日本経済を分析した後、バブル崩壊後の課題が述べられ、各論への導入が図られている。

　各論部分をなす**第3章**では、日本経済低迷の原因をまず説明し、**第4章**では、コロナ禍のなかで急速に推進されているキャッシュレス決済について、その種類と特徴、そして課題が述べられている。また、**第5章**では日本経済のグローバル化がどのように進められてきたのか、国際政策協調の進展過程を紐解き、自由化一辺倒の通商政策を見直し、豊かな社会の実現に向けた持続的な政策の必要性が語られている。

　次に、労働環境、社会福祉政策では、**第6章**で悪化を続ける日本の労働環境と「働き方改革」の実態が示され、**第7章**では近年注目されているベーシック・インカムについての疑問を投げかけながら議論が展開され、ベーシック・インカムが社会保障政策の「核」とはならないことが示されている。さらに、**第8章**では、国民皆保険制度の意味が解説され、財政再建を理由として制度を縮小することの問題性が語られている。

　第9章では地域経済へと着目し、持続的な発展のための実践として、地域内経済循環や地域内再投資の促進を進めることが求められている。**第10章**では、高齢化社会を肯定的に捉えるとともに、所得格差是正のためには所得の再分配機能を拡充させることが重要であることが示されている。

　第11章、**第12章**では、さらに新しい課題へと切り込んでおり、**第11章**では非営利組織の営利化と営利組織の非営利化が取り上げられ、事業活動における社会的意義の重要性が語られている。また、**第12章**においては、大手IT企業であるGAFAに着目し、これら企業の競争力の源泉、そして一部の企業へと権力や情報が集積することへの危険性が述べられている。

3．新しい社会、経済に向けて

　これらすべての章に共通していることは、各研究者が専門分野から現状を深く分析し、批判的に捉えることによって、通説に囚われず議論を展開することによって、より豊かで持続的な次世代社会を展望しようとするという姿勢であ

る。その意味でも、社会に流布している常識を自らの目で確かめ、真実を見極めるための、実証分析や批判的視点が重要となっており、本書ではそれらの視点が貫徹されている。

本書では、一般読者、学生が学びを深められるような工夫もなされている。章立て構成は、総合的な視点から各分野へと深められており、抽象的視点から具体的視点へと自然な形で学び深まるよう設計されている。また、各章にはキーワードとコラムが設定されており、読者の読み始めからの難易度を軽減し、理解度を深めるための工夫がなされている。表題はわかりやすく、節や項は、過度に長文とならないようにしている。もちろん、第1章から読み解くこともできれば、興味のある章から読み進めることもできる。現代日本経済の諸課題を明らかにする専門書としての役割にくわえ、専門科目、基礎科目、ゼミナールにおける輪読への活用など、汎用性の高い内容となっている。

だが、今後の課題とも呼べる改善点も存在している。それは本書がコロナ禍の前に企画され、コロナ禍のなかで執筆されたこととも関わっている。各章では、コロナ禍による経済や社会への影響について指摘がなされているが、未だ世界は、暗中模索のなかにいる。そのため、ポスト・コロナを見据えるのか、ウィズ・コロナを見据えるのか、結論が定まっていない。これについては、今後とも修正を加えていく必要があるだろう。

また、日本経済の課題を総合的に論じながらも、捉えきれていない課題も存在するということである。それは、中小企業政策と地域経済における中小企業の役割、環境問題への接近、グローバル化における地域経済の変容についてである。環境問題は、もちろん、私たちが日々の生活を営み、再生産活動を行い、持続的な発展を遂げていくためには、なくてはならない視点であるし、各地で災害が多発し、多くの生命や財産が奪われていることを考えると、必須の研究課題である。また、中小企業と地域経済との関係では、地域の中小企業が中心となり、地域経済を活性化しようとする取り組みが進められており、そこでは地域内経済循環の拡大がキーワードとなっているほか、中小企業振興基本条例や公契約条例制定への取り組みが進む。これらの取り組みは、単なる中小企業振興策の検討にととどまらず、地域経済や社会の発展をも見据えた取り組み

となっている。これらの取り組みは、これまでの過度なグローバル化や新自由主義的な政策を見直す契機となっているだけでなく、中央集権的な経済政策や地域政策へのアンチテーゼでもある。

　また、国内で進む上下水道事業への民間企業の参入についても批判が高まっており、これまでのグローバル化、自由化一辺倒の政策とは異なる視点が生まれている。この点からも現在の世界経済や日本経済は、グローバル化や自由化を推し進めようとする力と、過度なグローバル化の再検討、持続的な発展や地域主体の考え方とが交錯しているといえる。くわえて、グローバル化の推進母体である国内大手企業の海外事業展開に関する分析も今後進めなければならない課題といえよう。これらの検討課題については、研究プロジェクトを継続し、改訂版を作成する際、付け加えていきたい項目である。

　私たちは、時代の転換点を生きている。転換点とは、これまでの経済・社会のあり方を見つめ直し、新たな社会へと向かって歩みを進める出発点でもある。日本を取り巻く経済・社会環境は、厳しさを増している。アメリカと中国との政治的対立、混迷を深める世界経済、度重なる災害、そして拡大する格差など、課題は山積している。

　本書を紐解き、日本経済の現状を批判的に捉えることで、持続的社会の実現や豊かな社会に向けた取り組みへの理解が深まれば幸いである。

索　引

266

［執筆者一覧］（50音順）

梶原太一　1982年11月16日生まれ。高知県立大学文化学部准教授　『会計のヒストリー80』（中央経済社、2020年、分担執筆）、『大学的高知ガイド——こだわりの歩き方——』（昭和堂、2019年、分担執筆）など。

金江　亮　1976年11月18日生まれ。桃山学院大学経済学部准教授　『マルクス派最適成長論』（京都大学学術出版会、2013年、単著）など。

☆小山大介　1978年8月9日生まれ。京都橘大学経済学部准教授　『都市科学事典』（春風社、2021年、分担執筆）、「アメリカにおける多国籍企業の企業内貿易構造——Related Party TradeおよびIntra-firm Trade分析を中心に——」『立命館国際地域研究』第47号（立命館大学国際地域研究所、2018年、単著）、『入門現代日本の経済政策』（法律文化社、2016年、分担執筆）など。

白石智宙　1993年4月4日生まれ。立教大学経済学部助教　「農山村における地域内経済循環の構築過程分析——岡山県西粟倉村を事例に——」『財政と公共政策』第63号（財政学研究会、2018年、単著）や「林業・木材産業等の地域内経済循環と財政循環——岡山県西粟倉村をケースとして——」『財政研究』第16巻（日本財政学会、2020年、単著）など。

瀬野陸見　1989年4月20日生まれ。京都大学大学院経済学研究科ジュニア・リサーチャー　「皆保険体制の普遍性と安定性」『財政と公共政策』第65号（財政学研究会、2019年、単著）、『時代はさらに資本論——資本主義の終わりのはじまり——』（昭和堂、2021年、分担執筆）など。

田添篤史　1984年5月24日生まれ。三重短期大学法経科准教授　『投下労働量からの日本経済分析——「価値」と「価格」で見る日本型資本主義——』（花伝社、2021年、単著）、「産業連関表を用いた置塩型利潤率の計算による資本労働関係の分析——2000年代初めにおける日本経済の構造変化の抽出——」『季刊経済理論』第51巻第2号（経済理論学会、2014年、単著）など。

中野裕史　1981年5月14日生まれ。関西地区私立大学教職員組合連合（関西私大教連）書記長　『労働運動の新たな地平——労働者・労働組合の組織化——』（かもがわ出版、2015年、分担執筆）、「給付型奨学金制度の創設と『大学改革』」『経済科学通信』146号（基礎経済科学研究所、2018年、単著）など。

☆森本壮亮　1983年4月1日生まれ。立教大学経済学部准教授　『時代はさらに資本論——資本主義の終わりのはじまり——』（昭和堂、2021年、分担執筆）、「『資本論』解釈としてのNew Interpretation」『季刊経済理論』第51巻第3号（経済理論学会、2014年、単著）、「利潤率の傾向的低下法則と日本経済——置塩定理を中心にして——」『桃山学院大学経済経営論集』第57巻第3号（桃山学院大学経済経営学会、2016年、単著）など。

（☆は編集者）

変容する日本経済
真に豊かな経済・社会への課題と展望

2022年3月1日 初版印刷
2022年3月12日 初版発行

編著者	小山 大介	森本 壮亮
	© Daisuke Koyama 2022	© Sousuke Morimoto 2022
発行者	川口 敦己	
発行所	鉱 脈 社	
	宮崎市田代町263番地	郵便番号880-8551
	電話0985-25-1758	http://komyakusha.jp
印 刷 製 本	有限会社 鉱脈社	

発掘・継承・創造 ──《いのち》をうり継ぎ・育み・うけ渡そう